숨마 주니어®

119 개 대표 문장으로 끝내는

중학 영문법 MANUAL 119

중학 1학년 영어 교과서 핵심 문법 119개 30일 완성!!

총 2,000여 개 문항 3단계 반복 학습으로 기초 탄탄! 내신 만점!

1

집필진과 검토진 쌤들의 추천 코멘트!!

정지윤 쌤(언남중)

문법이 어렵다는 편견은 이제 그만! 시험에 자주 출제되는 문법 항목별로 개념 설명이 잘 되어 있고, 같은 페이지에 바로 확인 문제들이 있어서 문법 개념을 확실하게 다질 수 있는 좋은 교재입니다. 문법을 어려워하는 학생들도 차근차근 풀어나가다 보면 자신감이 생기고 문법 실력을 쑥쑥 쌓을 수 있는 교재랍니다.

김하경 쌤(당곡중)

학교 시험에서 중요하게 다루는 문법 항목이 일목요연하게 정리되어 있네요. 특히 문법 개념을 익힌 후 학교 시험과 유사한 문제 풀이로 내신을 탄탄하게 대비할 수 있게 되어 있어 좋습니다. 중학 문법! 중학 영문법 매뉴얼 119로 시작해보세요!

홍숙한 쌤
(서울대학교 사범대학 부설여자중)

교과서 분석을 통해 엄선된 핵심 중학 문법 항목을 깔끔하게 정리하여 누구라도 쉽게 이해할 수 있게 했습니다. 또한 내신과 영어 기반 다지기라는 두 마리 토끼를 잡을 수 있도록 구성했습니다. 쉽고 다양한 문제를 내신 적중 실전 문제와 연결하여 단계적인 학습이 가능하게 하였습니다. 이는 학생들의 영어 체력을 확실하게 높여줄 것입니다.

김지영 쌤(상경중)

중학 영문법 매뉴얼 119는 각 학년별로 반드시 알아야 할 영문법을 일목요연하게 정리한 교재입니다. 특히 대표 문장을 제시함으로써, 핵심 문법을 문장 단위로 암기할 수 있도록 하였습니다. 중학 영문법 매뉴얼 119라는 제목처럼 이 교재가 여러분이 급할 때 가장 먼저 찾을 수 있는 교재가 되길 바랍니다.

윤소미 원장(안산 이엘어학원)

각 학년별로 반드시 알아야 할 문법 포인트가 자세히 나누어져 있으며, 하위 카테고리는 어느 것 하나 지나칠 수 없는 알짜 내용으로 구성되어 있습니다. 자칫 지루하게 느껴질 수도 있을 개념 설명에 흥미로운 예문을 곁들였습니다.

윤승희 쌤(필탑학원)

문법 개념 학습 후 베이직 문제, 응용 문제, 마무리 10분 테스트로 이어지는 이 책의 구성은 문법 학습의 첫 시작부터 완벽한 마무리까지 체계적으로 이끌어 줍니다. 책 명칭처럼 이 책은 문법을 어려워하는 학생들에게 119같은 역할이 될 것입니다.

HOW TO STUDY

중학 영문법 매뉴얼 119!

1 대표 문장은 꼭 암기합니다.

Point 상단에 제시된 대표 문장은 해당 문법 항목에서 다루는 내용이 가장 잘 드러나는 문장이므로, 학습 후 암기하는 것이 문법 항목을 이해하는 데 도움이 됩니다. 또한 문장의 실용성이 높아 실생활에서도 활용 가능합니다. 따라서 별도로 제공되는 여러 가지 버전의 mp3 파일을 수시로 들으며 대표 문장을 암기하도록 합니다.

2 틀린 문제는 반드시 확인하고, 부족한 개념은 다시 공부합니다.

틀린 문제를 확인하는 것은 새로운 개념을 공부하는 것보다 더 중요하므로, 문제를 왜 틀렸는지 해설을 통해 반드시 확인합니다. 그리고 내신 적중 실전 문제에는 연계 출제한 문법 point가 표시되어 있으므로, 틀린 문제는 해당 문법 Point를 다시 학습하여 완벽하게 이해하고 넘어가도록 합니다.

3 "마무리 10분 테스트"로 각 Lesson 학습을 마무리 합니다.

마무리 10분 테스트는 해당 Lesson에서 반복 학습할 필요가 있는 중요 문법 문제들로 구성되어 있어 배운 문법을 확실히 정리할 수 있습니다. 무엇보다 중요한 것은 25문항을 10분의 시간을 정해서 푸는 것입니다. 이미 충분히 연습한 개념을 정리하는 것이므로 시간 안에 빠르게 푸는 연습을 하도록 합니다.

내신 적중 실전 문제는 중간 · 기말 시험 전에 다시 한 번 학습합니다.

내신 적중 실전 문제는 실제 학교 시험에 출제된 다양한 내신 기출 문제들의 출제 경향, 패턴 및 빈도 등을 분석하여 내신 시험에 출제 가능성이 높은 문제를 수록하였습니다. 따라서 모든 학습을 마친 후 중간·기말 시험 전에 내신 적중 실전 문제만 다시 한 번 풀어보는 것이 학교 내신 시험을 대비하는 데 큰 도움이 될 것입니다.

구성과 특징

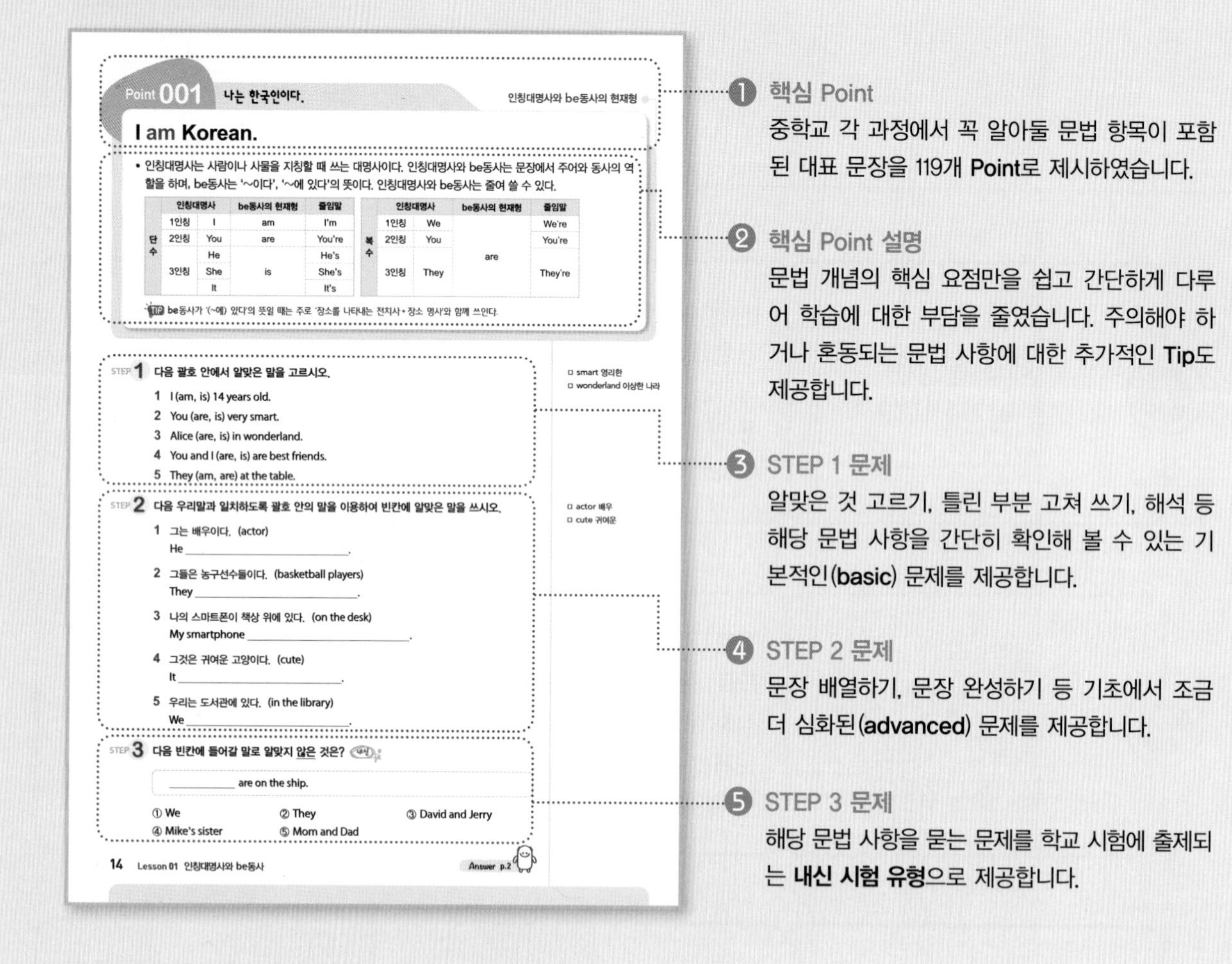

❶ **핵심 Point**
중학교 각 과정에서 꼭 알아둘 문법 항목이 포함된 대표 문장을 119개 **Point**로 제시하였습니다.

❷ **핵심 Point 설명**
문법 개념의 핵심 요점만을 쉽고 간단하게 다루어 학습에 대한 부담을 줄였습니다. 주의해야 하거나 혼동되는 문법 사항에 대한 추가적인 **Tip**도 제공합니다.

❸ **STEP 1 문제**
알맞은 것 고르기, 틀린 부분 고쳐 쓰기, 해석 등 해당 문법 사항을 간단히 확인해 볼 수 있는 기본적인(**basic**) 문제를 제공합니다.

❹ **STEP 2 문제**
문장 배열하기, 문장 완성하기 등 기초에서 조금 더 심화된(**advanced**) 문제를 제공합니다.

❺ **STEP 3 문제**
해당 문법 사항을 묻는 문제를 학교 시험에 출제되는 **내신 시험 유형**으로 제공합니다.

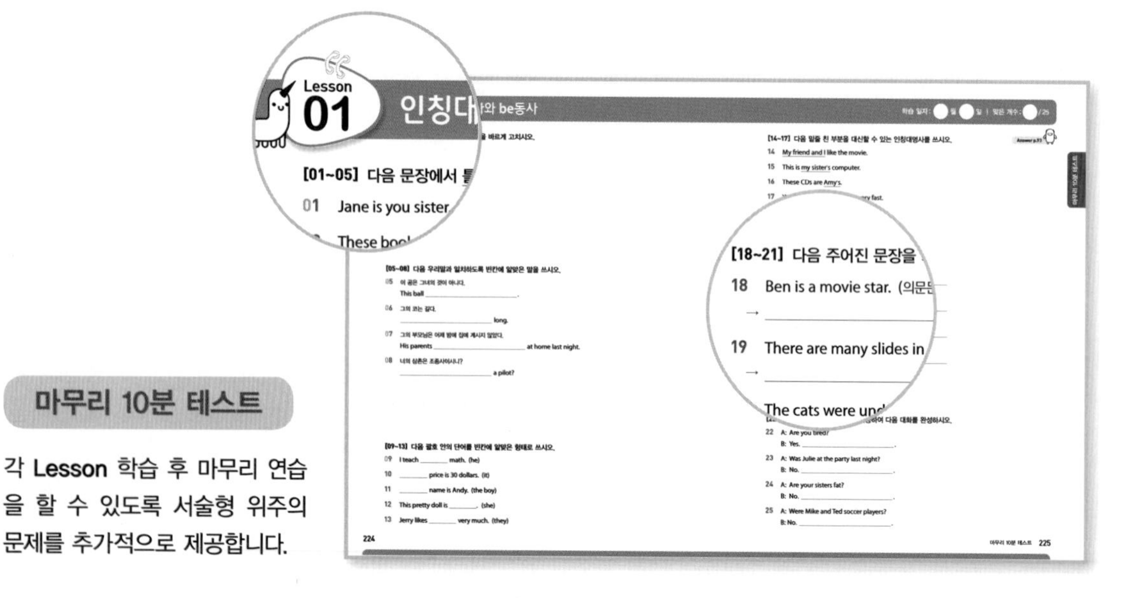

마무리 10분 테스트

각 Lesson 학습 후 마무리 연습을 할 수 있도록 서술형 위주의 문제를 추가적으로 제공합니다.

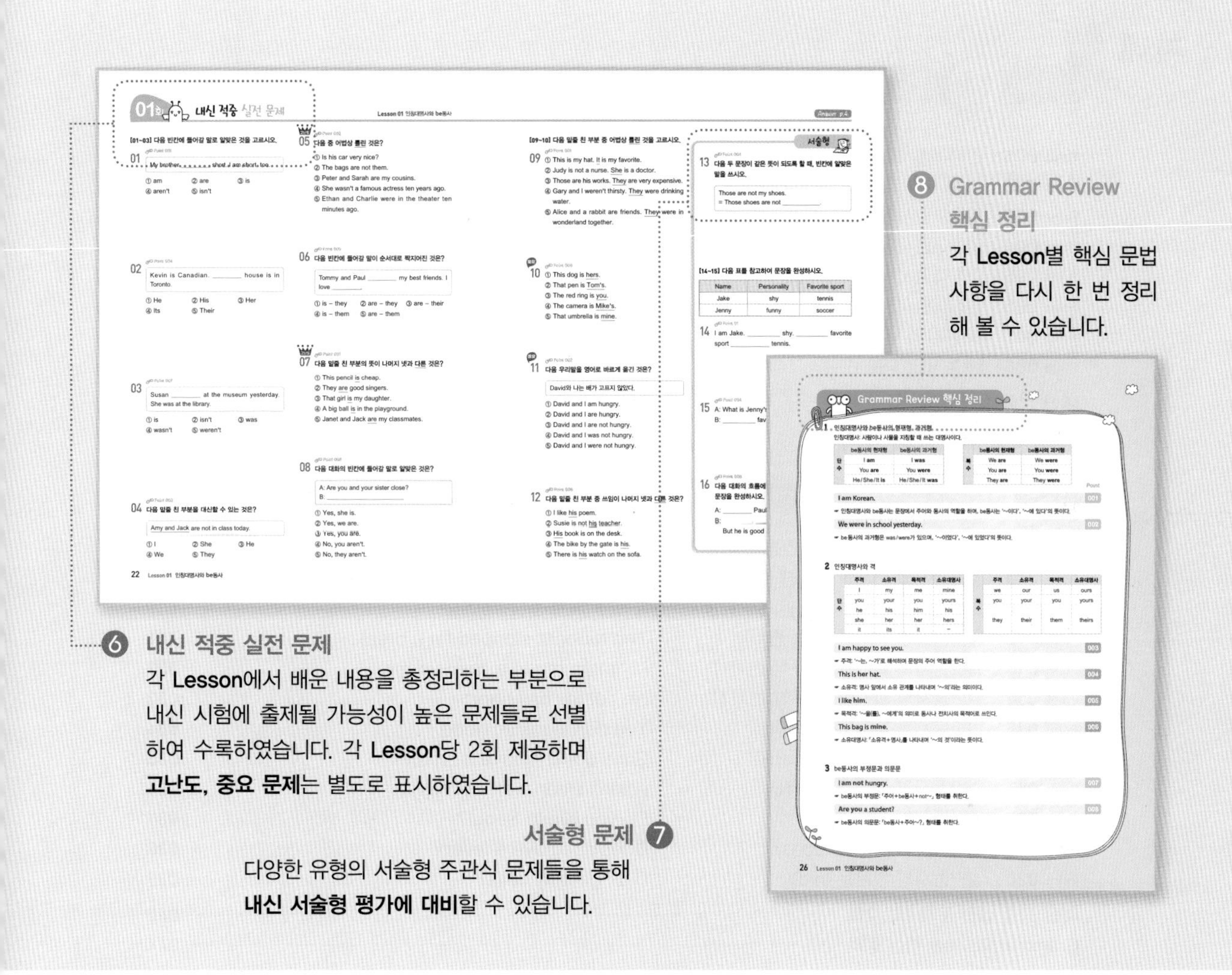

8 Grammar Review 핵심 정리

각 Lesson별 핵심 문법 사항을 다시 한 번 정리해 볼 수 있습니다.

6 내신 적중 실전 문제

각 Lesson에서 배운 내용을 총정리하는 부분으로 내신 시험에 출제될 가능성이 높은 문제들로 선별하여 수록하였습니다. 각 Lesson당 2회 제공하며 **고난도, 중요 문제**는 별도로 표시하였습니다.

서술형 문제 7

다양한 유형의 서술형 주관식 문제들을 통해 **내신 서술형 평가에 대비**할 수 있습니다.

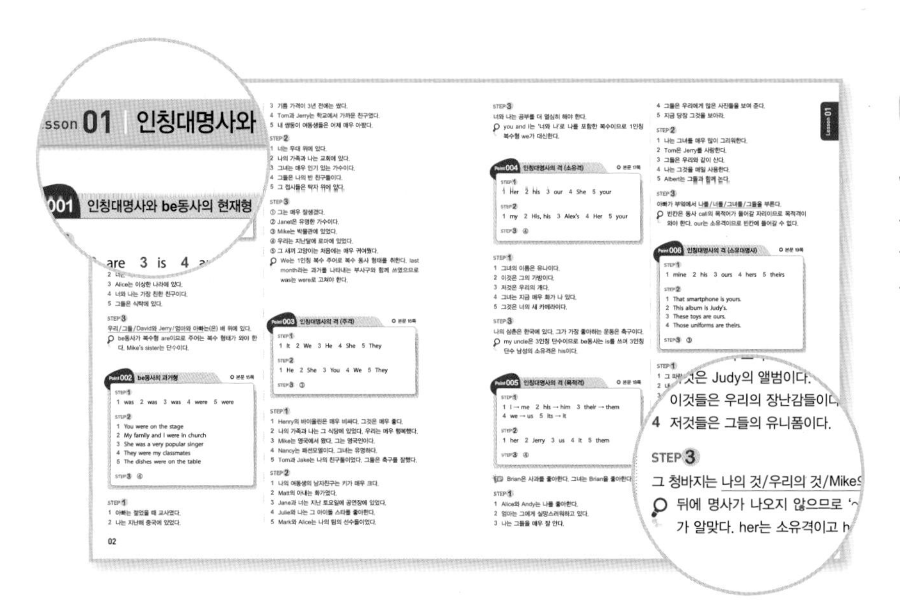

정답 및 해설

문장 해석, 자세한 문제 해설, 중요 어휘를 수록하여 혼자 공부하는 데 어려움이 없도록 구성하였습니다.

차례

LESSON 01 인칭대명사와 be동사

LESSON 02 일반동사

LESSON 03 시제

LESSON 04 조동사

CONTENTS

차례

CONTENTS

30일 완성 학습 PROJECT

학습계획표

	학습일	학습 내용	학습 날짜	문법 이해도
LESSON 01	Day 01	인칭대명사와 be동사 Point **001~008**	월 일 월 일	☺😐☹
	Day 02	내신 적중 실전 문제, 핵심 정리, 마무리 10분 테스트	월 일 월 일	☺😐☹
LESSON 02	Day 03	일반동사 Point **009~020**	월 일 월 일	☺😐☹
	Day 04	내신 적중 실전 문제, 핵심 정리, 마무리 10분 테스트	월 일 월 일	☺😐☹
LESSON 03	Day 05	시제 Point **021~028**	월 일 월 일	☺😐☹
	Day 06	내신 적중 실전 문제, 핵심 정리, 마무리 10분 테스트	월 일 월 일	☺😐☹
LESSON 04	Day 07	조동사 Point **029~034**	월 일 월 일	☺😐☹
	Day 08	내신 적중 실전 문제, 핵심 정리, 마무리 10분 테스트	월 일 월 일	☺😐☹
LESSON 05	Day 09	문장의 형태 Point **035~044**	월 일 월 일	☺😐☹
	Day 10	내신 적중 실전 문제, 핵심 정리, 마무리 10분 테스트	월 일 월 일	☺😐☹
LESSON 06	Day 11	명사와 관사 Point **045~052**	월 일 월 일	☺😐☹
	Day 12	내신 적중 실전 문제, 핵심 정리, 마무리 10분 테스트	월 일 월 일	☺😐☹
LESSON 07	Day 13	형용사와 부사 Point **053~062**	월 일 월 일	☺😐☹
	Day 14	내신 적중 실전 문제, 핵심 정리, 마무리 10분 테스트	월 일 월 일	☺😐☹
LESSON 08	Day 15	to부정사 Point **063~068**	월 일 월 일	☺😐☹
	Day 16	내신 적중 실전 문제, 핵심 정리, 마무리 10분 테스트	월 일 월 일	☺😐☹

- 교과서 핵심 문법 Point 119개를 30일 동안 내 것으로 만들어 보자!
- 매일매일 풀 양을 정해놓고 일정 시간 동안 꾸준히 풀어본다.
- 3단계 반복 학습으로 기초 탄탄! 내신 만점!

	학습일	학습 내용	학습 날짜	문법 이해도
LESSON 09	Day 17	동명사 Point **069~074**	월 일 월 일	☺😐☹
	Day 18	내신 적중 실전 문제, 핵심 정리, 마무리 10분 테스트	월 일 월 일	☺😐☹
LESSON 10	Day 19	대명사 Point **075~080**	월 일 월 일	☺😐☹
	Day 20	내신 적중 실전 문제, 핵심 정리, 마무리 10분 테스트	월 일 월 일	☺😐☹
LESSON 11	Day 21	접속사 Point **081~088**	월 일 월 일	☺😐☹
	Day 22	내신 적중 실전 문제, 핵심 정리, 마무리 10분 테스트	월 일 월 일	☺😐☹
LESSON 12	Day 23	의문문 Ⅰ (의문사 의문문) Point **089~096**	월 일 월 일	☺😐☹
	Day 24	내신 적중 실전 문제, 핵심 정리, 마무리 10분 테스트	월 일 월 일	☺😐☹
LESSON 13	Day 25	의문문 Ⅱ Point **097~100** 내신 적중 실전 문제 1회	월 일 월 일	☺😐☹
	Day 26	내신 적중 실전 문제 2회, 핵심 정리, 마무리 10분 테스트	월 일 월 일	☺😐☹
LESSON 14	Day 27	감탄문과 명령문 Point **101~106**	월 일 월 일	☺😐☹
	Day 28	내신 적중 실전 문제, 핵심 정리, 마무리 10분 테스트	월 일 월 일	☺😐☹
LESSON 15	Day 29	전치사 Point **107~119**	월 일 월 일	☺😐☹
	Day 30	내신 적중 실전 문제, 핵심 정리, 마무리 10분 테스트	월 일 월 일	☺😐☹

Note

숨마 주니어® 중학 영문법 매뉴얼 119

LESSON 01

인칭대명사와 be동사

Point 001 나는 한국인이다.

I am Korean.

- 인칭대명사는 사람이나 사물을 지칭할 때 쓰는 대명사이다. 인칭대명사와 be동사는 문장에서 주어와 동사의 역할을 하며, be동사는 '~이다', '~에 있다'의 뜻이다. 인칭대명사와 be동사는 줄여 쓸 수 있다.

	인칭대명사		be동사의 현재형	줄임말
단수	1인칭	I	am	I'm
	2인칭	You	are	You're
	3인칭	He	is	He's
		She		She's
		It		It's

	인칭대명사		be동사의 현재형	줄임말
복수	1인칭	We	are	We're
	2인칭	You		You're
	3인칭	They		They're

TIP be동사가 '(~에) 있다'의 뜻일 때는 주로 '장소를 나타내는 전치사+장소 명사'와 함께 쓰인다.

STEP 1 다음 괄호 안에서 알맞은 말을 고르시오.

□ smart 영리한
□ wonderland 이상한 나라

1 I (am, is) 14 years old.
2 You (are, is) very smart.
3 Alice (are, is) in wonderland.
4 You and I (are, is) best friends.
5 They (am, are) at the table.

STEP 2 다음 우리말과 일치하도록 괄호 안의 말을 이용하여 빈칸에 알맞은 말을 쓰시오.

□ actor 배우
□ cute 귀여운

1 그는 배우이다. (actor)
He ______________________.

2 그들은 농구선수들이다. (basketball players)
They ______________________.

3 나의 스마트폰이 책상 위에 있다. (on the desk)
My smartphone ______________________.

4 그것은 귀여운 고양이다. (cute)
It ______________________.

5 우리는 도서관에 있다. (in the library)
We ______________________.

STEP 3 다음 빈칸에 들어갈 말로 알맞지 않은 것은? 내신

__________ are on the ship.

① We ② They ③ David and Jerry
④ Mike's sister ⑤ Mom and Dad

Point 002 우리는 어제 학교에 있었다.

We were in school yesterday.

- be동사의 과거형은 was/were가 있으며, '~이었다', '~에 있었다'의 뜻이다. 주로 과거를 나타내는 부사(구)들과 함께 쓰인다.

	be동사의 현재형	be동사의 과거형
단수	I **am**	I **was**
	You **are**	You **were**
	He/She/It **is**	He/She/It **was**

	be동사의 현재형	be동사의 과거형
복수	We **are**	We **were**
	You **are**	You **were**
	They **are**	They **were**

STEP 1 다음 괄호 안에서 알맞은 말을 고르시오.

1 Dad (was, were) a teacher when he was young.
2 I (was, were) in China last year.
3 The price of oil (is, was) cheap 3 years ago.
4 Tom and Jerry (was, were) close friends in school.
5 My twin sisters (are, were) very sick yesterday.

□ oil 기름
□ twin 쌍둥이
□ sick 아픈

STEP 2 다음 문장을 주어진 부사구에 알맞은 문장으로 다시 쓰시오.

1 You are on the stage.
→ ______________________ last night.

2 My family and I are in church.
→ ______________________ yesterday.

3 She is a very popular singer.
→ ______________________ ten years ago.

4 They are my classmates.
→ ______________________ last year.

5 The dishes are on the table.
→ ______________________ thirty minutes ago.

□ stage 무대
□ popular 인기 있는

STEP 3 다음 중 어법상 틀린 것은? 내신

① He is very handsome.
② Janet is a famous singer.
③ Mike was in the museum.
④ We was in Rome last month.
⑤ The little kitten was very cute at first.

□ famous 유명한
□ museum 박물관

Answer p.2

Point 003 나는 너를 봐서 기뻐.

I am happy to see you.

- 인칭대명사가 주격으로 쓰이는 경우, '~는, ~가'로 해석하며 문장의 주어 역할을 한다.

	인칭	주격
단수	1인칭	I
	2인칭	you
	3인칭	he
		she
		it

	인칭	주격
복수	1인칭	we
	2인칭	you
	3인칭	they

STEP 1 다음 괄호 안에서 알맞은 말을 고르시오.

□ Englishman 영국인
□ be good at ~를 잘하다

1 Henry's violin is very expensive. (He, It) is very nice.
2 My family and I were at the restaurant. (I, We) were very happy.
3 Mike is from England. (You, He) is an Englishman.
4 Nancy is a fashion model. (She, It) is famous.
5 Tom and Jake were my friends. (You, They) were good at soccer.

STEP 2 다음 밑줄 친 부분을 인칭대명사로 바꿔 쓰시오.

□ painter 화가
□ idol star 아이돌 스타
□ player 선수

1 My sister's boy friend is very tall.
→ ____________ is very tall.

2 Matt's wife was a painter.
→ ____________ was a painter.

3 Jane and you were at the concert hall last Saturday.
→ ____________ were at the concert hall last Saturday.

4 Julie and I like the idol star.
→ ____________ like the idol star.

5 Mark and Alice were players on my team.
→ ____________ were players on my team.

STEP 3 다음 밑줄 친 부분을 대신할 수 있는 것은? 내신

You and I must study harder.

① I ② You ③ We
④ He ⑤ They

Answer p.2

Point 004 이것이 그녀의 모자이다.

This is her hat.

- 명사 앞에서 소유 관계를 나타내며 '~의'라는 의미이다.

	주격	소유격
단수	I	my
	you	your
	he	his
	she	her
	it	its

	주격	소유격
복수	we	our
	you	your
	they	their

TIP 사람을 나타내는 명사의 소유격은 명사에 's를 붙인다. -s로 끝나는 복수형에는 '만 붙인다.
(Mary - Mary's / students - students')

STEP 1 다음 괄호 안에서 알맞은 말을 고르시오.

□ angry 화가 난

1 (She, Her) name is Yuna.
2 This is (he, his) bag.
3 That is (we, our) dog.
4 (She, Her) is very angry now.
5 It is (you, your) new camera.

STEP 2 다음 우리말과 일치하도록 빈칸에 알맞은 말을 쓰시오.

□ near 가까운
□ laptop computer 노트북 컴퓨터

1 Ben은 나의 남동생이다.
Ben is ____________ brother.

2 그의 학교는 그의 집과 가깝다.
____________ school is near ____________ house.

3 이것은 Alex의 노트북 컴퓨터이다.
This is ____________ laptop computer.

4 그녀의 집은 매우 크다.
____________ house is very large.

5 나는 너의 헤어스타일이 마음에 든다.
I like ____________ hair style.

STEP 3 다음 빈칸에 들어갈 말이 순서대로 짝지어진 것은? 내신

□ favorite 가장 좋아하는

My uncle ________ in Korea. ________ favorite sport is soccer.

① am – He ② are – He ③ is – He
④ is – His ⑤ are – Their

Answer p.3

Point 005 나는 그를 좋아한다.

I like him.

- '~을(를), ~에게'의 의미로 동사나 전치사의 목적어로 쓰인다.

	주격	소유격	목적격
단수	I	my	me
	you	your	you
	he	his	him
	she	her	her
	it	its	it

	주격	소유격	목적격
복수	we	our	us
	you	your	you
	they	their	them

TIP 인칭대명사와 달리 명사의 목적격은 형태 변화 없이 목적어로 쓰인다.

Brian likes apples. She likes Brian.
(Brian: 주격, Brian: 목적격)

STEP 1 다음 문장에서 틀린 부분을 바르게 고치시오.

1 Alice and Andy like I.
2 Mom is disappointed with his.
3 I know their very well.
4 They show we many pictures.
5 Look at its right now.

□ disappointed 실망한
□ show 보여 주다
□ picture 그림, 사진
□ right now 지금 당장

STEP 2 다음 괄호 안의 단어를 빈칸에 알맞은 형태로 쓰시오.

1 I miss ____________ very much. (she)
2 Tom loves ____________. (Jerry)
3 They live with ____________. (we)
4 I use ____________ every day. (it)
5 Albert plays with ____________. (they)

□ miss 그리워하다
□ live 살다
□ use 사용하다

STEP 3 다음 빈칸에 들어갈 말로 알맞지 않은 것은? 내신

Dad calls __________ in the kitchen.

① me ② you ③ her
④ our ⑤ them

Answer p.3

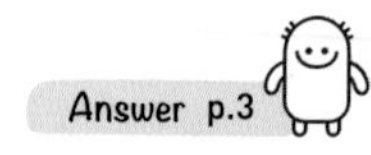

Point 006 이 가방은 나의 것이다.

This bag is mine.

- 「소유격+명사」를 나타내며 '~의 것'이라는 뜻이다. 명사의 내용이 앞에 나왔거나 밝힐 필요가 없을 때 쓴다.

	주격	소유격	소유대명사
단수	I	my	mine
	you	your	yours
	he	his	his
	she	her	hers
	it	its	–

	주격	소유격	소유대명사
복수	we	our	ours
	you	your	yours
	they	their	theirs

TIP 사람을 나타내는 명사의 소유대명사는 소유격처럼 's를 붙인다. -s로 끝나는 복수형에는 '만 붙인다.

STEP 1 다음 괄호 안에서 알맞은 말을 고르시오.

□ plain 무늬가 없는
□ striped 줄무늬가 있는
□ crayon 크레용

1 The blue pen is (my, mine).
2 My shirt is plain. The striped shirt is (him, his).
3 The 12 crayons are (our, ours).
4 It is my cap. The green cap is (her, hers).
5 Those cars are (them, theirs).

STEP 2 다음 보기 와 같이 소유대명사를 이용하여 문장을 다시 쓰시오.

□ uniform 유니폼

보기 This is my book. → This book is mine.

1 That is your smartphone.
→ ______________________

2 This is Judy's album.
→ ______________________

3 These are our toys.
→ ______________________

4 Those are their uniforms.
→ ______________________

STEP 3 다음 빈칸에 들어갈 말로 알맞지 않은 것은? 내신

□ blue jeans 청바지

The blue jeans are ____________.

① mine ② ours ③ her
④ Mike's ⑤ my mom's

Answer p.3

Point 007 나는 배가 고프지 않다.

I am not hungry.

- be동사의 부정문: 「주어 + be동사 + not~」의 형태를 취한다.

부정문	「주어+be동사」 줄임말	「be동사+not」 줄임말
I **am not**	I**'m not**	–
You **are not**	You**'re not**	You **aren't**
He / She / It **is not**	He**'s** / She**'s** / It**'s not**	He / She / It **isn't**
We / You / They **are not**	We**'re** / You're / They**'re not**	We / You / They **aren't**

- be동사 과거형의 부정은 was not[wasn't] 또는 were not[weren't]로 나타낸다.

TIP be동사와 not은 줄여 쓸 수 있지만 am not은 줄여 쓰지 않는다.

STEP 1 다음 괄호 안에서 알맞은 말을 고르시오.

□ musician 음악가

1 (I'm not, I amn't) a musician.
2 (They not, They're not) happy now.
3 Mike and Miranda (wasn't, weren't) there yesterday.
4 The girls (not were, were not) in the classroom.
5 Jessie and I (am not, are not) ballerinas.

STEP 2 다음 문장을 부정문으로 바꿔 쓰시오. (단, 축약형을 사용할 것)

□ wet 젖은
□ expensive 비싼
□ department store 백화점

1 The poor dog is wet.
→ ______________________________
2 We are late for school.
→ ______________________________
3 They are from Canada.
→ ______________________________
4 It is an expensive car.
→ ______________________________
5 Her parents were at the department store.
→ ______________________________

STEP 3 다음 빈칸에 들어갈 말로 알맞은 것은? 내신

□ fat 뚱뚱한
□ thin 마른, 날씬한

My mom ________ fat. She is very thin.

① is ② are ③ isn't ④ aren't ⑤ weren't

Answer p.4

Point 008 너는 학생이니?

Are you a student?

- be동사의 의문문: 「**be동사 + 주어~?**」의 형태를 취한다.

의문문	긍정 대답	부정 대답
Am I ~?	Yes, you are.	No, you aren't.
Are you(단수) ~?	Yes, I am.	No, I'm not.
Is he/she/it ~?	Yes, he/she/it is.	No, he/she/it isn't.
Are you(복수)/we/they ~?	Yes, we/you/they are.	No, we/you/they aren't.

- be동사 과거형의 의문문은 was나 were를 이용해서 만든다.

TIP 「**There is[are]** ~」 의문문도 be동사를 there 앞으로 보내어 만든다.

STEP 1 다음 문장에서 틀린 부분을 바르게 고치시오.

□ singer 가수
□ interesting 재미있는

1 Am you a singer?
2 Is this is your camera?
3 Is the boys your students?
4 Are the movie interesting?
5 A: Is Maggie a police officer? B: No, she is.

STEP 2 다음 문장을 의문문으로 바꿔 쓰시오.

□ wall 벽

1 Janet was a very clever girl.
→ ____________________

2 Tom and Jake are Ann's brothers.
→ ____________________

3 Nora is in England.
→ ____________________

4 There is a picture on the wall.
→ ____________________

STEP 3 다음 대화의 빈칸에 들어갈 말로 알맞은 것은? 내신

□ businessman 사업가
□ firefighter 소방관

A: Is your father a businessman?
B: ____________. He is a firefighter.

① Yes, my father is.
② Yes, he is.
③ No, my father isn't.
④ No, he isn't.
⑤ No, your father isn't

Answer p.4

01회 내신 적중 실전 문제

[01~03] 다음 빈칸에 들어갈 말로 알맞은 것을 고르시오.

Point 001

01

My brother _________ short. I am short, too.

① am ② are ③ is
④ aren't ⑤ isn't

Point 004

02

Kevin is Canadian. _________ house is in Toronto.

① He ② His ③ Her
④ Its ⑤ Their

Point 007

03

Susan _________ at the museum yesterday. She was at the library.

① is ② isn't ③ was
④ wasn't ⑤ weren't

Point 003

04 다음 밑줄 친 부분을 대신할 수 있는 것은?

Amy and Jack are not in class today.

① I ② She ③ He
④ We ⑤ They

고난도 Point 002

05 다음 중 어법상 틀린 것은?

① Is his car very nice?
② The bags are not them.
③ Peter and Sarah are my cousins.
④ She wasn't a famous actress ten years ago.
⑤ Ethan and Charlie were in the theater ten minutes ago.

Point 005

06 다음 빈칸에 들어갈 말이 순서대로 짝지어진 것은?

Tommy and Paul _________ my best friends. I love _________.

① is – they ② are – they ③ are – their
④ is – them ⑤ are – them

고난도 Point 001

07 다음 밑줄 친 부분의 뜻이 나머지 넷과 다른 것은?

① This pencil is cheap.
② They are good singers.
③ That girl is my daughter.
④ A big ball is in the playground.
⑤ Janet and Jack are my classmates.

Point 008

08 다음 대화의 빈칸에 들어갈 말로 알맞은 것은?

A: Are you and your sister close?
B: _________________________

① Yes, she is.
② Yes, we are.
③ Yes, you are.
④ No, you aren't.
⑤ No, they aren't.

[09~10] 다음 밑줄 친 부분 중 어법상 틀린 것을 고르시오.

Point 001

09 ① This is my hat. It is my favorite.
② Judy is not a nurse. She is a doctor.
③ Those are his works. They are very expensive.
④ Gary and I weren't thirsty. They were drinking water.
⑤ Alice and a rabbit are friends. They were in wonderland together.

Point 006

10 ① This dog is hers.
② That pen is Tom's.
③ The red ring is you.
④ The camera is Mike's.
⑤ That umbrella is mine.

Point 002

11 다음 우리말을 영어로 바르게 옮긴 것은?

David와 나는 배가 고프지 않았다.

① David and I am hungry.
② David and I are hungry.
③ David and I are not hungry.
④ David and I was not hungry.
⑤ David and I were not hungry.

Point 006

12 다음 밑줄 친 부분 중 쓰임이 나머지 넷과 다른 것은?

① I like his poem.
② Susie is not his teacher.
③ His book is on the desk.
④ The bike by the gate is his.
⑤ There is his watch on the sofa.

서술형

Point 004

13 다음 두 문장이 같은 뜻이 되도록 할 때, 빈칸에 알맞은 말을 쓰시오.

Those are not my shoes.
= Those shoes are not __________.

[14~15] 다음 표를 참고하여 문장을 완성하시오.

Name	Personality	Favorite sport
Jake	shy	tennis
Jenny	funny	soccer

Point 01

14 I am Jake. ________ shy. ________ favorite sport ________ tennis.

Point 004

15 A: What is Jenny's favorite sport?
B: ________ favorite sport ________ soccer.

Point 008

16 다음 대화의 흐름에 맞게 괄호 안의 단어를 이용하여 문장을 완성하시오.

A: ________ Paul ________? (tall)
B: ________, ________. He is very short.
But he is good at basketball.

Point 001
01 다음 빈칸에 공통으로 들어갈 말로 알맞은 것은?

- This is ________ wallet.
- The cell phone on the floor is ________.

① my ② her ③ his
④ your ⑤ their

Point 002
02 다음 빈칸에 들어갈 말로 알맞은 것은?

James ________ a very active boy 4 years ago.

① am ② are ③ is
④ was ⑤ were

Point 003
03 다음 밑줄 친 부분 중 축약형이 옳지 않은 것은?

① She's a very smart student.
② I amn't the same age with you.
③ You and I weren't studying hard.
④ Ted wasn't late for the meeting.
⑤ They weren't fond of playing outside.

[04~06] 다음 빈칸에 들어갈 말로 알맞지 않은 것을 고르시오.

Point 004
04

________ toy store is in Seoul.

① My ② You ③ His
④ Her ⑤ Their

Point 005
05

She teaches ________ math.

① us ② Andrew
③ them ④ John and Maggie
⑤ my brothers'

Point 006
06

Those sunglasses are ________.

① his ② mine ③ hers
④ Mike's ⑤ her husband

중요
Point 006
07 다음 밑줄 친 부분 중 쓰임이 나머지 넷과 다른 것은?

① I want to see her.
② We like her very much.
③ Jane took a picture of her.
④ There is her ring in the drawer.
⑤ The man by the window praised her.

Point 007
08 다음 우리말을 영어로 바르게 옮긴 것은?

Julie는 야생동물들을 무서워하니?

① Is Julie afraid of wild animals?
② Are Julie afraid of wild animals?
③ Was Julie afraid of wild animals?
④ Is Julie be afraid of wild animals?
⑤ Are Julie be afraid of wild animals?

Point 008

09 다음 중 짝지어진 대화가 어색한 것은?

① A: Is this your scarf?
B: Yes. It's my favorite.
② A: Is his class interesting?
B: Yes, he is.
③ A: Is Mr. Brown your teacher?
B: Yes, he is.
④ A: Is he from England?
B: Yes, he is. He's from London.
⑤ A: Are you happy with your present?
B: Of course. I like it.

고난도

Point 008

10 다음 대화의 빈칸에 들어갈 말로 알맞은 것은?

A: Are James and Sally brother and sister?
B: ________________________.
They are good friends.

① Yes, it is.
② No, it isn't.
③ Yes, they are.
④ No, they aren't.
⑤ No, these aren't.

Point 001

11 다음 빈칸에 들어갈 말이 나머지 넷과 다른 것은?

① ________ Mary with her sisters?
② ________ there a coin in your purse?
③ My parents' house ________ in Busan.
④ John and Jack ________ in the stadium.
⑤ My grandfather ________ over 70 years old.

Point 005

12 다음 밑줄 친 부분 중 어법상 틀린 것은?

① She uses it every day.
② I love Jenny very much.
③ Janet lives with her parents.
④ Bob invites their to the party.
⑤ Dad gave me some pocket money.

서술형

[13~14] 다음 두 문장을 한 문장으로 바꿀 때 빈칸에 알맞은 말을 쓰시오.

Point 001

13

He is Korean. She is Korean, too.

→ ________________ Korean.

Point 001

14

I am in the second grade. You are in the second grade, too.

→ ________________ in the second grade.

Point 007

15 다음 우리말과 일치하도록 괄호 안의 말을 바르게 배열하시오.

너의 개와 고양이는 건강하니?
(and, dog, cat, your, healthy, are)

→ ____________________________________

Point 001, 004

16 다음 우리말과 일치하도록 주어진 조건을 이용하여 영작하시오.

조건 1 there로 시작할 것
조건 2 beautiful, vase를 사용할 것

꽃병에 아름다운 꽃들이 있었다.

→ ____________________________________

Grammar Review 핵심 정리

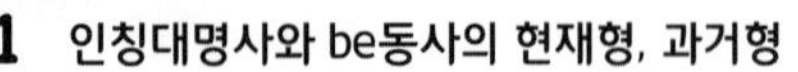

1 인칭대명사와 be동사의 현재형, 과거형

인칭대명사: 사람이나 사물을 지칭할 때 쓰는 대명사이다.

	be동사의 현재형	be동사의 과거형
단수	I **am**	I **was**
	You **are**	You **were**
	He/She/It **is**	He/She/It **was**

	be동사의 현재형	be동사의 과거형
복수	We **are**	We **were**
	You **are**	You **were**
	They **are**	They **were**

Point

I am Korean. 001

☞ 인칭대명사와 be동사는 문장에서 주어와 동사의 역할을 하며, be동사는 '~이다', '~에 있다'의 뜻이다.

We **were** in school yesterday. 002

☞ be동사의 과거형은 was/were가 있으며, '~이었다', '~에 있었다'의 뜻이다.

2 인칭대명사와 격

	주격	소유격	목적격	소유대명사
단수	I	my	me	mine
	you	your	you	yours
	he	his	him	his
	she	her	her	hers
	it	its	it	–

	주격	소유격	목적격	소유대명사
복수	we	our	us	ours
	you	your	you	yours
	they	their	them	theirs

I am happy to see you. 003

☞ 주격: '~는, ~가'로 해석하며 문장의 주어 역할을 한다.

This is **her** hat. 004

☞ 소유격: 명사 앞에서 소유 관계를 나타내며 '~의'라는 의미이다.

I like **him.** 005

☞ 목적격: '~을(를), ~에게'의 의미로 동사나 전치사의 목적어로 쓰인다.

This bag is **mine.** 006

☞ 소유대명사: 「소유격+명사」를 나타내며 '~의 것'이라는 뜻이다.

3 be동사의 부정문과 의문문

I **am not** hungry. 007

☞ be동사의 부정문: 「주어+be동사+not~」 형태를 취한다.

Are you a student? 008

☞ be동사의 의문문: 「be동사+주어~?」 형태를 취한다.

LESSON 02

일반동사

Point 009 나는 대한중학교에 다닌다.

I go to Daehan Middle School.

- 일반동사란 be동사와 조동사를 제외한 모든 동사로 동작이나 상태를 나타낸다.
- 주어가 1인칭이나 2인칭이고 현재시제인 경우, 주어의 수에 관계없이 일반동사를 원형 그대로 쓴다.

1인칭 단수 주어	I **like** music.
1인칭 복수 주어	We **play** soccer after school.
2인칭 단수 주어	You **sing** very well.
2인칭 복수 주어	You **need** dreams and goals.

STEP 1 다음 문장을 밑줄 친 부분에 유의하여 우리말로 해석하시오.

□ share 함께 쓰다

1 I watch TV with my family in the evening.
2 You look nice in that blouse.
3 We take a music class in the music room.
4 My brother and I share a room.
5 You guys work so hard.

STEP 2 다음 우리말과 일치하도록 괄호 안의 말을 바르게 배열하시오.

□ hike 등산하다
□ sense 감각
□ tired 피곤한
□ spend (시간을) 보내다

1 나는 일요일마다 등산하러 간다. (every, I, go, Sunday, hiking)

____

2 우리는 같은 아파트에 산다. (live, the, apartment, we, in, same)

____

3 너는 훌륭한 패션 감각을 갖고 있구나. (you, a, sense, great, have, of fashion)

____

4 너희들은 지금 피곤해 보인다. (now, you, tired, look)

____

5 내 친구들과 나는 많은 시간을 함께 보낸다.
(and, time, spend, I, a lot of, my friends, together)

____

STEP 3 다음 빈칸에 들어갈 말로 알맞지 않은 것은? 내신

__________ speak English very well.

① I ② You ③ We
④ My sister and I ⑤ Susan

Answer p.7

Point 010 그녀는 춤을 매우 잘 춘다.

She dances very well.

- 주어가 3인칭 단수이고 현재시제인 경우, 일반동사의 끝에 -(e)s를 붙인다.
- 주어가 3인칭 복수이고 현재시제인 경우, 일반동사를 원형 그대로 쓴다.

3인칭 단수 주어	He **tells** great jokes. (tell+-s)
	She **washes** the dishes. (wash+-es)
	It **lives** in the sea. (live+-s)
3인칭 복수 주어	They **taste** sweet.

STEP 1 다음 괄호 안에서 알맞은 말을 고르시오.

1 My father (work, works) at a museum.
2 Jenny (know, knows) many famous singers.
3 We (plant, plants) trees on April 5.
4 The leaves (turn, turns) red and yellow in the fall.
5 Juho and Minsu (play, plays) badminton every Saturday.

□ famous 유명한
□ plant (나무 · 씨앗 등을) 심다
□ turn 변하다
□ fall 가을

STEP 2 다음 우리말과 일치하도록 빈칸에 들어갈 말을 보기에서 골라 알맞은 형태로 쓰시오.

보기 read grow like close

1 태호와 미나는 서로 좋아한다.
Taeho and Mina ____________ each other.

2 그녀는 인터넷으로 뉴스를 읽는다.
She ____________ news on the Internet.

3 사과는 나무에서 자란다.
Apples ____________ on trees.

4 도서관은 저녁 8시에 문을 닫는다.
The library ____________ at 8 o'clock in the evening.

□ grow 자라다
□ close 닫다
□ library 도서관

STEP 3 다음 중 어법상 틀린 것은? 내신

① School starts at 9 a.m.
② Cheetahs run very fast.
③ It rains a lot in the summer.
④ My mom watch dramas late at night.
⑤ Ben and Mike often fight with each other.

□ cheetah 치타
□ fight 싸우다

Answer p.7

Point 011 비행기 조종사는 비행기를 조종한다.

일반동사의 3인칭 단수 만드는 방법

A pilot flies an airplane.

- 주어가 3인칭 단수이고 현재시제인 경우, 일반동사의 형태는 다음과 같다.

일반적인 경우	+-s	read**s**, help**s**, clean**s**, like**s**, play**s**
-o, -s, -x, -sh, -ch로 끝나는 동사	+-es	go**es**, dress**es**, fix**es**, wash**es**, watch**es**
「자음+y」로 끝나는 동사	y를 i로 바꾸고 +-es	study → stud**ies**, cry → cr**ies**, try → tr**ies**, marry → marr**ies**
불규칙 변화	have → **has**	

STEP 1 다음 밑줄 친 부분을 바르게 고치시오.

1 Chris usually listen to classical music.
2 My mom say I am a good boy.
3 Luke hurrys to school every morning.
4 Yujin haves special plans for this vacation.
5 The early bird catch the worm.

□ classical music 클래식 음악
□ hurry 서둘러 가다
□ catch 잡다
□ worm 벌레

STEP 2 다음 우리말과 일치하도록 괄호 안의 말을 이용하여 빈칸에 알맞은 말을 쓰시오.

1 Jim은 하루에 세 번 자신의 이를 닦는다. (brush, teeth)
Jim ________________ three times a day.

2 Jane은 헤어드라이어로 자신의 머리카락을 말린다. (dry)
Jane ________________ with a hair dryer.

3 민지는 매일 일기를 쓴다. (keep, a diary)
Minji ________________ every day.

4 시간은 매우 빨리 지나간다. (pass)
________________ very quickly.

5 그는 매일 아침 출근길에 신문을 산다. (buy, a newspaper)
He ________________ on his way to work every morning.

□ keep a diary 일기를 쓰다
□ pass (시간이) 지나가다
□ newspaper 신문
□ on one's way to ~로 가는 길에

STEP 3 다음 중 어법상 옳은 것은? 내신

① Tom enjoy all kinds of sports.
② The sweet melody relaxs me.
③ Suji always helps elderly people.
④ My father watchs the news at 8 p.m.
⑤ He sometimes studyes at the school library.

□ all kinds of 모든 종류의
□ melody 선율
□ relax 긴장을 풀어 주다
□ elderly 연세가 드신

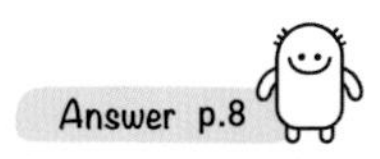

Point 012 달리기 선수들은 휴식을 위해 멈췄다.

The runners stopped for a break.

- 과거시제인 경우 일반동사는 동사원형에 -(e)d를 붙이는 규칙 변화나 불규칙하게 변하는 불규칙 변화에 따라 형태가 정해진다.
- 규칙 변화에 따른 일반동사의 과거형은 다음과 같다.

일반적인 경우	+-ed	want**ed**, look**ed**, call**ed**, play**ed**, enjoy**ed**
「자음+e」로 끝나는 동사	+-d	like**d**, live**d**, move**d**, smile**d**, arrive**d**
「자음+y」로 끝나는 동사	y를 i로 바꾸고 +-ed	study → stud**ied**, try → tr**ied**, cry → cr**ied**, worry → worr**ied**
「단모음+단자음」으로 끝나는 동사	자음을 한 번 더 쓰고 +-ed	drop → drop**ped**, chat → chat**ted**, plan → plan**ned**

STEP 1 다음 빈칸에 알맞은 말에 ∨ 표시를 하시오.

1 I ____________ a blind man across the street. □ helpped □ helped
2 Mira ____________ all night yesterday. □ studied □ studyed
3 The baby ____________ for an hour. □ cryed □ cried
4 They ____________ jazz at our wedding. □ plaied □ played
5 I ____________ my schedule in advance. □ planed □ planned

□ blind man 맹인
□ schedule 일정
□ in advance 미리
□ plan 계획하다

STEP 2 다음 우리말과 일치하도록 괄호 안의 말을 이용하여 빈칸에 알맞은 말을 쓰시오.

1 우리 할머니는 나를 보고 미소를 지으셨다. (smile at)
My grandmother ______________________________.

2 John은 구내식당에서 유리잔을 떨어뜨렸다. (drop, a glass)
John ______________________________ in the cafeteria.

3 우리는 그곳에서 이틀간 머물렀다. (stay)
We ______________________________ for two days.

4 나는 경주를 끝마치려고 노력했다. (try to finish)
I ______________________________ the race.

□ drop 떨어뜨리다
□ cafeteria 구내식당
□ try to ~하려고 노력하다
□ finish 끝마치다

STEP 3 다음 밑줄 친 부분 중 어법상 틀린 것은? 내신

① She shoped for fruits at the market.
② He worked as a nurse in the past.
③ They looked at the scene for a long time.
④ His family worried about his health.
⑤ Romeo and Juliet loved each other so much.

□ market 시장
□ nurse 간호사
□ in the past 과거에
□ scene 장면

Answer p.8

Point 013 우리 엄마는 내게 케이크를 만들어 주셨다.

My mom made a cake for me.

• 불규칙 변화에 따른 일반동사의 과거형은 다음과 같다.

go → went	come → came	become → became	sit → sat
eat → ate	drink → drank	give → gave	stand → stood
get → got	take → took	send → sent	sleep → slept
have → had	make → made	keep → kept	find → found
tell → told	say → said	run → ran	meet → met
see → saw	hear → heard	do → did	think → thought
know → knew	leave → left	buy → bought	fall → fell

STEP 1 다음 밑줄 친 부분을 과거형으로 바르게 고치시오.

1 She taked a shower and goed to school.
2 I maked a mistake in the speaking contest yesterday.
3 They meeted for the first time five years ago.
4 Theo sended money to Vincent every month.
5 We buyed fruits and vegetables at the grocery store.

□ mistake 실수
□ contest 대회
□ for the first time 처음으로
□ grocery store 식료품점

STEP 2 다음 우리말과 일치하도록 빈칸에 들어갈 말을 보기 에서 골라 알맞은 형태로 쓰시오.

보기 see know find tell

1 나는 호주에서 많은 캥거루들을 봤다.
I ____________ many kangaroos in Australia.

2 우리 할아버지는 내게 재미있는 이야기를 해 주셨다.
My grandfather ____________ me an interesting story.

3 그 마을의 모든 사람들이 그의 이름을 알고 있었다.
Everyone in the town ____________ his name.

4 그는 그 시계를 자신의 주머니에서 발견했다.
He ____________ the watch in his pocket.

□ interesting 재미있는
□ watch 시계
□ pocket 주머니

STEP 3 다음 밑줄 친 동사의 과거형이 바르지 않은 것은? 내신

① It kept raining for two days.
② I thought about it many times.
③ A woman fell down on the street.
④ We learned a lot about African history.
⑤ You leaved your bag here at the restaurant.

□ keep v-ing 계속해서 ~하다
□ fall down 넘어지다
□ history 역사
□ leave 두고 가다

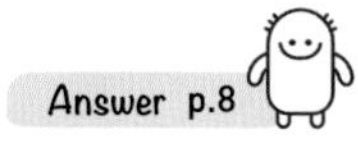

Point 014 그는 내 머리카락을 짧게 잘라 주었다.

He cut my hair short.

• 현재형과 과거형이 같은 일반동사는 다음과 같다.

put → put	let → let	hit → hit	hurt → hurt
cut → cut	set → set	cost → cost	shut → shut

TIP read는 현재형과 과거형의 철자가 같지만 발음이 다르다. (read[riːd] → read[red])

STEP 1 다음 괄호 안에서 알맞은 말을 고르시오.

1 They (setted, set) up their tent near the river.
2 The tour guide (show, showed) us the way.
3 My teacher (let, letted) me go home early yesterday.
4 I (putted, put) the onions into the basket.
5 I (visited, visit) the Orsay Museum in France.

□ tour guide 여행 가이드
□ let ~하게 하다[시키다]
□ onion 양파
□ basket 바구니

STEP 2 다음 우리말과 일치하도록 괄호 안의 말을 이용하여 빈칸에 알맞은 말을 쓰시오.

1 Emily는 칼에 손가락을 베었다. (cut, finger)
Emily ______________________ with a knife.

2 두 대의 차가 도로에서 서로 충돌했다. (hit, each other)
The two cars ______________________ on the road.

3 나는 식탁 주위에 네 개의 의자를 두었다. (set, chair)
I ______________________ around the table.

4 그 레슬링 선수는 경기에서 등을 다쳤다. (hurt, back)
The wrestler ______________________ in the match.

5 학생들이 동화를 소리 내어 읽었다. (read, the fairy tale)
The students ______________________ aloud.

□ wrestler 레슬링 선수
□ back 등
□ match 경기
□ fairy tale 동화

STEP 3 다음 빈칸에 들어갈 말로 알맞지 않은 것은? 내신

I ________ed it before.

① learn ② read ③ ask
④ watch ⑤ check

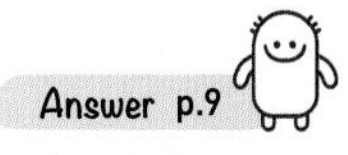

Point 015 당신은 안색이 안 좋아 보이는군요.

You don't look so good.

• 주어가 1 · 2인칭이거나 3인칭 복수이고 현재시제인 경우, 일반동사 앞에 don't를 써서 부정문을 만든다.

주어		현재시제 부정문
1인칭 단수	I	「주어+don't[do not]+동사원형~」
1인칭 복수	We	
2인칭 단수	You	
2인칭 복수	You	
3인칭 복수	They	

TIP 일반동사의 부정문이나 의문문을 만들 때 쓰는 조동사 do에는 별도의 의미가 없는 반면, 일반동사 do는 '하다'의 뜻을 가진다.

STEP 1 다음 문장을 밑줄 친 부분에 유의하여 우리말로 해석하시오.

□ actor 배우

1 We don't go to school on Saturdays.
2 You don't talk much about yourself.
3 My friend and I don't like the actor.
4 I don't drink coffee at night.
5 They don't know each other.

STEP 2 다음 우리말과 일치하도록 괄호 안의 말을 바르게 배열하시오.

□ humor 유머
□ get along 잘 지내다

1 나는 몸이 좋지 않다. (I, well, don't, feel)

____

2 그들은 이 동네에 살지 않는다. (in, don't, they, this, live, town)

____

3 너는 유머 감각이 좋지 않다. (sense, a, have, of humor, you, don't, good)

____

4 Tom과 그의 형은 서로 잘 지내지 못한다.
(each other, don't, and, Tom, get along, his brother, with)

____

STEP 3 다음 우리말을 영어로 바르게 옮긴 것은? 내신

□ nickname 별명

나는 별명을 가지고 있지 않다.

① I do have a nickname.
② I have not a nickname.
③ I not have a nickname.
④ I don't have a nickname.
⑤ I doesn't have a nickname.

Answer p.9

Point 016 수미에게는 남자 형제가 없다.

Sumi doesn't have a brother.

• 주어가 3인칭 단수이고 현재시제인 경우, 일반동사 앞에 doesn't를 써서 부정문을 만든다.

주어		현재시제 부정문
3인칭 단수	He / She / It	「주어+doesn't[does not]+동사원형~」

STEP 1 다음 괄호 안에서 알맞은 말을 고르시오.

1 The lion in the cage (don't, doesn't) look wild.
2 Jake (eats, doesn't eat) raw fish at all.
3 The clothes in the closet (don't, doesn't) fit me.
4 The computer on the desk doesn't (work, works).
5 The writer's new books (don't, doesn't) sell well.

□ cage 우리
□ raw 날것의
□ closet 벽장
□ fit (크기가 ~에게) 맞다

STEP 2 다음 우리말과 일치하도록 괄호 안의 말을 이용하여 빈칸에 알맞은 말을 쓰시오.

1 우리 아버지는 술을 전혀 마시지 않으신다. (drink alcohol)
My father ______________________ at all.

2 접시 위에 있는 파이는 맛있어 보이지 않는다. (look delicious)
The pie on the plate ______________________.

3 그 공장의 노동자들은 주말에는 일하지 않는다. (work)
The workers in the factory ______________________ on weekends.

4 사막에는 비가 많이 오지 않는다. (rain a lot)
It ______________________ in the desert.

5 그 음식점에서는 스파게티를 제공하지 않는다. (serve spaghetti)
They ______________________ at the restaurant.

□ plate 접시
□ factory 공장
□ desert 사막
□ serve 제공하다

STEP 3 다음 중 어법상 틀린 것은? 내신

① She doesn't spend much money on shopping.
② My dog doesn't bark at strangers.
③ The bus doesn't go to City Hall.
④ He doesn't agree with my opinion.
⑤ The animals at the zoo doesn't look happy.

□ bark at ~에게 짖어대다
□ stranger 낯선 사람
□ agree with ~에 동의하다
□ opinion 의견

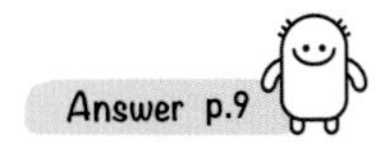
Answer p.9

Point 017 나는 어젯밤에 잠을 잘 못 잤다. 일반동사의 부정문 (didn't)

I didn't sleep well last night.

• 과거시제인 경우 주어의 인칭과 수에 관계없이 일반동사 앞에 didn't를 써서 부정문을 만든다.

주어		과거시제 부정문
1인칭 단수	I	「주어+didn't[did not]+동사원형~」
1인칭 복수	We	
2인칭 단수	You	
2인칭 복수	You	
3인칭 단수	He / She / It	
3인칭 복수	They	

STEP 1 다음 괄호 안에서 알맞은 말을 고르시오.

1 They (not ate, didn't eat) pork for religious reasons.
2 People didn't (have, has) cell phones in the 1980s.
3 I was on a diet, so I (did, did not) eat heavy meals.
4 Whales (don't, didn't) lay eggs. They are mammals.
5 He (doesn't, didn't) show up for the meeting yesterday.

□ pork 돼지고기
□ religious 종교적인
□ whale 고래
□ lay (알을) 낳다
□ mammal 포유동물

STEP 2 다음 우리말과 일치하도록 괄호 안의 말을 바르게 배열하시오.

1 너는 그 약속을 지키지 않았다. (the, didn't, keep, promise)
You ________________________________.

2 그녀는 내 전화를 받지 않았다. (phone, didn't, my, answer)
She ________________________________.

3 이번 겨울에는 눈이 많이 오지 않았다. (this, a lot, snow, winter, didn't)
It ________________________________.

4 우리들이 숙제를 하지 않아서, 우리 수학 선생님께서는 매우 화나셨다.
(do, didn't, our math teacher, very upset, so, the homework, was)
We ________________________________.

□ promise 약속
□ math 수학

STEP 3 다음 빈칸에 들어갈 말이 순서대로 짝지어진 것은? 내신

• I ________ go to sleep until midnight these days.
• I ________ do well on my science test yesterday.

① don't – don't ② don't – didn't ③ didn't – don't
④ doesn't – didn't ⑤ didn't – didn't

□ midnight 자정
□ these days 요즘
□ science 과학

Point 018 너는 서울에 사니?

Do you live in Seoul?

• 주어가 1 · 2인칭이거나 3인칭 복수이고 현재시제인 경우, 주어 앞에 Do를 쓰고 주어 뒤에 동사원형을 써서 의문문을 만든다.

주어		현재시제 의문문	대답
1인칭 단수	I	「Do+주어+동사원형~?」	「**Yes, 주어+do.**」(긍정) 「**No, 주어+don't.**」(부정)
1인칭 복수	We		
2인칭 단수	You		
2인칭 복수	You		
3인칭 복수	They		

STEP 1 다음 문장을 우리말로 해석하시오.

1 Do I look tired?
2 Do you believe in life after death?
3 Do they grow plants at home?
4 Do we need to order now?
5 Do Chinese people use chopsticks?

□ believe in ~이 있다고 믿다
□ need to ~할 필요가 있다
□ order 주문하다
□ chopsticks 젓가락

STEP 2 다음 우리말과 일치하도록 괄호 안의 말을 바르게 배열하시오.

1 당신은 그녀의 이메일 주소를 알고 있나요? (her, do, know, email address, you)
____

2 물고기는 잠자는 동안 눈을 감나요? (sleep, their eyes, during, do, close, fish)
____

3 한국인들은 서로에게 머리를 숙여 인사하나요? (each other, do, bow, Koreans, to)
____

4 너는 학교에 버스를 타고 가니, 아니면 자전거를 타고 가니?
(by bike, to, do, go, school, or, you, by bus)
____

□ address 주소
□ during ~동안
□ bow 머리를 숙여 인사하다

STEP 3 다음 대화의 빈칸에 들어갈 말로 알맞은 것은? 내신

A: Do you need any help?
B: __________. Help me with these boxes, please.

① Yes, I do. ② Yes, you do. ③ No, I don't.
④ No, you don't. ⑤ No, I do.

Answer p.10

Does she have a fever?

• 주어가 3인칭 단수이고 현재시제인 경우, 주어 앞에 Does를 쓰고 주어 뒤에 동사원형을 써서 의문문을 만든다.

주어		현재시제 의문문	대답
3인칭 단수	He / She / It	「Does+주어+동사원형~?」	「Yes, 주어+does.」(긍정) 「No, 주어+doesn't.」(부정)

STEP 1 다음 괄호 안에서 알맞은 말을 고르시오.

1 (Do, Does) she really look like a movie star?
2 Does your father (drive, drives) a car?
3 (Do, Does) we have to hurry?
4 A: Does he still work there? B: No, he (don't, doesn't).
5 (Do, Does) your husband and kids often communicate with each other?

□ have to ~해야 한다
□ husband 남편
□ communicate with ~와 의사소통을 하다

STEP 2 다음 우리말과 일치하도록 괄호 안의 말을 이용하여 빈칸에 알맞은 말을 쓰시오.

1 Andy는 저녁 식사를 혼자서 준비하나요? (prepare, for himself)
____

2 문어는 척추를 가지고 있나요? (an octopus, a backbone)
____

3 디저트를 좀 더 드시고 싶으세요? (want, some more dessert)
____

4 그 소녀는 아이스크림을 좋아하나요? (like, ice cream)
____

5 너와 너의 자매는 닮았니? (look, alike)
____

□ prepare 준비하다
□ for oneself 혼자 힘으로
□ octopus 문어
□ backbone 척추
□ alike 닮은

STEP 3 다음 빈칸에 들어갈 말로 알맞지 않은 것은? 내신

Do __________ need more time?

① you ② we ③ Yumi
④ they ⑤ Mina and Subin

Answer p.10

Did I get any calls?

- 과거시제인 경우 주어의 인칭과 수에 관계없이, 주어 앞에 Did를 쓰고 주어 뒤에 동사원형을 써서 의문문을 만든다.

주어		과거시제 의문문	대답
1인칭 단수	I	「Did+주어+동사원형~?」	「Yes, 주어+did.」(긍정) 「No, 주어+didn't.」(부정)
1인칭 복수	We		
2인칭 단수	You		
2인칭 복수	You		
3인칭 단수	He / She / It		
3인칭 복수	They		

STEP 1 다음 밑줄 친 부분을 바르게 고치시오.

1 Do you watch the soccer game yesterday?
2 Did you have time tomorrow afternoon?
3 Does she stay at a hotel during the trip last year?
4 Did he went fishing in the river?
5 A: Did they get married last spring? B: Yes, they do.

□ trip 여행
□ get married 결혼하다

STEP 2 다음 우리말과 일치하도록 괄호 안의 말을 바르게 배열하시오.

1 당신은 제 이메일을 받으셨나요? (you, my, receive, did, email)

______

2 우리가 슈퍼마켓에서 달걀을 샀나요? (buy, at, eggs, we, did, the supermarket)

______

3 그들은 경기 규칙을 알고 있나요? (do, the game rules, they, know)

______

4 그가 어제 꽃에 물을 주었나요? (water, did, the flowers, he, yesterday)

______

□ receive 받다
□ rule 규칙
□ water 물을 주다

STEP 3 다음 중 어법상 틀린 것은? 내신

① Did it rain heavily last night?
② Did you walk to work this morning?
③ Did Tom hand in his homework?
④ Did they arrive at the airport in time?
⑤ Did the cat ate the cheese on the table?

□ heavily 아주 많이
□ hand in ~를 제출하다
□ airport 공항
□ in time 제시간에

Answer p.11

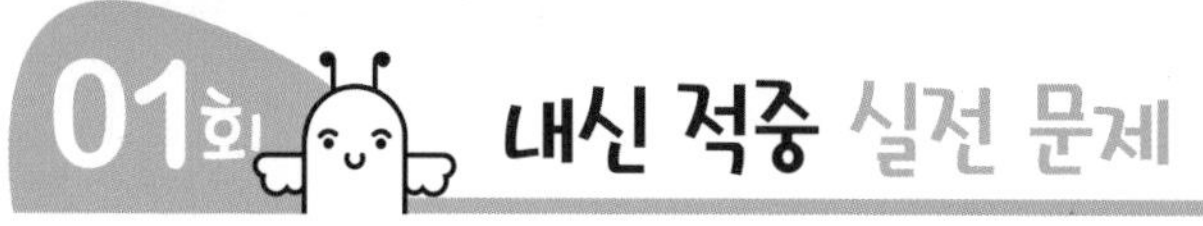

중요

Point 010, 011

01 다음 중 어법상 틀린 것은?

① Every dog have its day.
② Susan visits Korea once a year.
③ Mom washes the dishes after a meal.
④ The boys play soccer on the playground.
⑤ I have an important appointment this weekend.

Point 015, 016

02 다음 빈칸에 들어갈 말이 순서대로 짝지어진 것은?

- I _________ know her address.
- Jake _________ like scary movies.
- My family members _________ enjoy sushi.

① don't – don't – doesn't
② doesn't – don't – don't
③ don't – doesn't – don't
④ doesn't – doesn't – don't
⑤ don't – doesn't – doesn't

Point 010, 011, 019

03 다음 대화의 빈칸에 들어갈 말이 순서대로 짝지어진 것은?

A: Does he _________ the violin?
B: No, he doesn't. But he _________ the piano.

① play – play　② play – plays
③ plays – play　④ plays – plays
⑤ plays – played

Point 020

04 다음 대화의 빈칸에 공통으로 들어갈 말로 알맞은 것은?

A: _________ you hear the news about the flood?
B: Yes, I _________. I was very surprised.

① Do[do]　② Was[was]　③ Does[does]
④ Did[did]　⑤ Were[were]

Point 016

05 다음 밑줄 친 부분 중 어법상 틀린 것은?

I often(①) watch(②) baseball games on(③) TV in my free time, but my older brother doesn't(④) likes(⑤) baseball.

고난도

Point 015

06 다음 밑줄 친 부분 중 쓰임이 나머지 넷과 다른 것은?

① We do not know our future.
② I do my homework every day.
③ Do you often go to the movies?
④ Do they speak English in South Africa?
⑤ Americans do not take off their shoes in the house.

[07~08] 다음 빈칸에 들어갈 말로 알맞은 것을 고르시오.

Point 013

07

My family _________ to Taiwan last summer.

① go　② goes　③ gone
④ went　⑤ goed

Point 018

08

_________ carrots grow in the ground?

① Do　② Is　③ Am
④ Are　⑤ Does

Point 009, 010

09 다음 빈칸에 들어갈 말로 알맞지 않은 것은?

________ sometimes go camping in the forest.

① I ② He ③ We
④ They ⑤ Her parents

Point 013

10 다음 밑줄 친 동사의 과거형이 바르지 않은 것은?

① She drank cold water.
② They first met in Tokyo.
③ Mike gave me much advice.
④ I heared a strange noise last night.
⑤ You made the same mistake again.

Point 017

11 다음 주어진 문장을 부정문으로 바르게 바꾼 것은?

I studied hard for the driving test.

① I don't study hard for the driving test.
② I didn't study hard for the driving test.
③ I didn't studied hard for the driving test.
④ I doesn't study hard for the driving test.
⑤ I don't studied hard for the driving test.

Point 016

12 다음 두 문장이 같은 뜻이 되도록 할 때, 빈칸에 들어갈 말로 알맞은 것은?

It never rains in Dubai.
= It ________ rain in Dubai at all.

① not ② do ③ does
④ don't ⑤ doesn't

서술형

Point 018

13 다음 대화의 흐름에 맞도록 괄호 안의 말을 바르게 배열하시오.

A: ________________________
(a, you, do, pet, have)
B: Yes, I do. I raise an iguana.

Point 014

14 다음 우리말을 괄호 안의 말을 이용하여 영작하시오.

Brian은 축구 경기에서 다리를 다쳤다.
(hurt, leg, game)

→ ________________________

[15~16] 다음 Yuna의 지난 주 일정표를 참고하여 아래 질문에 완전한 문장으로 답하시오.

Day	Schedule
Monday	take a violin lesson
Tuesday	watch a movie with Amy
Wednesday	finish the science project

Point 013

15 A: What did Yuna do last Monday?
B: ________________________

Point 012

16 A: What did Yuna do last Wednesday?
B: ________________________

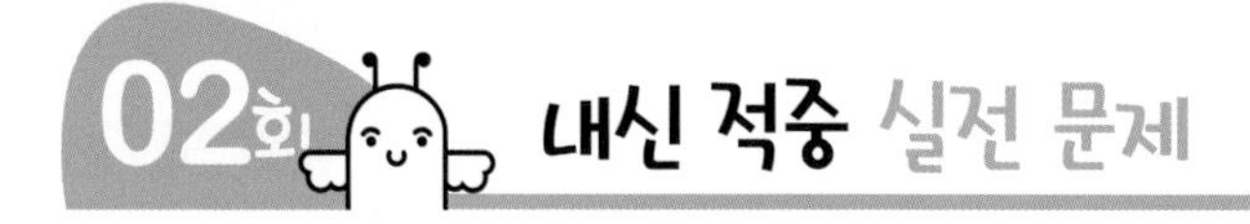

Point 009, 010

01 다음 빈칸에 들어갈 말이 순서대로 짝지어진 것은?

> • You _________ upset. What's the matter?
> • Jisu _________ after her little sister on Saturdays.

① look – look ② look – looks
③ looks – look ④ looks – looks
⑤ looked – look

Point 015

02 다음 밑줄 친 부분의 쓰임이 보기 와 같은 것은?

> 보기 You did a good job.

① We did not believe him.
② Did anyone see her today?
③ Did you clean your room?
④ They did not win the game.
⑤ I did all my work yesterday.

Point 018

03 다음 중 짝지어진 대화가 어색한 것은?

① A: Do I look sleepy?
B: Yes, you do.
② A: Does he sing well?
B: Yes, he does.
③ A: Do you have a car?
B: No, I don't.
④ A: Does Amy wear glasses?
B: Yes, she does.
⑤ A: Do they carry their backpacks?
B: No, we don't.

중요

Point 016

04 다음 빈칸에 들어갈 말로 알맞지 않은 것은?

> Kate _______________________.

① isn't funny ② has long hair
③ is a good singer ④ speaks Chinese well
⑤ don't play the piano

Point 014

05 다음 우리말을 영어로 바르게 옮긴 것은?

> 나는 그 책을 책상 위에 놓았다.

① I put the book on the desk.
② I puted the book on the desk.
③ I putted the book on the desk.
④ I do put the book on the desk.
⑤ I do putted the book on the desk.

고난도

Point 012, 013

06 다음 중 어법상 옳은 것을 모두 고르면?

① A tree fell down in the storm.
② Nobody finded the missing ring.
③ Lily sleeped for two hours last night.
④ Michael leaved for London yesterday.
⑤ I visited an amusement park with my friends.

[07~08] 다음 빈칸에 들어갈 말로 알맞은 것을 고르시오.

Point 017

07

> She _________ know the truth at that time.

① do ② does ③ don't
④ doesn't ⑤ didn't

Point 015

08

> We _________ have classes tomorrow. How about going on a picnic?

① do ② does ③ don't
④ doesn't ⑤ didn't

[09~10] 다음 대화의 빈칸에 공통으로 들어갈 말로 알맞은 것을 고르시오.

Point 018

09

A: _________ you have time now?
B: Yes, I _________. What's up?

① Do[do] ② Did[did] ③ Does[does]
④ Are[are] ⑤ Were[were]

Point 020

10

A: _________ Mina come to the party last week?
B: Yes, she _________. She enjoyed herself.

① Do[do] ② Did[did] ③ Does[does]
④ Is[is] ⑤ Was[was]

Point 010, 011

11 다음 밑줄 친 동사의 형태가 바르지 않은 것은?

① A flag flies in the wind.
② Susan studies business at university.
③ My grandmother always prays for me.
④ Tom reads fashion magazines regularly.
⑤ Paul brushs his teeth right after a meal.

Point 010, 011

12 다음 중 어법상 틀린 것은?

① Polar bears live in the Arctic.
② My father often fix my bicycle.
③ Chris and I have lunch together.
④ The meeting begins at two o'clock.
⑤ John usually goes to bed after midnight.

서술형

Point 019

13 다음 주어진 문장을 의문문으로 바꿔 쓰시오.

Jina has big eyes.

→ ______________________________

Point 013

14 다음 문장에서 어법상 틀린 부분을 찾아 바르게 고쳐 쓰시오.

I eated two hot dogs yesterday.

______________ → ______________

[15~16] 다음 Minho의 profile을 참고하여 아래 질문에 완전한 문장으로 답하시오.

이름	Minho Kim
좋아하는 것	sports
싫어하는 것	insects

Point 010, 011

15 A: What does Minho like?
B: ______________________________

Point 016

16 A: What doesn't Minho like?
B: ______________________________

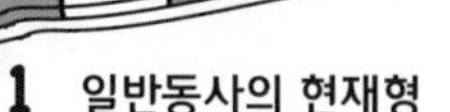

Grammar Review 핵심 정리

1 일반동사의 현재형

Point

I go to Daehan Middle School. 009

☞ 주어가 1 · 2인칭이고 시제가 현재인 경우, 주어의 수에 관계없이 일반동사를 원형 그대로 쓴다.

She dances very well. 010

☞ 현재시제인 경우 주어가 3인칭 단수라면 일반동사의 끝에 -(e)s를 붙이고, 3인칭 복수라면 일반동사를 원형 그대로 쓴다.

A pilot flies an airplane. 011

☞ 주어가 3인칭 단수이고 현재시제일 때 일반동사의 형태는 다음과 같다.

일반적인 경우	+-s	-o, -s, -x, -sh, -ch로 끝나는 동사	+-es
자음+y로 끝나는 동사	y를 i로 바꾸고 +-es	불규칙 변화	have → has

2 일반동사의 과거형

The runners stopped for a break. 012

☞ 일반동사의 과거형 규칙 변화는 다음과 같다.

일반적인 경우	+-ed	「자음+e」로 끝나는 동사	+-d
「자음+y」로 끝나는 동사	y를 i로 바꾸고 +-ed	「단모음+단자음」으로 끝나는 동사	자음을 한 번 더 쓰고 +-ed

My mom made a cake for me. 013

☞ 일반동사의 과거형 불규칙 변화: 과거시제인 경우 일반동사가 -(e)d형이 아닌 다른 형태로 바뀌는 것(go → went, have → had, make → made 등)

He cut my hair short. 014

☞ 현재형과 과거형이 같은 일반동사에는 put, cut, hit, set, let, hurt, shut 등이 있다.

3 일반동사의 부정문

You don't look so good. 015

☞ 주어가 1 · 2인칭이거나 3인칭 복수이고 현재시제인 경우, 「주어+don't+동사원형~」의 형태로 부정문을 만든다.

Sumi doesn't have a brother. 016

☞ 주어가 3인칭 단수이고 현재시제인 경우, 「주어+doesn't+동사원형~」의 형태로 부정문을 만든다.

I didn't sleep well last night. 017

☞ 주어의 인칭과 수에 관계없이 과거시제인 경우, 「주어+didn't+동사원형~」의 형태로 부정문을 만든다.

4 일반동사의 의문문

Do you live in Seoul? 018

☞ 주어가 1 · 2인칭이거나 3인칭 복수이고 현재시제인 경우, 「Do+주어+동사원형~?」의 형태로 의문문을 만든다.

Does she have a fever? 019

☞ 주어가 3인칭 단수이고 현재시제인 경우, 「Does+주어+동사원형~?」의 형태로 의문문을 만든다.

Did I get any calls? 020

☞ 주어의 인칭과 수에 관계없이 과거시제인 경우, 「Did+주어+동사원형~?」의 형태로 의문문을 만든다.

시제

Point 021 나는 매일 6시에 일어난다.

I get up at six o'clock every day.

- 현재시제는 현재의 사실이나 상태, 반복적인 동작이나 습관, 불변의 진리나 격언, 과학적 사실 등을 나타낼 때 쓴다.

Tom **lives** in America. (현재의 사실)

The sun **rises** in the east. (불변의 진리)

TIP 현재시제는 always, usually, often, sometimes, rarely, never 등의 빈도부사와 함께 자주 쓰인다.

STEP 1 다음 괄호 안에서 알맞은 말을 고르시오.

1 All roads (lead, led) to Rome.

2 Water (boils, boiled) at 100℃.

3 One day (is, was) 24 hours.

4 Your wallet (is, was) on the desk now.

5 Mr. Brown (goes, went) to the movies every Saturday.

□ wallet 지갑
□ go to the movies 영화 보러 가다

STEP 2 다음 우리말과 일치하도록 괄호 안의 말을 이용하여 빈칸에 알맞은 말을 쓰시오.

1 그는 중국 음식을 좋아하지 않는다. (like)
He ____________ ____________ Chinese food.

2 넌 항상 방과 후에 축구를 하니? (play)
____________ you always ____________ soccer after school?

3 필요할 때 친구가 진짜 친구다. (be)
A friend in need ____________ a friend indeed.

4 달은 지구의 주위를 돈다. (move)
The moon ____________ around the earth.

5 유럽은 아프리카 북쪽에 있다. (lie)
Europe ____________ north of Africa.

□ indeed 정말, 확실히
□ lie 놓여 있다

STEP 3 다음 빈칸에 들어갈 말이 순서대로 짝지어진 것은? 내신

- I __________ a cup of milk every morning.
- Whales __________ mammals.

① drink – be ② drink – are ③ drank – are
④ drank – were ⑤ drinks – were

□ whale 고래
□ mammal 포유동물

Answer p.15

Point 022 나는 작년에 뉴욕에서 살았다.

I lived in New York last year.

- 과거시제는 과거에 이미 끝난 동작이나 상태, 역사적 사실을 나타낼 때 쓴다.

  I **went** to the guitar shop yesterday. (과거의 동작)

  The Korean War **ended** in 1953. (역사적 사실)

TIP 과거시제는 yesterday, 「last + 명사」, ~ago, at that time, 「in + 과거 년도」 등의 부사(구)와 함께 자주 쓰인다.

STEP 1 다음 밑줄 친 부분을 바르게 고치시오.

1 We are in the museum two hours ago.
2 Mrs. Wilson locks the door last night.
3 Paul is very sick yesterday.
4 Gyeongju is an international city in the eighth century.
5 I fall down to the floor because he pushed me hard.

□ museum 박물관
□ lock 잠그다
□ international 국제적인
□ century 세기

STEP 2 다음 우리말과 일치하도록 괄호 안의 말을 이용하여 빈칸에 알맞은 말을 쓰시오.

1 나는 지난해 베이징에서 중국 문학을 공부했다. (study)
I __________ Chinese literature in Beijing last year.

2 Tom은 그가 미국에 있었을 때, 외국인 친구들이 많았다. (have)
Tom __________ many foreign friends when he was in America.

3 그 소년은 몇 년 전에는 매우 뚱뚱했다. (be)
The boy __________ very fat a few years ago.

4 라이트 형제는 1906년에 비행기를 발명했다. (invent)
The Wright brothers __________ the airplane in 1906.

5 Jane은 지난주에 반 친구들과 함께 파티를 준비했다. (prepare)
Jane __________ for the party with classmates last week.

□ literature 문학
□ foreign 외국의
□ fat 뚱뚱한
□ invent 발명하다

STEP 3 다음 빈칸에 들어갈 말로 알맞은 것은? 내신

Bill ________ a postcard from a friend in France last weekend.

① receive ② receives ③ received
④ receiving ⑤ is receiving

□ postcard 엽서
□ receive 받다

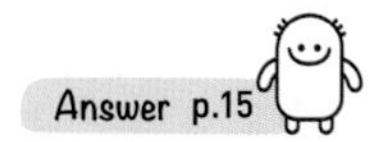

Point 023 그는 지금 편지를 쓰고 있다.

He is writing a letter now.

- 진행시제는 「**be동사 + v-ing**」의 형태로 특정 시점에 진행 중인 일을 나타낼 때 사용한다. 일어난 시점에 따라 현재진행형과 과거진행형으로 나뉜다.
- 진행시제 만드는 방법

대부분의 동사	동사원형+-ing	meet → meeting
-e로 끝나는 동사	e를 없애고+-ing	take → taking
-ie로 끝나는 동사	ie를 y로 바꾸고+-ing	die → dying
「단모음+단자음」으로 끝나는 동사	자음을 한 번 더 쓰고+-ing	cut → cutting begin → beginning

STEP 1 다음 주어진 동사를 v-ing 형태로 바꿔 쓰시오.

□ tie 묶다

1 eat ____________ 2 stop ____________
3 get ____________ 4 write ____________
5 tell ____________ 6 swim ____________
7 tie ____________ 8 open ____________
9 have ____________ 10 say ____________

STEP 2 다음 괄호 안의 단어를 빈칸에 알맞은 형태로 쓰시오.

□ picture 그림
□ hide 숨다
□ thief 도둑

1 He is ____________ at a picture. (look)
2 A girl is ____________ under the desk. (hide)
3 A thief is ____________ away from a policeman. (run)
4 The man is ____________ on the floor. (lie)
5 Many people are ____________ for the bus. (wait)

STEP 3 다음 동사의 v-ing형으로 옳지 않은 것은? 내신

□ kick 차다
□ save 절약하다
□ forget 잊어버리다

① put – puting ② die – dying
③ kick – kicking ④ save – saving
⑤ forget – forgetting

Answer p.15

Point 024 나는 요즘 운동을 하고 있다.

I am working out these days.

- 현재진행 시제는 「be동사의 현재형(am/are/is)+v-ing」의 형태로 말하는 순간에 진행 중인 일이거나 말하는 순간의 일은 아니지만 최근에 일시적으로 진행 중인 일을 나타낼 때 쓴다.
  The horse **is running** on the hill.

TIP 소유, 감정, 상태를 나타내는 동사(have, like, hate, want, know 등)는 진행형으로 쓰지 않는다. (단, have가 '소유'의 의미가 아닌 '먹다, 마시다, 시간을 보내다' 등 다양한 의미의 동작동사로 쓰일 때에는 진행형이 가능하다.)

STEP 1 다음 문장을 현재진행 시제로 바꿔 쓰시오.

□ doll 인형

1 I talk to Emily. → ______________________
2 Jane listens to jazz music. → ______________________
3 It rains too much. → ______________________
4 Mary makes a doll. → ______________________
5 Bill cleans the room. → ______________________

STEP 2 다음 우리말과 일치하도록 괄호 안의 말을 이용하여 빈칸에 알맞은 말을 쓰시오.

□ shave 면도하다

1 Chris는 지금 시험을 치르고 있다. (take)
Chris __________ __________ a test now.

2 우리는 도서관에서 책을 읽고 있는 중이다. (read)
We __________ __________ books in the library.

3 나는 요즘 일본어를 배우고 있다. (learn)
I __________ __________ Japanese these days.

4 우리 아빠는 욕실에서 면도를 하고 있다. (shave)
My dad __________ __________ in the bathroom.

5 나의 부모님들은 아침 식사를 하고 있다. (have)
My parents __________ __________ breakfast.

STEP 3 다음 중 어법상 틀린 것은? 내신

□ copy machine 복사기
□ grass 잔디
□ wash the dish 설거지를 하다

① He is using the copy machine.
② The dog is playing on the grass.
③ I am liking my brother very much.
④ She is taking piano lessons these days.
⑤ They are washing the dishes in the kitchen together.

Answer p.15

Point 025 그들은 그때 TV를 보고 있었다.

They were watching TV at that time.

- 과거진행 시제는 「be동사의 과거형(was/were) + v-ing」의 형태로 과거의 특정 시점에 일어나고 있던 일을 나타낸다.

  He **was riding** a bicycle in the park when I saw him.

STEP 1 다음 문장을 과거진행 시제로 바꿔 쓰시오.

□ take a shower 샤워를 하다

1 She took a shower. → ____________________

2 John did his homework. → ____________________

3 I waited for you yesterday afternoon. → ____________________

4 They prepared dinner two hours ago. → ____________________

5 She played the guitar this morning. → ____________________

STEP 2 다음 우리말과 일치하도록 괄호 안의 말을 이용하여 빈칸에 알맞은 말을 쓰시오.

□ carry 옮기다
□ put on 신다, 입다

1 Minho는 그때 운전을 하고 있었다. (drive)
Minho __________ __________ at that time.

2 나는 큰 가방을 옮기고 있었다. (carry)
I __________ __________ a big bag.

3 그들은 커피 한 잔을 마시고 있었다. (drink)
They __________ __________ a cup of coffee.

4 Steve는 신발 한 켤레를 신고 있었다. (put on)
Steve __________ __________ __________ a pair of shoes.

5 내 친구들은 강에서 수영하고 있었다. (swim)
My friends __________ __________ in the river.

STEP 3 다음 우리말을 영어로 바르게 옮긴 것은? 내신

□ pray 기도하다

그녀는 자신의 딸을 위해 지난밤 기도를 하고 있었다.

① She prays for her daughter last night.
② She prayed for her daughter last night.
③ She is praying for her daughter last night.
④ She was praying for her daughter last night.
⑤ She were praying for her daughter last night.

Answer p.16

Point 026 너는 이 연필을 찾고 있니?

Are you looking for this pencil?

- 진행시제의 부정문: 「**be동사 + not[never] + v-ing**」의 형태를 취한다.
  He **is not attending** the meeting.
- 진행시제의 의문문: 「**be동사 + 주어 + v-ing~?**」의 형태를 취한다.
  A: **Were** they **sleeping** in class? B: Yes, they were. / No, they weren't.

TIP 의문사가 있는 경우의 진행시제 의문문은 「의문사 + be동사 + 주어 + v-ing~?」의 형태를 취한다.

STEP 1 다음 주어진 문장을 지시에 맞게 바꿔 쓰시오.

□ go fishing 낚시하러 가다
□ garage 차고
□ fix 고치다

1 John is going fishing with his father. (부정문으로)
→ ______________________________

2 I'm washing my car in the garage. (부정문으로)
→ ______________________________

3 You are fixing the computer. (의문문으로)
→ ______________________________

4 They were making pancakes this morning. (의문문으로)
→ ______________________________

STEP 2 다음 우리말과 일치하도록 괄호 안의 말을 이용하여 빈칸에 알맞은 말을 쓰시오.

□ stay 머무르다
□ stage 무대

1 그는 집에 머무르고 있지 않다. (stay)
He __________ __________ __________ at home.

2 그녀는 무대에서 춤을 추고 있었습니까? (dance)
__________ __________ __________ on the stage?

3 당신은 지금 무엇을 읽는 중입니까? (read)
__________ __________ __________ __________ now?

4 그들은 햄버거를 먹고 있지 않았다. (eat)
They __________ __________ __________ hamburgers.

STEP 3 다음 우리말과 일치하도록 할 때, not이 들어가기에 알맞은 곳은? 내신

□ ride 타다
□ playground 운동장

그녀는 운동장에서 자전거를 타고 있지 않다.
→ She (①) is (②) riding (③) a bicycle (④) in the playground (⑤).

Answer p.16

Point 027 나는 이번에 시험에 합격할 거야.

I will pass the exam this time.

- will은 「**will + 동사원형**」의 형태로 쓰여 미래의 상황에 대한 예측이나 예상, 주어의 의지를 나타낸다. '~할 것이다', '~하겠다'의 의미로 해석된다.
  Bill's team **will** win the game tonight. (예측)
  I **will not[won't]** make the same mistake again. (의지)
- 부정문: 「**will not(= won't) + 동사원형**」 의문문: 「**Will + 주어 + 동사원형~?**」
  A: **Will** you **close** the door? B: Yes, I will. / No, I won't.

STEP 1 다음 괄호 안에서 알맞은 말을 고르시오.

□ be back 돌아오다

1 I will (be, being) back soon.
2 Mr. Lee will (not meet, meet not) her tomorrow.
3 She won't (go, going) shopping this weekend.
4 They will (had, have) lunch at one o'clock.
5 John will (visit, visits) your house next week.

STEP 2 다음 우리말과 일치하도록 괄호 안의 말을 바르게 배열하시오.

□ leave 떠나다
□ weather 날씨
□ winner 승자
□ match 시합

1 Emily는 3시에 오페라를 볼 것이다. (see, at, will, an opera, three o'clock)
Emily ______________________________.

2 그 학생들은 내일 학교에 가지 않을 것이다. (not, go, will, to, school)
The students ______________________________ tomorrow.

3 당신은 다음 주에 파리로 떠날 건가요? (will, for, leave, you, next week, Paris)
______________________________?

4 내일은 날씨가 맑을 것이다. (be, tomorrow, will, fine)
The weather ______________________________.

5 당신은 이번 시합의 승자가 아닐 것이다. (be, the winner, of this match, not, will)
You ______________________________.

STEP 3 다음 중 어법상 틀린 것은? 내신

□ build 만들다(-built-built)

① We'll be happy soon.
② It won't rain this afternoon.
③ She will buy new shoes tomorrow.
④ Will they built a snowman tonight?
⑤ She will not use her cell phone this week.

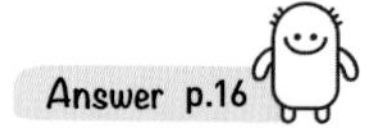
Answer p.16

Point 028 나는 내일 회의를 가질 예정이다.

I'm going to have a meeting tomorrow.

- be going to는 「be동사 + going to + 동사원형」의 형태로 쓰여 이미 결정한 계획이나 일정을 말하거나 근거를 바탕으로 미래를 예측하는 경우에 사용된다. '~할 것이다', '~할 예정이다'의 의미로 해석된다.
- 부정문: 「**be동사 + not going to + 동사원형**」 의문문: 「**be동사 + 주어 + going to + 동사원형~?**」
  They **are not going to** sell this house.
  A: **Are** you **going to** visit Tokyo next month? B: Yes, I am. / No, I'm not.

STEP 1 다음 문장을 be going to를 사용하여 미래시제로 바꿔 쓰시오.

1 Jack arrives in Rome today. → ____________________
2 We plant a tree on the hill. → ____________________
3 Mom bakes cookies for us. → ____________________
4 Do you take a bus to get there? → ____________________
5 He plays basketball after school. → ____________________

□ plant 심다
□ hill 언덕

STEP 2 다음 우리말과 일치하도록 be going to와 괄호 안의 말을 이용하여 빈칸에 알맞은 말을 쓰시오.

1 나는 축구 클럽에 가입할 것이다. (join)
I ____________________ the soccer club.

2 너는 내일 그 영화를 볼 거니? (watch)
____________________ the movie tomorrow?

3 그들은 이번 게임을 지지 않을 것이다. (lose)
They ____________________ this game.

4 그 축제는 4월에 시작할 예정이다. (start)
The festival ____________________ in April.

□ join 가입하다
□ lose (시합 등에서) 지다
□ festival 축제

STEP 3 다음 중 어법상 옳은 것을 모두 고르면? 내신

(a) My father is going to buy a new car next week.
(b) They are not going to meet Mrs. Jones tomorrow.
(c) Is he going to putting the money in the bank soon?

① (a) ② (a), (b) ③ (a), (c) ④ (b), (c) ⑤ (a), (b), (c)

Answer p.17

[01~03] 다음 대화의 빈칸에 들어갈 말로 알맞은 것을 고르시오.

Point 021

01

A: I just came back from Alaska. I really missed home.
B: There ________ no place like home.
A: You're right.

① is ② will be ③ was
④ were ⑤ is being

Point 022

02

A: What did you do with Emily yesterday?
B: We ____________ the amusement park.

① visit ② visits ③ visited
④ will visit ⑤ are visiting

Point 024

03

A: What is she doing?
B: She ____________ a show on TV now.

① watch ② will watch
③ is watching ④ are watching
⑤ was watching

중요 Point 028

04 다음 중 어법상 옳은 것은?

① King Sejong creates Hangul in 1446.
② Did you going to the gym at that time?
③ The store is going to open next month.
④ John will not using the machine tomorrow.
⑤ I'm usually parking my car in the backyard.

Point 021, 022

05 다음 대화의 빈칸에 들어갈 말이 순서대로 짝지어진 것은?

A: I ________ hot now. Give me a glass of soda.
B: Sure. Well, where ________ you an hour ago? Everyone was looking for you.

① am – are ② am – were
③ am – will be ④ was – are
⑤ was – were

고난도 Point 024

06 다음 문장을 과거진행 시제로 바르게 바꾼 것은?

Sue repairs Mrs. Green's radio.

① Sue repairing Mrs. Green's radio.
② Sue is repairing Mrs. Green's radio.
③ Sue was repairing Mrs. Green's radio.
④ Sue were repairing Mrs. Green's radio.
⑤ Sue is going to repair Mrs. Green's radio.

Point 024

07 다음 빈칸에 들어갈 말로 알맞지 않은 것은?

Tom is ________ a toy now.

① fixing ② buying ③ carrying
④ making ⑤ wanting

[08~10] 다음 빈칸에 들어갈 말로 알맞은 것을 고르시오.

Point 025

08

Helen ____________ her car last night.

① drive ② drives ③ is driving
④ was driving ⑤ to be driving

Point 027

09

John ________ at home tomorrow.

① is ② was ③ been
④ being ⑤ will be

Point 021

10

Mark ________ to bed at 11 o'clock every day.

① go ② goes ③ going
④ went ⑤ will go

[11~12] 다음 중 어법상 틀린 것을 고르시오.

Point 021, 022

11
① Tom sings very well.
② Water freezes at 0 ℃.
③ Habit is second nature.
④ I write in my diary every day.
⑤ Minho meets Mrs. Brown a few days ago.

Point 024, 25

12
① It is snowing heavily now.
② I am having lunch with her.
③ She was dancing on the stage.
④ She is knowing a lot of people.
⑤ They were carrying the boxes together.

서술형

Point 024, 028

13 다음 빈칸에 공통으로 들어갈 말을 쓰시오.

- The soccer players ________ running in the park.
- We ________ going to pick up Mr. Smith tomorrow.

Point 025

14 다음 우리말과 일치하도록 괄호 안의 말을 이용하여 빈칸에 알맞은 말을 쓰시오.

우리는 그때 편지를 쓰고 있었다. (write)

→ We ________ ________ ________ ________ at that time.

[15~16] 다음 Maria의 일정표를 참고하여 아래 질문에 완성된 문장으로 답하시오.

Time	Activity
yesterday 2:00pm	swim in the lake
tomorrow 4:00pm	meet Mr. Jones

Point 022

15 A: What did Maria do at 2:00pm yesterday?
B: She ________________________.

Point 028

16 A: What is Maria going to do at 4:00pm tomorrow?
B: She ________________________.

[01~04] 다음 빈칸에 들어갈 말로 알맞은 것을 고르시오.

Point 025

01

Steve ________ a magazine last week.

① read ② reads
③ reading ④ is reading
⑤ is going to read

Point 026

02

You __________ me the truth now.

① not tell ② are not tell
③ were not tell ④ are not telling
⑤ were not telling

Point 025

03

My sister __________ to music when I got home.

① listen ② is listening
③ are listening ④ was listening
⑤ were listening

Point 028

04

It __________ be rainy today according to the weather forecast.

① is ② am ③ was
④ is going to ⑤ are going to

고난도

Point 022, 024, 028

05 (A), (B), (C)의 괄호 안에서 알맞은 것끼리 바르게 짝지은 것은?

- Jane (A)[is / was] going to rent a car next month.
- Mr. Kim (B)[is working / worked] in a bookstore last month.
- She (C)[has / is having] a pretty dog.

	(A)	(B)	(C)
①	is	– worked	– has
②	is	– is working	– is having
③	is	– worked	– is having
④	was	– is working	– has
⑤	was	– worked	– has

Point 026

06 다음 대화의 빈칸에 들어갈 말이 순서대로 짝지어진 것은?

A: Mr. White, __________ you playing volleyball on the beach last night?
B: No, I ______________.

① are – was ② are – was
③ were – am not ④ were – was not
⑤ were – were not

Point 023

07 다음 동사의 v-ing형으로 옳지 않은 것은?

① tie – tieing ② fly – flying
③ get – getting ④ come – coming
⑤ win – winning

중요

Point 026

08 다음 밑줄 친 부분 중 어법상 옳은 것은?

① Greg will be back two weeks ago.
② I am going to buy a watch last year.
③ Jane was visiting Toronto next month.
④ They are not paying taxes these days.
⑤ You are playing basketball yesterday afternoon.

[09~10] 다음 대화의 빈칸에 들어갈 말로 알맞은 것을 고르시오.

Point 022

09

A: Dave, can I borrow your camera?
B: Sorry, but I already __________ it to Linda this morning.

① give ② gave
③ will give ④ was giving
⑤ am going to give

Point 027

10

A: Will you buy a notebook computer?
B: __________. I need one for my new job.

① Yes, I will. ② Yes, it is. ③ Yes, I am.
④ No, I will not. ⑤ No, I am not.

Point 026

11 다음 중 짝지어진 대화가 어색한 것은?

① A: Will you go to the party tonight?
B: Yes, I will. It is Jane's birthday!
② A: Were you practicing the violin last night?
B: Yes, I will. I am sorry for the noise.
③ A: Are you going to go hiking this weekend?
B: No, I am not. I have too much homework.
④ A: Is Tom using the bathroom now?
B: No, he isn't. He is sleeping in his room.
⑤ A: Did you turn off the lights yesterday?
B: Yes, I did. I checked all of the lights.

Point 025

12 다음 우리말을 영어로 바르게 옮긴 것은?

그들은 산책을 하고 있었다.

① They took a walk.
② They are taking a walk.
③ They was taking a walk.
④ They were taking a walk.
⑤ They are going to take a walk.

서술형

Point 025, 026

13 다음 질문에 대한 대답을 괄호 안의 말을 이용하여 영작하시오.

What was he doing when you saw him?
(talk about the plan)

→ He __________________________.

Point 027

14 다음 우리말과 일치하도록 주어진 조건을 이용하여 영작하시오.

조건 1 will을 사용할 것
조건 2 총 7단어로 쓸 것

Susan은 다음 주에 David를 만나지 않을 것이다.
→ __________________________

Point 021

15 다음 문장에서 어법상 틀린 부분을 찾아 바르게 고쳐 쓰시오.

John is having breakfast every day.

__________ → __________

Point 026

16 다음 주어진 문장을 지시에 맞게 바꿔 쓰시오.

My brother exercises regularly.

→ __________________________
(현재진행 시제 부정문으로)

Grammar Review 핵심 정리

1 현재시제

Point

I get up at six o'clock every day. 021

☞ 현재시제: 현재의 사실이나 상태, 반복적인 동작이나 습관, 불변의 진리나 격언, 과학적 사실 등을 나타낼 때 쓴다.

2 과거시제

I **lived** in New York last year. 022

☞ 과거시제: 과거에 이미 끝난 동작이나 상태, 역사적 사실을 나타낼 때 쓴다.

3 진행형

He **is writing** a letter now. 023

☞ 진행시제는 「be동사+v-ing」의 형태로 특정 시점에 진행 중인 일을 나타낼 때 사용한다. 일어난 시점에 따라 현재진행형과 과거진행형으로 나뉜다.

☞ 진행시제 만드는 법

대부분의 동사	동사원형+-ing
-e로 끝나는 동사	e를 없애고+-ing
-ie로 끝나는 동사	ie를 y로 바꾸고+-ing
「단모음+단자음」으로 끝나는 동사	자음을 한 번 더 쓰고+-ing

I **am working out** these days. 024

☞ 현재진행 시제: 「be동사의 현재형(am/are/is)+v-ing」의 형태로 말하는 순간에 진행 중인 일이거나 최근에 일시적으로 진행 중인 일을 나타낼 때 쓴다.

They **were watching** TV at that time. 025

☞ 과거진행 시제: 「be동사의 과거형(was/were)+v-ing」의 형태로 과거의 특정 시점에 일어나고 있던 일을 나타낸다.

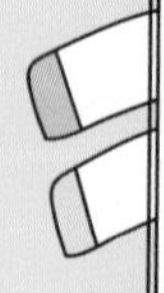

Are you **looking for** this pencil? 026

☞ 진행시제의 부정문: 「be동사+not[never]+v-ing」의 형태를 취한다.
☞ 진행시제의 의문문: 「be동사+주어+v-ing~?」의 형태를 취한다.

4 미래시제

I **will** pass the exam this time. 027

☞ 미래의 상황에 대한 예측이나 예상, 주어의 의지를 나타낸다. '~할 것이다', '~하겠다'의 의미로 해석된다.

I**'m going to** have a meeting tomorrow. 028

☞ 이미 결정한 계획이나 일정을 말하거나 근거를 바탕으로 미래를 예측하는 경우에 사용된다. '~할 것이다', '~할 예정이다'의 의미로 해석된다.

LESSON

04

조동사

Point 029 너는 그 문제를 해결할 수 있다.

You can solve the problem.

- can은 '~할 수 있다'로 해석하며 능력 · 가능을 나타낸다.
  I **can** pass the exam.
- can은 '~해도 된[좋]다'로 해석하며 허가 · 요청을 나타낸다.
  You **can** go home.

TIP can의 의문문은 「**Can + 주어 + 동사원형~?**」, 부정형은 cannot[can't]으로 쓴다.

STEP 1 다음 문장을 밑줄 친 부분에 유의하여 우리말로 해석하고, 그 의미를 고르시오.

□ bathroom 욕실
□ take a rest 쉬다

1 I can speak English well. (능력, 요청)
2 You can use the bathroom now. (가능, 허가)
3 Mr. Brown can draw a beautiful picture. (능력, 요청)
4 She can take a rest for ten minutes. (능력, 허가)
5 They can win the game. (가능, 요청)

STEP 2 다음 우리말과 일치하도록 보기 의 단어를 이용하여 빈칸에 알맞은 말을 쓰시오.

□ go to bed 자러 가다
□ machine 기계

보기 fix throw go teach remember

1 그는 프랑스어를 가르칠 수 있다.
He ____________ ____________ French.

2 Emily는 공을 매우 세게 던질 수 있다.
Emily ____________ ____________ a ball very hard.

3 당신은 이제 자러 가도 된다.
You ____________ ____________ to bed now.

4 나는 그의 전화번호를 기억하지 못한다.
I ____________ ____________ his phone number.

5 그들이 그 기계를 고칠 수 있습니까?
____________ they ____________ the machine?

STEP 3 다음 밑줄 친 부분 중 의미가 나머지 넷과 다른 것은? 내신

□ guitar 기타

① You can go home.
② Can you play the guitar?
③ My child can't walk yet.
④ She can speak Chinese.
⑤ Can you cook Korean food?

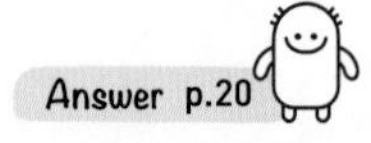

Point 030 나는 그 컴퓨터를 고칠 수 있다.

I am able to repair the computer.

- be able to는 '~할 수 있다'로 해석하며 can과 마찬가지로 능력 · 가능을 나타낸다.
  Rachel **is able to[can]** speak five different languages.
- 과거의 능력 · 가능을 나타내는 could는 was[were] able to로 바꿔 쓸 수 있고, 미래의 능력 · 가능은 will be able to로 쓴다.
  Was Mrs. Lee **able to** write a letter in Spanish?
  John **will be able to** win the prize.

STEP 1 다음 문장을 밑줄 친 부분에 유의하여 우리말로 해석하시오.

1 I'm not able to go to her birthday party.
2 You will be able to apply for the job.
3 Mr. Jones is able to help his daughter.
4 Are you able to make an omelet?
5 Aren't they able to find the answer easily?

□ apply 지원하다
□ omelet 오믈렛

STEP 2 다음 두 문장이 같은 뜻이 되도록 할 때, be able to를 이용하여 빈칸에 알맞은 말을 쓰시오.

1 I can buy an expensive laptop computer.
= ______________________ an expensive laptop computer.

2 You can't hit the ball today.
= ______________________ the ball today.

3 Mr. Brown could solve problems very quickly.
= ______________________ problems very quickly.

4 Can she bring Tom to the party?
= ______________________ Tom to the party?

5 Can't they make cars any more?
= ______________________ cars any more?

□ laptop computer 노트북 컴퓨터
□ quickly 빨리

STEP 3 다음 중 어법상 틀린 것은? 내신

① You can swing the bat.
② I am able to ride a bike well.
③ You will can enjoy your summer holiday!
④ Will Tom be able to speak Portuguese soon?
⑤ Emily was not able to meet her parents' expectations.

□ Portuguese 포르투갈어

Answer p.20

Point 031 네가 그 책을 빌려가도 좋다.

You may borrow the book.

- May는 '~해도 좋[된]다'라는 뜻으로 허가의 의미를 나타낸다.
  May I use the bathroom?
- May는 '~일지도 모른다'라는 뜻으로 불확실한 추측을 나타낼 수 있고, 부정형은 may not이다.
  He **may** be dating my best friend. / He **may not** be happy today.

TIP maybe는 '아마도'라는 뜻의 부사로 「조동사+**be**동사의 원형」의 may be와는 다르다.
Maybe she will be late for school.

STEP 1 다음 문장을 밑줄 친 부분에 유의하여 우리말로 해석하시오.

□ boring 지루한

1 You may come in if you want.
2 She may like French food.
3 May I sit here?
4 The story may be boring.
5 May I use the computer?

STEP 2 다음 우리말과 일치하도록 may와 괄호 안의 말을 이용하여 빈칸에 알맞은 말을 쓰시오.

□ a big meal 양이 많은[부담스러울 정도의] 식사

1 당신은 컴퓨터 게임을 해도 된다. (play)
You ____________ ____________ the computer game.

2 Emily는 그 해변에 싫증이 났는지도 모른다. (be)
Emily ____________ ____________ tired of the beach.

3 그들은 커다란 초콜릿 케익을 좋아할지도 모른다. (like)
They ____________ ____________ a big chocolate cake.

4 Dorothy는 그녀의 집으로 그 개를 데려가도 된다. (take)
Dorothy ____________ ____________ the dog to her house.

5 모두가 양이 많은 식사를 할 수 있을지도 모른다. (eat)
Everyone ____________ ____________ a big meal.

STEP 3 다음 우리말과 일치하도록 할 때, not이 들어가기에 알맞은 곳은? 내신

□ be interested in ~에 흥미가 있는

그녀는 그 신문에 흥미가 없을지도 모른다.
→ She (①) may (②) be (③) interested (④) in the newspaper (⑤).

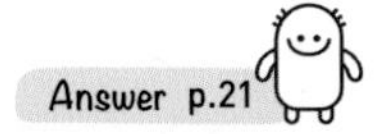

Point 032 모든 학생들은 도서관에서 조용히 해야 한다.

All students must keep quiet in the library.

- must는 '~해야 한다'라는 뜻으로 필요 · 의무를 나타낸다. 부정형은 must not[mustn't]으로 '~해서는 안 된다' 라고 해석하며 강한 금지를 나타낸다.
  You **must** get up early tomorrow. / They **must not** cross the line.
- must는 '~임에 틀림없다'라는 뜻으로 확실한 추측을 나타낸다.
  The book **must** be interesting.

TIP must not이 금지를 나타내므로, 강한 부정의 추측을 나타낼 때는 cannot[can't] be를 사용하고 '~일 리가 없다'로 해석한다.

STEP 1 다음 문장을 밑줄 친 부분에 유의하여 우리말로 해석하시오.

1 You must hand in your homework on time.
2 She must finish this work by seven.
3 You must be aware of my concerns.
4 You must not park in front of the building.
5 Must I stay here with you?

□ hand in 제출하다
□ on time 제때에
□ finish 끝내다
□ be aware of ~을 알다
□ in front of ~의 앞에

STEP 2 다음 우리말과 일치하도록 괄호 안의 말을 바르게 배열하시오.

1 너는 옷을 갈아입어야 한다. (change, must, your, clothes, you)
____

2 학생들은 이번 주 토요일에 학교에 가야 한다.
(this, go, must, to, school, Saturday, students)
____

3 당신은 당신의 남동생 때문에 화가 난 것임에 틀림없다.
(your, must, brother, be, because, of, angry, you)
____

4 지금쯤은 어두울 것임에 틀림없다. (it, be, must, now, dark, by)
____

5 당신은 지하철에서 먹거나 마시면 안 된다.
(you, not, drink, on, eat, must, or, subway, the)
____

STEP 3 다음 밑줄 친 부분 중 의미가 나머지 넷과 다른 것은? 내신

① I must buy a car.
② I must study English hard.
③ You must be very tired.
④ Students must obey the school rules.
⑤ Emily must send a message tonight.

□ obey 지키다, 따르다
□ school rules 교칙
□ message 메시지

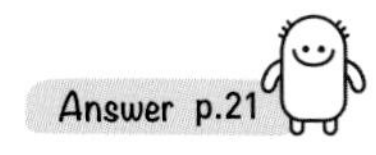
Answer p.21

Point 033 나는 엄마에게 전화를 해야 한다.

I have to call my mother.

- have to는 '~해야 한다'의 의미로 필요 · 의무를 나타내며 필요 · 의무의 조동사 must와 바꿔 쓸 수 있다.
  You **have to[must]** sleep early tonight.
- 의문문은 「**Do/Does/Did + 주어 + have to~?**」이다. 부정문은 「**don't/doesn't/didn't + have to**」의 형태로 '~할 필요가 없다'로 해석하며 불필요를 나타낸다.
  Do I **have to** change planes? / You **don't have to** meet her.

TIP 필요 · 의무를 나타내는 must는 미래와 과거형이 없으므로, 미래는 will have to로, 과거는 had to로 나타낸다.

STEP 1 다음 밑줄 친 부분을 바르게 고치시오.

□ report 보고서
□ school uniform 교복
□ work overtime 야근하다

1 Mary has to write a report yesterday.
2 You has to visit Mr. Brown's house.
3 Tom don't have to wear his school uniform.
4 Does I have to write the answer in Korean?
5 Jane will must work overtime next week.

STEP 2 다음 우리말과 일치하도록 have to와 괄호 안의 말을 이용하여 빈칸에 알맞은 말을 쓰시오.

□ cancel 취소하다

1 당신은 영어를 배워야 한다. (learn)

____

2 우리는 서두를 필요가 없다. (hurry)

____

3 나는 나의 약속을 취소해야 했다. (cancel)

____

4 John이 여기에 와야 합니까? (come)

____

STEP 3 다음 우리말을 영어로 바르게 옮긴 것은? 내신

□ wear 입다
□ coat 코트

그들은 작년에 두툼한 코트를 입어야 했다.

① They must wear heavy coats last year.
② They had to wear heavy coats last year.
③ They have to wear heavy coats last year.
④ They will have to wear heavy coats last year.
⑤ They don't have to wear heavy coats last year.

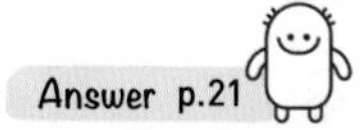

Point 034 당신은 진실을 믿어야 한다.

You should believe the truth.

- should는 '~해야 한다', '~하는 것이 좋다'의 의미로, must보다 약한 의무 · 충고 · 제안을 나타낸다.
  I **should** clean up the floor.
- 의문문 「**should + 주어 + 동사원형~?**」이고, 부정형은 should not[shouldn't]로 나타낸다.
  Should I **go** up the ladder? / You **shouldn't** stay up so late at night.

STEP 1 다음 질문에 대한 알맞은 응답을 찾아 연결하시오.

1 I want to lose weight. •
2 I lied to my mother. •
3 I don't have any friends at school. •
4 I will climb a mountain on Saturday. •
5 I went to bed very late last night. •

• ⓐ You should exercise regularly.
• ⓑ You should join a club at school.
• ⓒ You shouldn't go to bed too late.
• ⓓ You should be very careful.
• ⓔ You shouldn't lie to your mother.

□ lose weight 살빼다
□ regularly 규칙적으로
□ climb 오르다

STEP 2 다음 우리말과 일치하도록 should를 이용하여 빈칸에 알맞은 말을 쓰시오.

1 너는 그 이메일을 열면 안 된다.
You ____________ ____________ the e-mail.

2 Bill이 영어 수업시간에 사전을 가져와야 합니까?
____________ Bill ____________ a dictionary to the English class?

3 우리는 내일 교복을 입는 것이 좋습니까?
____________ we ____________ the school uniform tomorrow?

4 그들은 도서관에서 잡지를 읽으면 안 됩니까?
____________ they ____________ a magazine in the library?

5 Minho는 일요일에 공연을 준비해야 한다.
Minho ____________ ____________ for the performance on Sunday.

□ dictionary 사전
□ school uniform 교복
□ performance 공연
□ magazine 잡지

STEP 3 다음 중 어법상 옳은 것을 모두 고른 것은? 내신

(a) You shouldn't pay the bill.
(b) Should I prepare lunch?
(c) We should kept the school rules.

① (a) ② (a), (b) ③ (a), (c)
④ (b), (c) ⑤ (a), (b), (c)

□ pay 지불하다
□ bill 청구서
□ prepare 준비하다
□ school rules 교칙

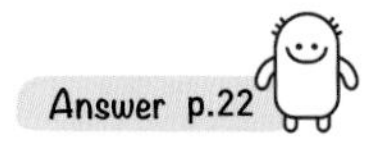
Answer p.22

01회 내신 적중 실전 문제

Point 029

01 다음 보기 의 밑줄 친 부분과 의미가 같은 것은?

> 보기 You can leave the classroom, when you finish the report.

① Tom can paint a picture very easily.
② The machine can freeze water instantly.
③ I can make kimchi with these vegetables.
④ She can change her clothes very quickly.
⑤ You can close the window if you feel cold.

Point 030

02 다음 두 문장이 같은 뜻이 되도록 할 때, 빈칸에 들어갈 말로 알맞은 것은?

> The small boy can carry the big bag.
> = The small boy ________ carry the big bag.

① may ② must ③ should
④ have to ⑤ is able to

Point 030

03 다음 대화의 빈칸에 들어갈 말이 순서대로 짝지어진 것은?

> A: I ________ move this box. It's too heavy.
> B: Don't worry. I ________ move it. It's not that heavy for me.

① can – am able to ② can – am not able to
③ can't – am able to ④ can't – am not able to
⑤ can't – was able to

중요

Point 031

04 다음 중 어법상 틀린 것은?

① I should stay at home at night.
② You must not smoke in the hospital.
③ She may arrives in HongKong tonight.
④ Mr. Jones didn't have to buy a bus ticket.
⑤ They are able to answer the difficult question.

Point 030, 033

05 다음 중 어법상 옳은 것을 모두 고른 것은?

> (a) Bill will able to send an e-mail with his cell phone tomorrow.
> (b) The rumor cannot be true.
> (c) They will have to use the stairs next week.

① (a) ② (a), (b) ③ (a), (c)
④ (b), (c) ⑤ (a), (b), (c)

Point 032

06 다음 우리말을 영어로 바르게 옮긴 것은?

> Jones 씨는 미국에서 유명한 작가임에 틀림없다.

① Mr. Jones may be a famous writer in America.
② Mr. Jones must be a famous writer in America.
③ Mr. Jones had to be a famous writer in America.
④ Mr. Jones may not be a famous writer in America.
⑤ Mr. Jones doesn't have to be a famous writer in America.

[07~08] 다음 우리말과 일치하도록 할 때, 빈칸에 들어갈 말로 알맞은 것을 고르시오.

Point 031

07

> Jane은 Bill의 생일을 잊을지도 모른다.
> → Jane ________ forget Bill's birthday.

① may ② should ③ cannot
④ has to ⑤ is able to

Point 033

08

> 당신은 더 이상 달력을 확인할 필요가 없다.
> → You ________ check the calendar any more.

① should ② have to ③ may not
④ should not ⑤ don't have to

Answer p.22

[09~10] 다음 빈칸에 들어갈 말로 알맞은 것을 고르시오.

Point 034

09

You ________ study math tonight, because the math exam is tomorrow.

① can't ② should ③ should not
④ may not ⑤ are not able to

Point 032

10

Mark ________ be very tired. He could not sleep at all last night.

① must ② cannot ③ may not
④ is able to ⑤ doesn't have to

Point 031

11 **다음 빈칸에 공통으로 들어갈 말로 알맞은 것은?**

- You ________ go there anytime you want.
- Mr. Kim ________ not come to the office today.

① can't ② may ③ have to
④ will have to ⑤ are able to

고난도

Point 030

12 **다음 밑줄 친 부분 중 어법상 틀린 것은?**

① Tom may catch a cold.
② You can pass the driving test next time.
③ You should always avoid sugary drinks.
④ They have to ask Mr. Lee about the show.
⑤ You will can bring your bicycles on the subway from next month.

서술형

Point 030

13 **다음 주어진 문장을 지시에 맞게 바꿔 쓰시오.**

John is able to ride the roller coaster.

(1) ______________________________ (부정문으로)

(2) ______________________________ (의문문으로)

Point 033

14 **다음 우리말과 일치하도록 괄호 안의 말을 바르게 배열하시오.**

제가 오늘 그 버스를 타야 하나요?
(on, the, bus, I, today, get, have, to, do)

→ ______________________________

[15~16] 다음 주어진 조건을 이용하여 교칙을 영작하시오.

Point 032

15

조건 1 must를 사용할 것
조건 2 총 5단어로 쓸 것

수업 중 먹거나 마시면 안 된다.
→ You ______________________ in class.

Point 034

16

조건 1 should를 사용할 것
조건 2 총 3단어로 쓸 것

수업 중 잠을 자면 안 된다.
→ You ______________________ in class.

Point 029, 031

01 다음 보기 의 밑줄 친 부분과 의미상 바꾸어 쓸 수 있는 것은?

> 보기 May I invite Mr. Brown to the party?

① can ② should ③ must
④ was able to ⑤ shouldn't

Point 033

02 다음 우리말을 영어로 바르게 옮긴 것은?

> 그는 다음 경기부터는 공을 던져야 할 것이다.

① He had to throw balls from the next game.
② He may not throw balls from the next game.
③ He should not throw balls from the next game.
④ He is able to throw balls from the next game.
⑤ He will have to throw balls from the next game.

Point 030, 032

03 다음 빈칸에 공통으로 들어갈 말로 알맞은 것은?

> • You will ________ able to be an actor in the future.
> • He must ________ a spy according to the report.

① be ② do ③ can
④ may ⑤ should

Point 030

04 다음 중 짝지어진 대화가 어색한 것은?

① A: May I have some tea?
B: Of course. Here you are.
② A: Do you have to go home now?
B: Yes. I have a test tomorrow.
③ A: Can you pass me the salt?
B: I am sorry, but I cannot cook lunch.
④ A: Is John able to play the piano well?
B: Sure. He took piano lessons for years.
⑤ A: Should I bring my laptop computer tomorrow?
B: Yes. You will use it for the presentation.

고난도 Point 029, 031, 032, 033, 034

05 다음 우리말을 영어로 잘못 옮긴 것은?

① 그들은 밤에 배가 고픔에 틀림없다.
→ They must be hungry at night.
② 나는 휠체어 없이 걸을 수 있다.
→ I can walk without the wheelchair.
③ 우리는 하루에 한 번 산책해야 한다.
→ We should take a walk once a day.
④ Jane은 일요일에 소풍을 가지 않을 지도 모른다.
→ Jane may not go on a picnic on Sunday.
⑤ 당신은 더 이상 그들에게 거짓말을 해서는 안 된다.
→ You don't have to lie to them any more.

Point 030, 031, 032

06 다음 중 어법상 옳은 것을 모두 고른 것은?

> (a) She may not be surprised this time.
> (b) Kevin is in Canada! That can't is him.
> (c) Are they able to overcome the situation?

① (a) ② (a), (b) ③ (a), (c)
④ (b), (c) ⑤ (a), (b), (c)

[07~08] 다음 대화의 빈칸에 들어갈 말로 알맞은 것을 고르시오.

Point 034

07

> A: The blackboard is not ready for the class.
> B: Bill, it's your turn. You ________ erase it.

① is able to ② may not ③ should
④ should not ⑤ don't have to

Point 027

08

> A: ________ I open the window? It is very hot in this room.
> B: Of course. Go ahead.

① Are ② Can ③ Must
④ Was ⑤ Have to

Answer p.24

[09~10] 다음 우리말과 일치하도록 할 때, 빈칸에 들어갈 말로 알맞은 것을 고르시오.

Point 032

09

극장에서 큰 소리로 이야기하면 안 된다.
→ You _________ talk loudly in the theater.

① may ② may not ③ cannot
④ must not ⑤ don't have to

Point 029

10

Mr. Jones는 일본어를 읽을 줄 모른다.
→ Mr. Jones _________ read Japanese.

① can ② can't ③ can't be
④ is able to ⑤ wasn't able to

Point 031

11 다음 중 어법상 틀린 것은?

① They must join the club this semester.
② I should not cut the rope at the moment.
③ We didn't have to clean the bathroom.
④ He mays prepare for the presentation.
⑤ Mary will not be able to perform in the show this time.

Point 031

12 다음 우리말을 영어로 바르게 옮긴 것은?

Tom은 매일 강을 따라 달리는 것이 아닐지도 모른다.

① Tom may run along the river every day.
② Tom cannot run along the river every day.
③ Tom have to run along the river every day.
④ Tom may not run along the river every day.
⑤ Tom doesn't have to run along the river every day.

서술형

Point 033

13 다음 주어진 문장을 지시에 맞게 바꿔 쓰시오.

Mrs. Walker has to choose the winner of the game.

(1) ______________________________ (부정문으로)

(2) ______________________________ (과거시제로)

Point 026

14 다음 우리말과 일치하도록 주어진 조건을 이용하여 영작하시오.

조건 1 be able to와 borrow를 사용할 것
조건 2 총 7단어로 쓸 것

John은 자전거를 빌릴 수 있다.
→ ______________________________

[15~16] 다음 Tom의 일정표를 보고, 괄호 안의 말을 이용하여 질문에 답하시오.

Time	What to do
2:00 p.m.	call Mr. Brown
4:00 p.m.	meet Mrs. Anderson

Point 034

15

A: What does Tom have to do at 2 o'clock?
B: He ______________________. (should)

Point 032

16

A: What does Tom have to do at 4 o'clock?
B: He ______________________. (must)

Grammar Review 핵심 정리

1 can

Point

You can solve the problem. 029

☞ 능력이나 가능한 일을 나타내며 '~할 수 있다'로 해석한다.
☞ 허가나 요청을 나타내며 '~해도 좋다'로 해석한다.

2 can과 be able to

I am able to repair the computer. 030

☞ be able to는 can과 마찬가지로 '~할 수 있다'로 해석하며, 능력이나 가능한 일을 나타낸다.
☞ 과거의 능력이나 가능을 나타낼 경우 was able to로, 미래의 능력이나 가능을 나타낼 경우는 will be able to로 쓸 수 있다.

3 may

You may borrow the book. 031

☞ '~해도 좋[된]다'는 허가의 의미를 나타낸다.
☞ '~일지도 모른다'는 불확실한 추측을 나타낸다.

4 must

All students must keep quiet in the library. 032

☞ '~해야 한다'는 필요나 의무를 나타낸다. must not[mustn't]은 '~해서는 안 된다'로 강한 금지를 나타낸다.
☞ '~임에 틀림없다'는 확실한 추측을 나타낸다.

5 have to

I have to call my mother. 033

☞ '~해야 한다'로 필요나 의무를 나타낸다.
☞ 의문문은 「Do/Does/Did+주어+have to~?」 형태이다. 부정문은 「don't/doesn't/didn't+have to」의 형태로 '~할 필요가 없다'로 해석하며 불필요를 나타낸다.

6 should

You should believe the truth. 034

☞ '~해야 한다', '~하는 것이 좋다'의 의미로 약한 의무 · 충고 · 제안을 나타낸다.
☞ 「should+주어+동사원형~?」 형태로 의문문을 만들며, 부정형은 should not[shouldn't]이다.

LESSON

05

문장의 형태

Point 035 새들이 노래한다.

Birds sing.

- 문장은 문장의 주요 성분(주어, 동사, 보어, 목적어)에 따라 크게 5가지 형식으로 나뉜다.
- 1형식 문장은 「**주어+동사**」로 이루어진 문장으로, 주로 장소, 방법, 시간 등을 나타내는 부사(구)와 함께 쓰인다.
  I walked slowly in the park.
- 1형식으로 쓰는 동사: go, come, arrive, return, travel, stand, sit, lie, stay, walk, run, swim, fly, flow, live, die, smile, cry, sing, dance, rise, set, fall, work, rain, snow 등

STEP 1 다음 문장을 우리말로 해석하시오.

1 The leaves fell.
2 Airplanes fly in the sky.
3 The sun sets in the west.
4 The rain never stopped all day.
5 Ben went to the swimming pool last Sunday.

□ fall 떨어지다
□ set (해 · 달이) 지다
□ west 서쪽
□ swimming pool 수영장

STEP 2 다음 우리말과 일치하도록 빈칸에 들어갈 말을 보기 에서 골라 쓰시오.

보기 sing lay came dance slept jumped

1 우리 강아지는 높이 뛰었다.
My dog ___________ high.

2 Mary가 춤을 잘 출 수 있나요?
Can Mary ___________ well?

3 David는 누워서 잤다.
David ___________ down and ___________.

4 Alice가 무대 위에서 노래했니?
Did Alice ___________ on the stage?

5 많은 사람들이 경기장에 모였다.
Many people ___________ together in the stadium.

□ stage 무대
□ stadium 경기장

STEP 3 다음 밑줄 친 부분 중 생략할 수 있는 것을 모두 고르면? 내신

The sun rises① over the city.② It shines③ brightly.④ Another day begins.⑤

□ rise (해 · 달이) 뜨다
□ shine 빛나다
□ another 또 하나의
□ begin 시작되다

Answer p.25

Point 036 그는 학생이다.

He is a student.

- 2형식 문장은 「**주어+동사+주격보어**」로 이루어진 문장이다.
- 주격보어는 주어의 성질, 상태, 신분 등을 보충 설명해 주는 역할을 한다. 주격보어로는 명사, 대명사, 형용사 등이 쓰인다.
- 2형식으로 쓰는 동사: be, become, keep, get, turn, grow 등
  They became quiet. / **Her face turned red.**

STEP 1 다음 문장에서 주격보어에 밑줄을 긋고 문장을 우리말로 해석하시오.

1 John was foolish.
2 We kept calm.
3 Janet became a popular writer.
4 The students got bored soon.
5 The cafe is famous for its cheesecake.

□ calm 침착한
□ popular 인기 있는
□ bored 지루한

STEP 2 다음 우리말과 일치하도록 괄호 안의 말을 바르게 배열하시오.

1 나는 뚱뚱해졌다. (grew, fat, I)

____

2 스마트폰은 매우 유용하다. (useful, smartphones, very, are)

____

3 나의 아들은 프로 야구 선수가 되었다. (became, my son, a pro baseball player)

____

4 붉은 머리카락을 가진 저 여자는 나의 부인이다.
(with, my wife, the woman, red hair, is)

____

5 그들은 부유하지 않다. (are, rich, they, not)

____

□ fat 뚱뚱한
□ useful 유용한
□ wife 부인
□ rich 부유한

STEP 3 다음 밑줄 친 부분 중 문장 성분이 나머지 넷과 다른 것은? 내신

① Jerry is a smart mouse.
② She grew weaker every day.
③ The book turned yellow.
④ It snowed heavily last night.
⑤ Sam became a pilot.

□ smart 영리한
□ mouse 쥐
□ weak (몸이) 약한
□ pilot 비행기 조종사

Answer p.25

Point 037 당신의 계획은 정말 좋은 것 같네요.

Your plan sounds great.

- 「**주어 + 동사 + 주격보어**」로 이루어진 2형식 문장에는 감각동사가 자주 쓰인다.
- 감각동사(look, sound, smell, taste, feel)의 보어 자리에는 형용사가 온다.
  She looks pretty. / **This flower smells nice.**
  Honey tastes sweet. / **Yellow feels warm.**
  TIP 감각동사 뒤에 명사(구)가 올 때, 문장을 「**감각동사 + like(~처럼) + 명사(구)**」의 형태로 쓴다.

STEP 1 다음 괄호 안에서 알맞은 말을 고르시오.

□ insect 곤충

1 It tastes (salt, salty).
2 The coffee smells (good, well).
3 My mom felt (sad, sadly).
4 This insect looks (strange, strangely).
5 That sounds (perfect, perfectly).

STEP 2 다음 우리말과 일치하도록 괄호 안의 말을 이용하여 빈칸에 알맞은 말을 쓰시오.

□ toy 장난감
□ sour (맛이) 신
□ fresh 신선한

1 Tom은 피곤함을 느꼈다. (tired)
Tom ______________________________.

2 그녀의 시계는 장난감처럼 보였다. (a toy)
Her watch ______________________________.

3 이 사과는 신맛이 난다. (sour)
This apple ______________________________.

4 너는 너희 어머니처럼 말하는구나. (sound)
You ______________________________.

5 공기에서 신선하고 깨끗한 냄새가 난다. (fresh, clean)
The air ______________________________.

STEP 3 다음 빈칸에 들어갈 말로 알맞지 않은 것은? 내신

He looked ________.

① handsome ② kind ③ well
④ smart ⑤ nice

Answer p.26

Point 038 Jenny는 약간의 치즈를 샀다.

Jenny bought some cheese.

- 3형식 문장은 「**주어 + 동사 + 목적어**」로 이루어진 문장이다.
- 목적어는 주어가 하는 동작의 대상이 되는 말로 '~을[를]', '~에게'로 해석한다. 목적어로는 명사나 대명사 등이 쓰인다.
  I miss him so much.

STEP 1 다음 문장에서 주어는 S, 동사는 V, 목적어는 O로 표시하시오.

1 We finished our homework.
2 I don't know the answer.
3 They use a lot of water.
4 She got a call just before midnight
5 My uncle bought some oranges at the store.

STEP 2 다음 우리말과 일치하도록 괄호 안의 말을 이용하여 빈칸에 알맞은 말을 쓰시오.

□ castle 성
□ visitor 방문객

1 많은 아이들이 초콜릿을 좋아한다. (chocolate)
Many children ______________________.

2 Paul은 매일 아침에 신문을 읽는다. (the newspaper)
Paul ______________________ every morning.

3 나는 내 오랜 친구에게 전화했다. (old friend)
I ______________________.

4 그 여자아이는 바닷가에서 모래성을 만들었다. (a sand castle)
The girl ______________________ on the beach.

5 방문객들은 그곳에서 많은 봄꽃을 볼 수 있다. (many spring flowers)
Visitors can ______________________ there.

STEP 3 다음 중 문장의 형식이 나머지 넷과 다른 것은? 내신

□ travel 여행
□ yard 마당
□ curly 곱슬곱슬한

① Michael likes jazz music.
② My sister wrote two travel books.
③ Sally grows vegetables in the yard.
④ Mr. Jobs helped the poor children.
⑤ His curly hair looked funny.

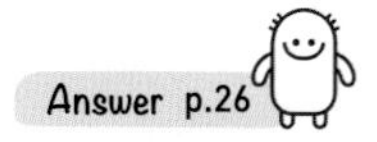

Point 039 나는 그녀에게 생일 선물을 주었다.

I gave her a birthday present.

- 4형식 문장은 「**주어 + 수여동사 + 간접목적어 + 직접목적어**」로 이루어진 문장이다.
- 수여동사는 간접목적어(~에게)와 직접목적어(~을)를 둘 다 필요로 하는 동사로 '~해 주다'라는 뜻을 지닌다.
- 수여동사의 종류: give, send, lend, bring, pass, tell, teach, show, write, buy, get, make, cook, ask 등
  Ted lent me the book.

STEP 1 다음 문장을 밑줄 친 부분에 유의하여 우리말로 해석하시오.

1 My American friend asked me a question.
2 Jessica told them the shocking news.
3 Mike made her a wooden chair.
4 Could you pass me some ketchup?
5 My parents got me these shoes for Christmas.

□ question 질문
□ shocking 충격적인
□ wooden 나무로 된
□ pass 건네주다

STEP 2 다음 우리말과 일치하도록 괄호 안의 말을 바르게 배열하시오.

1 James는 나에게 자신의 사진을 보여 주었다. (James, his photo, me, showed)

____

2 그녀는 우리에게 역사를 가르쳐 주었다. (history, us, she, taught)

____

3 Dave는 나에게 저녁 식사를 요리해 주었다. (me, dinner, cooked, Dave)

____

4 나는 그에게 우산을 가져다주었다. (an umbrella, I, him, brought)

____

5 그는 나에게 많은 돈을 빌려주었다. (lent, a lot of, money, me, he)

____

□ photo 사진
□ lend 빌려주다

STEP 3 다음 빈칸에 들어갈 말로 알맞지 않은 것은? 내신

I ________ her a bunch of flowers.

① sent ② gave ③ bought
④ brought ⑤ put

□ bunch 다발, 송이

Answer p.26

Point 040 그는 내게 편지를 보내 주었다.

He sent a letter *to* me.

- 4형식 문장은 두 목적어의 순서를 바꾸고 전치사(to/for/of)를 넣어서 3형식 문장으로 바꿀 수 있다.

4형식 문장	「주어+동사+간접목적어+직접목적어」
3형식 문장	**「주어+동사+직접목적어+전치사+간접목적어」**

- 전치사 to를 사용하는 동사: give, send, lend, bring, pass, tell, teach, show, write 등
  Linda told me funny stories. → Linda told funny stories *to* me.

STEP 1 다음 밑줄 친 부분을 바르게 고치시오.

□ address 주소
□ loaf 빵 한 덩이
□ police officer 경찰관
□ passport 여권

1 Can you write your email address for me?
2 His sister brought three cups us.
3 They sent a fruit basket of her.
4 Emma gave to him a loaf of bread.
5 Kevin passed the police officer to his passport.

STEP 2 다음 주어진 문장을 3형식 문장으로 바꿀 때 빈칸에 알맞은 말을 쓰시오.

□ laptop computer 노트북 컴퓨터
□ wet towel 물수건
□ aunt 고모[이모, 숙모]

1 Rosa didn't lend us her laptop computer.
→ Rosa didn't lend ______________________.

2 Jake showed her a birthday present.
→ Jake showed ______________________.

3 Would you bring me a wet towel?
→ Would you bring ______________________?

4 Mr. Smith teaches us science at school.
→ Mr. Smith teaches ______________________ at school.

5 Alice wrote her aunt a postcard.
→ Alice wrote ______________________.

STEP 3 다음 두 문장이 같은 뜻이 되도록 할 때, 빈칸에 들어갈 말로 알맞은 것은? 내신

Roy showed us his new smartphone.
= Roy showed his new smartphone ________ us.

① to ② for ③ of
④ by ⑤ with

Answer p.27

Point 041 엄마가 내게 쌀 케이크를 만들어 주셨다. 4형식 문장 → 3형식 문장 전환 Ⅱ (for)

My mom made a rice cake *for* me.

- 4형식 문장을 3형식 문장으로 바꿀 때 대부분의 동사는 전치사 to를 쓰지만, 동사에 따라 for나 of를 쓰기도 한다.
- 전치사 for를 사용하는 동사: buy, get, make, cook 등

  Alex bought us tomatoes. → Alex bought tomatoes *for* us.

TIP 전치사 of를 사용하는 동사로는 ask가 있다.

STEP 1 다음 괄호 안에서 알맞은 말을 고르시오.

1 Olivia cooked lunch (of, for) me.

2 She gave coffee (to, for) her guests.

3 My teacher asked a difficult question (to, of) me.

4 I bought a new washing machine (to, for) my grandma.

5 Would you get a bottle of water from the refrigerator (for, to) me?

□ difficult 어려운
□ washing machine 세탁기
□ bottle 병
□ refrigerator 냉장고

STEP 2 다음 우리말과 일치하도록 괄호 안의 말을 바르게 배열하시오.

1 제게 레모네이드를 좀 더 주시겠어요? (some more, me, get, for, lemonade)
Would you ______________________________?

2 James는 아들에게 종이비행기를 만들어 주었다.
(made, for, a paper plane, his son)
James ______________________________.

3 그 기자는 내게 많은 질문을 했다. (me, asked, of, many questions)
The reporter ______________________________.

4 Henry는 아이들에게 아침 식사를 요리해 주었다.
(cooked, for, breakfast, his children)
Henry ______________________________.

5 나는 그에게 햄버거를 사 줄 것이다. (him, a hamburger, buy, for)
I'll ______________________________.

□ reporter 기자

STEP 3 다음 빈칸에 들어갈 말이 순서대로 짝지어진 것은? 내신

- Joe made a pizza ________ his friends.
- My grandfather bought a red cap ________ me.

① to – for
② to – to
③ for – for
④ for – of
⑤ for – to

□ cap 모자

Answer p.27

Point 042 그 냄새를 맡으니 배가 고프군요.

The smell makes me hungry.

- 5형식 문장은 「**주어 + 동사 + 목적어 + 목적보어**」로 이루어진 문장이다.
- 목적보어는 목적어의 성질, 상태 등을 보충 설명해 주는 역할을 한다. 목적보어로는 명사나 형용사 등이 쓰인다.
  They call their baby Johnny.

STEP 1 다음 문장에서 목적어는 O, 목적보어는 C로 표시하시오.

1 I found the exam easy.
2 They named their son Brody.
3 Parents should keep their children quiet in public.
4 People call white whales "beluga."
5 Everyone in the village thought him kind.

□ find 생각하다, 발견하다
□ name 이름을 짓다
□ in public 사람들이 있는 데서
□ village 마을

STEP 2 다음 우리말과 일치하도록 괄호 안의 말을 바르게 배열하시오.

1 나는 Amy가 위대한 가수라고 생각한다. (think, a great singer, Amy, I)
____

2 우리는 선생님을 슬프게 만들었다. (made, the teacher, sad, we)
____

3 너는 네 방을 깨끗하게 유지해야 한다. (you, your room, must, clean, keep)
____

4 그는 자신의 아내가 선생님이 되게 만들었다. (he, his wife, made, a teacher)
____

5 Jane은 상자가 비어 있는 것을 발견했다. (found, empty, the box, Jane)
____

□ empty 비어 있는

STEP 3 다음 빈칸에 들어갈 말로 알맞지 않은 것은? 내신

Andrew made his daughter ________.

① happy ② a lawyer ③ carefully
④ a golfer ⑤ worried

Point 043 나는 네가 비밀을 지켜 주길 원해.

I want you to keep a secret.

- 5형식 문장에서 want, expect, tell, advise, order, ask, allow, get 등의 동사가 사용될 경우, 목적보어로 to부정사(to + 동사원형)가 온다.
  I expected her to help me.
  She got him to stop smoking.
  My dad allowed me to go out this evening.

STEP 1 다음 문장을 우리말로 해석하시오.

1 I want my dream to come true.
2 Adam told me to go to the museum with him.
3 She ordered us to sit down and be quiet.
4 The doctor advised him to exercise regularly.
5 I asked my brother to lend me some money.

□ come true 이루어지다
□ order 지시하다
□ advise 충고하다
□ regularly 규칙적으로
□ ask 부탁하다

STEP 2 다음 우리말과 일치하도록 빈칸에 들어갈 말을 보기에서 골라 알맞은 형태로 쓰시오.

□ allow 허락하다

보기	pay	go	stop	use	come

1 나는 그에게 술을 그만 마시라고 말했다.
I told him ____________ drinking.

2 나는 네가 내일까지 돈을 갚기를 원한다.
I want you ____________ me back by tomorrow.

3 Andy는 그녀가 자신의 차를 사용하도록 허락했다.
Andy allowed her ____________ his car.

4 그는 내가 일찍 잠자리에 들어야 한다고 충고했다.
He advised me ____________ to bed early.

5 Kate는 자신의 친구들에게 파티에 와 달라고 요청했다.
Kate asked her friends ____________ to her party.

STEP 3 다음 빈칸에 들어갈 말로 알맞지 않은 것은? 내신

My mom ________ me to wash the dishes after dinner.

① got ② expected ③ told
④ showed ⑤ wanted

Answer p.28

Point 044 나는 남동생이 기타 연주하는 소리를 들었다.

I heard my brother play the guitar.

- 5형식 문장에서 사역동사나 지각동사가 사용될 경우, 목적보어로 원형부정사(동사원형)가 온다.
- 사역동사는 '~시키다', '~하게 하다'라는 뜻의 동사로, make, have, let이 이에 해당한다.
  He let the children play in the sand.
- 지각동사는 감각 기관을 통해 대상을 인식함을 나타내는 동사로, see, watch, hear, feel 등이 이에 해당한다. 지각동사는 목적보어로 원형부정사를 쓰지만, 진행의 의미를 강조할 때는 v-ing도 쓸 수 있다.
  We felt the ground shake[shaking].

TIP help는 목적보어로 to부정사와 원형부정사를 모두 쓸 수 있다.

STEP 1 다음 괄호 안에서 알맞은 말을 고르시오.

1 We saw Mike (enter, to enter) the building.
2 John makes me (laugh, to laugh) a lot.
3 I watched the sun (to rise, rising) over the hills.
4 Can you hear somebody (to shout, shouting)?
5 My parents have me (to clean, clean) up the garage on Sundays.

□ enter 들어가다
□ building 건물
□ hill 언덕
□ garage 차고

STEP 2 다음 우리말과 일치하도록 괄호 안의 말을 바르게 배열하시오.

1 나는 그들이 거리에서 춤을 추는 것을 보았다. (saw, dance, I, them, in the streets)
____

2 우리 엄마는 내가 마루를 닦도록 시키셨다. (had, my mother, me, the floor, wipe)
____

3 나는 누군가가 내 어깨를 건드리는 것을 느꼈다.
(felt, touching, I, someone, my shoulder)
____

4 Andy는 내가 어려운 문제를 푸는 것을 도왔다.
(the difficult question, helped, solve, Andy, me)
____

□ floor 마루
□ wipe 닦다
□ shoulder 어깨
□ solve 풀다, 해결하다

STEP 3 다음 빈칸에 들어갈 말로 알맞은 것은? 내신

The boss had him ________ the document.

① bring ② bringing ③ brings
④ to bring ⑤ brought

□ boss (직장의) 상사
□ document 서류

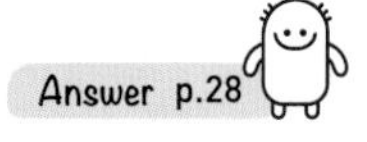
Answer p.28

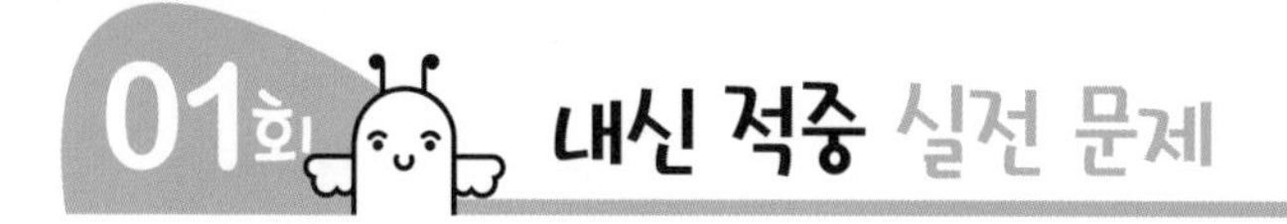

Point 035, 036

01 다음 중 문장의 형식이 나머지 넷과 다른 것은?

① She smiled at the child.
② The weather turned cold.
③ They traveled night and day.
④ Rivers flow down into the sea.
⑤ This machine doesn't work well.

Point 036, 037, 038

02 다음 밑줄 친 부분 중 문장 성분이 나머지 넷과 다른 것은?

① The players got excited.
② My dad looked angry with me.
③ Jack married a famous actress.
④ Is the man over there a police officer?
⑤ Emily didn't become the class president.

Point 040

03 다음 빈칸에 들어갈 말로 알맞지 않은 것은?

> She ________ curry and rice for her son.

① got　② gave　③ made
④ cooked　⑤ bought

Point 038

04 다음 문장의 형식이 보기 와 같은 것은?

> 보기 They had a good time at Disneyland.

① My cousin made this model ship.
② Janet makes me laugh all the time.
③ He bought me a new school uniform.
④ My family goes to church every Sunday.
⑤ The soup looked good and tasted delicious.

Point 039

05 다음 밑줄 친 부분 중 생략해야 하는 것은?

> My friends bought a birthday cake ① for me and gave ② to me many gifts. They also sang "Happy Birthday" ③ for me, ④ and it touched my heart. I felt ⑤ like a big star!

Point 040

06 다음 두 문장이 같은 뜻이 되도록 할 때, 빈칸에 들어갈 말로 알맞은 것은?

> Can you lend me your math textbook?
> = Can you lend ________________?

① your math textbook me
② your math textbook for me
③ your math textbook to me
④ me to your math textbook
⑤ your math textbook of me

Point 041

07 다음 빈칸에 들어갈 말이 나머지 넷과 다른 것은?

① Jay gave this CD ________ me.
② Ted sent an email ________ her.
③ I will buy a sandwich ________ you.
④ She taught yoga ________ my children.
⑤ I brought the remote control ________ my dad.

Point 042

08 다음 빈칸에 들어갈 말로 알맞은 것은?

> Everyone finds her ________.

① kindly　② bravely　③ carefully
④ friendly　⑤ honestly

Answer p.29

Point 043
09 다음 중 어법상 옳은 것은?

① Jim wanted her stay with him.
② People advised him lose weight.
③ My mom had me to set the table.
④ I told my little brother to make his bed.
⑤ My boss saw me to wait for the customer.

고난도
Point 044
10 다음 중 어법상 틀린 것은?

① I made her cry yesterday.
② She watched the birds flying away.
③ We helped Bob to clean the street.
④ My grandma had me water the plants.
⑤ Anna heard the queen to shout loudly.

중요
Point 042
11 다음 밑줄 친 부분 중 어법상 틀린 것은?

① The baby looked like a puppy.
② She returned to her hometown.
③ Michael passed the ball to Luke.
④ He got me to pack the raincoats.
⑤ I found the chair very comfortably.

Point 043, 044
12 다음 빈칸에 공통으로 들어갈 말로 알맞은 것은?

• He helped me ________ the sofa into the corner.
• I asked the man ________ his car.

① move ② moves ③ moved
④ to move ⑤ moving

서술형

[13~14] 다음 문장에서 어법상 틀린 부분을 찾아 바르게 고쳐 쓰시오.

Point 037, 039
13

Yesterday was Parents' Day. My sister, Julie, wrote to Mom and Dad a thank-you card. I bought carnations for them. They looked happily.

(1) ________ → ________
(2) ________ → ________

Point 044
14

Today, we can see many people to ride bikes. It can save energy. Also, it will help people staying healthy.

(1) ________ → ________
(2) ________ → ________

[15~16] 다음 주어진 단어를 모두 이용하여 대화를 완성하시오.

Point 037, 041
15

hungry, some cookies, for, feel, you

A: Mom, I'm home. I (1) ________ now.
B: Okay. I will make (2) ________.

Point 037, 039
16

worried, my class, gave, look

A: You (1) ________. What's wrong?
B: My teacher (2) ________ some difficult homework.
A: Oh, that's too bad.

Point 035, 038

01 다음 빈칸에 들어갈 말로 알맞지 않은 것은?

I ________ to the bus terminal.

① ran ② went ③ walked
④ visited ⑤ returned

Point 037

02 다음 대화의 빈칸에 들어갈 말이 순서대로 짝지어진 것은?

A: Are you all right? You ________ terrible!
B: I'm not so good. I ________ dizzy.

① feel – look ② look – feel
③ feel – sound ④ sound – look
⑤ look – sound

Point 040, 041

03 다음 빈칸에 들어갈 말이 순서대로 짝지어진 것은?

• Sally lent her hairpins ________ me.
• He bought a new coat ________ his wife.

① to – for ② to – to ③ for – to
④ of – for ⑤ for – for

Point 042, 044

04 다음 중 문장의 형식이 보기와 같은 것은?

보기 We called him Tin Man.

① Bob drank some cold water.
② Mr. Brown taught math to us.
③ Teddy was a very good player.
④ She let us choose a dish from the menu.
⑤ My uncle brought me milk from his farm.

Point 044

05 다음 중 어법상 틀린 것은?

① I want you to trust me.
② This mango tastes sweet.
③ My feet smell like cheese.
④ His mother made a sweater for him.
⑤ She felt the sweat to run down her back.

Point 039, 042

06 다음 중 문장의 형식이 나머지 넷과 다른 것은?

① I'll tell you a wonderful story.
② Tommy made his mom worried.
③ Ms. Hong taught them English.
④ Jenny bought her brother a pair of socks.
⑤ My grandparents sent me a box of apples.

Point 043

07 다음 빈칸에 들어갈 말로 알맞은 것은?

The coach ________ the players to practice hard.

① let ② had ③ got
④ made ⑤ saw

Point 040

08 다음 우리말을 영어로 바르게 옮긴 것은?

나는 경찰관에게 신분증을 보여 주었다.

① I showed my ID card the police officer.
② I showed the police officer to my ID card.
③ I showed to my ID card the police officer.
④ I showed my ID card to the police officer.
⑤ I showed my ID card for the police officer.

Answer p.31

중요

Point 039, 043

09 다음 빈칸에 공통으로 들어갈 말로 알맞은 것은?

• She ________ us scary stories that night.
• Ted ________ me to join the club with him.

① told ② wrote ③ showed
④ brought ⑤ expected

Point 044

10 다음 빈칸에 들어갈 말로 알맞은 것을 모두 고르면?

The teacher saw two boys ________ each other in the hallway.

① fight ② to fight ③ fighting
④ fights ⑤ to fighting

Point 037

11 다음 밑줄 친 부분 중 어법상 틀린 것은?

We had(①) a new classmate today. He looked nervously(②) at first. I asked him his name(③). His name is Liam(④). I want him to be(⑤) my friend.

고난도

Point 036

12 다음 중 어법상 옳은 것은?

① We walked the park this afternoon.
② The scarf will keep your neck warmly.
③ Their love for each other grew stronger.
④ The voice on the phone sounded greatly.
⑤ Janet saw her friend Ruby to hide the letter.

서술형

Point 041

13 다음 우리말과 일치하도록 괄호 안의 말을 이용하여 빈칸에 알맞은 말을 쓰시오.

할머니는 나에게 샌드위치를 만들어 주셨다. (sandwiches, for)

→ Grandma ________________.

Point 044

14 다음 두 문장을 한 문장으로 바꿀 때 빈칸에 알맞은 말을 쓰시오.

I saw Olivia yesterday. She was practicing the violin.

→ I saw Olivia ________________.

[15~16] 다음 두 문장이 같은 뜻이 되도록 할 때, 빈칸에 알맞은 말을 쓰시오.

Point 040

15

Mike sent me a basket of roses.
= Mike sent a basket of roses ________ ________.

Point 043

16

The doctor said, "You should rest for a week."
= The doctor advised me ________ ________ ________ ________ ________.

Grammar Review 핵심 정리

1 1형식 문장

Point

Birds sing. 035

☞ 1형식 문장은 「주어+동사」로 이루어지며, 보통 부사(구)와 함께 쓰인다.
☞ 1형식으로 쓰는 동사: go, come, arrive, travel, stand, sit, lie, stay, walk, live, die, smile, cry, rise, fall, work 등

2 2형식 문장

He is a student. 036

☞ 2형식 문장은 「주어+동사+주격보어」로 이루어진다. 주격보어는 주어의 속성을 보충 설명하는 말로, 명사, 대명사, 형용사 등이 주격보어로 쓰인다.
☞ 2형식으로 쓰는 동사: be, become, keep, get, turn, grow 등

Your plan **sounds great.** 037

☞ 감각동사(look, sound, smell, taste, feel)는 2형식 문장에서 자주 사용되며, 주격보어 자리에는 형용사가 온다.

3 3형식 문장

Jenny bought some cheese. 038

☞ 3형식 문장은 「주어+동사+목적어」로 이루어진다. 목적어는 주어가 하는 동작의 대상이 되는 말로, 명사나 대명사 등이 목적어로 쓰인다.

4 4형식 문장

I gave her a birthday present. 039

☞ 4형식 문장은 「주어+수여동사+간접목적어(~에게)+직접목적어(~를)」로 이루어진다.
☞ 수여동사(~해 주다): give, send, lend, bring, pass, tell, teach, show, write, buy, get, make, cook, ask 등

He sent a letter *to* me. 040

☞ 4형식 문장은 두 목적어의 순서를 바꾸고 전치사(to/for/of)를 넣어서 3형식 문장으로 바꿀 수 있다.
☞ 전치사 to를 사용하는 동사: give, send, lend, bring, pass, tell, teach, show, write 등

My mom made a rice cake *for* me. 041

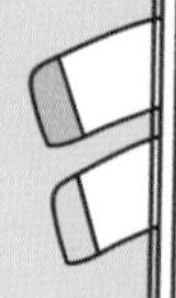

☞ 전치사 for를 사용하는 동사: buy, get, make, cook 등 / 전치사 of를 사용하는 동사: ask 등

5 5형식 문장

The smell **makes** me **hungry.** 042

☞ 5형식 문장은 「주어+동사+목적어+목적보어」로 이루어진다. 목적보어는 목적어의 속성을 보충 설명하는 말로 명사나 형용사 등이 목적보어로 쓰인다.

I **want** you **to keep** a secret. 043

☞ 「주어+동사(want, expect, tell, advise, order, ask, allow, get 등)+to부정사~」

I **heard** my brother **play** the guitar. 044

☞ 「주어+사역동사(make, have, let)+동사원형~」
☞ 「주어+지각동사(see, watch, hear, feel 등)+동사원형/v-ing~」

LESSON

06

명사와 관사

Point 045 원숭이는 바나나를 좋아한다.

Monkeys like bananas.

- 사람, 사물, 장소 등의 이름을 나타내는 말을 명사라고 하며, 셀 수 있는 명사와 셀 수 없는 명사로 나뉜다.
- 셀 수 있는 명사의 복수형 만드는 법 (규칙 변화)

대부분의 명사	명사+-s	girl → girl**s** dog → dog**s** car → car**s**
-s, -sh, -ch, -x, -o로 끝나는 명사	명사+-es	bus → bus**es** dish → dish**es** fox → fox**es** watch → watch**es** potato → potato**es** (예외) piano → piano**s** photo → photo**s**
「자음+y」로 끝나는 명사	y를 i로 바꾸고+-es	lady → lad**ies** baby → bab**ies** city → cit**ies**
「모음+y」로 끝나는 명사	명사+-s	boy → boy**s** monkey → monkey**s** toy → toy**s**
-f, -fe로 끝나는 명사	-f, -fe를 v로 바꾸고+-es	wife → wi**ves** wolf → wol**ves** leaf → lea**ves** (예외) roof → roof**s** safe → safe**s**

STEP 1 다음 명사의 복수형을 쓰시오.

1 map ______ 2 candy ______
3 knife ______ 4 brush ______
5 tomato ______ 6 toy ______
7 photo ______ 8 bench ______
9 wolf ______ 10 safe ______
11 box ______ 12 class ______
13 mouth ______ 14 fly ______

□ map 지도
□ brush 붓, 솔
□ toy 장난감
□ wolf 늑대
□ safe 금고

STEP 2 다음 괄호 안의 단어를 빈칸에 알맞은 형태로 쓰시오.

1 My grandfather raises three ______. (puppy)
2 I ate those ______ for lunch. (sandwich)
3 Elephants have two big ears and four ______. (leg)
4 Many ______ are working these days. (wife)
5 A lot of ______ were at the zoo. (fox)

□ raise 기르다
□ puppy 강아지
□ these days 요즈음에는
□ zoo 동물원

STEP 3 다음 밑줄 친 복수형이 바르지 않은 것은? 내신

① Some houses have flat rooves.
② I planted potatoes last weekend.
③ There are four dishes on the table.
④ Look at the little boys in yellow shirts.
⑤ Three families gathered in my backyard.

□ flat 평평한
□ plant 심다
□ weekend 주말
□ gather 모이다
□ backyard 뒷마당, 뒤뜰

Answer p.33

Point 046 남자와 여자는 다르게 생각한다.

Men and women think differently.

• 셀 수 있는 명사의 복수형 만드는 법 (불규칙 변화)

모음이 변하는 경우	man → m**e**n woman → wom**e**n foot → f**ee**t tooth → t**ee**th goose → g**ee**se mouse → m**ice**
-en 또는 -ren이 붙는 경우	ox → ox**en** child → child**ren**
단수와 복수가 같은 경우	sheep → **sheep** fish → **fish** deer → **deer**

STEP 1 다음 밑줄 친 부분을 바르게 고치시오.

1 My two front tooths fell out yesterday.
2 Eight childs played soccer on the playground.
3 Two mans are shaking hands.
4 The hunter killed several deers.
5 The cat is chasing mouses.

□ front 앞(쪽)의
□ playground 운동장
□ shake hands 악수하다
□ hunter 사냥꾼
□ chase 쫓다, 추격하다

STEP 2 다음 빈칸에 들어갈 말을 보기에서 골라 알맞은 형태로 쓰시오.

보기 sheep goose woman ox foot

1 My older brother has big ___________.
2 ___________ provide their fur for people.
3 Ten ___________ are grazing in the pasture.
4 Some ___________ were choosing their clothes in the store.
5 Ducks and ___________ look similar.

□ provide 제공하다, 주다
□ fur 털
□ graze (가축이) 풀을 뜯다
□ pasture 초원, 목초지
□ similar 비슷한, 유사한

STEP 3 다음 우리말을 영어로 바르게 옮긴 것은? 내신

여덟 명의 어부가 바다에서 수백 마리의 물고기를 잡았다.

① Eight fisherman caught hundreds of fish in the sea.
② Eight fishermen caught hundreds of fish in the sea.
③ Eight fishermans caught hundreds of fish in the sea.
④ Eight fishermen caught hundreds of fishes in the sea.
⑤ Eight fishermans caught hundreds of fishes in the sea.

□ fisherman 어부
□ hundreds of 수백의

Answer p.33

Point 047 사람들은 공기 없이는 살 수 없다.

People can't live without air.

• 셀 수 없는 명사는 단수형으로만 쓰며, 앞에 부정관사 a나 an을 쓰지 않는다.

고유명사	특정한 사람이나 사물의 이름, 지명, 월, 요일과 같이 고유한 것을 말하며, 항상 첫 글자를 대문자로 쓴다. John, Seoul, January, Monday 등
추상명사	구체적인 형태가 없는 개념이나 생각, 기분 등을 나타낸다. love, happiness, peace, beauty, knowledge, news 등
물질명사	일정한 모양이 없는 물질을 나타내며, 재료나 음식, 액체, 기체 등이 이에 속한다. metal, glass, bread, meat, water, air, money 등

STEP 1 다음 괄호 안에서 알맞은 말을 고르시오.

1 Do you want some (sugar, sugars) for your coffee?
2 (Knowledge, A knowledge) is power.
3 I'm thirsty. Give me (water, a water), please.
4 Try to follow your mother's (advice, advices).
5 I play badminton with my father every (sunday, Sunday).

□ sugar 설탕
□ power 힘, 권력
□ thirsty 목이 마른, 갈증 나는
□ try to ~하려고 노력하다
□ advice 충고

STEP 2 다음 빈칸에 들어갈 말을 보기 에서 골라 알맞은 형태로 쓰시오.

보기 gentleman pencil money china wood

1 ____________ is a very large country.
2 I spent a lot of ____________ shopping.
3 A carpenter is building a house with some ____________.
4 I bought two ____________ at the store.
5 Ladies and ____________, give a big hand to the performers.

□ wood 나무
□ carpenter 목수
□ store 상점
□ give a big hand ~에게 큰 박수를 보내다
□ performer 연기자, 연주자

STEP 3 다음 밑줄 친 단어의 성격이 나머지 넷과 다른 것은? 내신

① That's no news to me.
② Happiness lies in your heart.
③ I put some butter on the bread.
④ The old lady asked me for help.
⑤ What kind of information do you want?

□ lie 있다, 위치해 있다
□ information 정보

Answer p.33

Point 048 커피 한 잔 하시겠어요?

Will you have a cup of coffee?

- 셀 수 없는 명사는 그 물체의 모양이나 담는 용기와 관계있는 명사, 측정하는 단위 등을 이용하여 셀 수 있다. 복수형은 용기나 단위를 나타내는 명사에 -(e)s를 붙여 표현한다.

a piece of paper[bread, cheese, furniture, advice] / **two pieces[sheets] of** paper
a loaf of bread[cheese, meat] / **two slices of** bread[cheese]
a glass of water[juice, milk, beer] / **two bottles of** water[juice, milk, beer]
a bowl of rice[soup, cereal] / **three cups of** coffee[tea]
a pound of sugar / **a liter of** water / **a gallon of** oil

TIP 항상 복수형으로 쓰이는 명사인 glasses(안경), pants(바지), jeans(청바지), scissors(가위), shoes(신발), socks(양말), gloves(장갑) 등은 a pair of로 개수를 나타낸다.

STEP 1 다음 괄호 안에서 알맞은 말을 고르시오.

1 Can you eat (one, four) pieces of pizza?
2 Mom gave me two pieces of (cake, cakes).
3 I bought a pair of (jean, jeans) at the mall.
4 The ship carries one million (gallon, gallons) of oil.
5 You look cold. I'll get you a (glass, glasses) of warm milk.

□ mall 쇼핑몰
□ carry 운반하다
□ million 백만(의)

STEP 2 다음 빈칸에 들어갈 말을 보기에서 골라 알맞은 형태로 쓰시오. (단, 중복 사용하지 말 것)

보기	sheet	piece	pair	cup	bottle

1 My parents drink a ____________ of beer on Saturday evening.
2 Please give me two ____________ of coffee.
3 I need a ____________ of furniture for the new office.
4 Fold two ____________ of paper in half.
5 My grandmother knitted a ____________ of gloves for me.

□ furniture 가구
□ fold 접다
□ in half 반으로
□ knit 뜨개질하다, 짜다

STEP 3 다음 빈칸에 공통으로 들어갈 말로 알맞은 것은? 내신

• The counselor gave me a __________ of advice.
• I had a __________ of bread for breakfast.

① loaf ② bowl ③ piece
④ slice ⑤ bottle

□ counselor 상담자

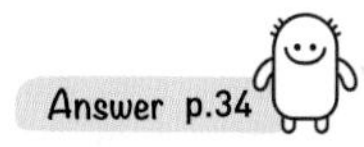

Point 049 많은 사람들이 자신들이 돈을 많이 갖고 있지 않다고 생각한다. 셀 수 있는 명사 vs. 셀 수 없는 명사

Many people think they don't have much money.

셀 수 있는 명사	셀 수 없는 명사
개수를 낱개로 셀 수 있음.	형태가 없거나 일정하지 않고 개체수가 많아서 셀 수 없음. ex) hair(머리카락)
부정관사(a/an)와 정관사(the)를 쓸 수 있으며 복수형도 가능함.	부정관사(a/an)와 함께 쓰일 수 없고 복수형으로도 쓸 수 없음.
many(많은), a few(약간의), few(거의 없는)의 수식을 받음. John has **few** friends.	much(많은), a little(약간의), little(거의 없는)의 수식을 받음. Can you give me **a little** help, please?

TIP 「There is[are] ~」는 '~이 있다'는 뜻의 표현으로 이때 there은 유도부사이고, 주어는 be동사 뒤에 온다. 따라서 주어가 단수 명사일 때는 「There is ~」, 복수 명사일 때는 「There are ~」를 쓴다.

STEP 1 다음 괄호 안에서 알맞은 말을 고르시오.

1 Mina has long curly (hair, hairs).

2 I got (much, many) presents on my birthday.

3 She bought a few (souvenir, souvenirs) for her friends.

4 There is (few, little) water in the glass. Give me more water.

5 There are (sandwich, sandwiches) in the lunch box.

□ curly 곱슬곱슬한
□ present 선물
□ souvenir 기념품
□ lunch box 도시락(통)

STEP 2 다음 우리말과 일치하도록 괄호 안의 말을 이용하여 빈칸에 알맞은 말을 쓰시오.

1 많은 팬들이 콘서트 장을 가득 채웠다. (fan)
_______ _______ filled the concert hall.

2 놀이터에는 두 개의 그네가 있다. (swing)
There _______ two _______ at the playground.

3 그 마술사는 공연 중에 거의 실수를 하지 않는다. (mistake)
The magician makes _______ _______ during the performance.

4 나는 그것에 관한 약간의 정보가 있다. (information)
I have _______ _______ _______ about it.

5 도서관 안에는 많은 소음이 있었다. (noise)
There _______ _______ _______ in the library.

□ fill 채우다
□ swing 그네
□ magician 마술사
□ make a mistake 실수하다

STEP 3 다음 밑줄 친 부분 중 어법상 틀린 것은? 내신

① I need a little break.
② We have a few chances in our lives.
③ He has much experience in business.
④ There was an earthquake a few days ago.
⑤ Little people know much about her private life.

□ break 휴식
□ business 사업
□ earthquake 지진
□ private life 사생활

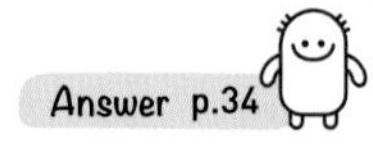

Point 050 그는 선생님이 되었다.

He became a teacher.

- 관사는 명사 앞에 놓여 명사의 의미와 성격을 나타내는 말로, 부정관사 a/an과 정관사 the가 있다.
- 부정관사 a/an은 셀 수 있는 명사의 단수형 앞에 오며, 부정관사의 의미는 크게 세 가지이다.

막연한 하나	This is **an** apple pie, not **a** strawberry pie.
하나(one)	I ate **a** hamburger and drank **a** Coke.
~마다 (= per)	I run 10 kilometers **a** day.

TIP 첫 발음이 자음인 단어 앞에는 a를, 첫 발음이 모음인 단어 앞에는 an을 쓴다. (**a** student, **an** egg, **an** hour)

STEP 1 다음 문장을 밑줄 친 부분에 유의하여 우리말로 해석하시오.

1 My aunt is a flight attendant.
2 A year has twelve months.
3 I go to the gym twice a week.
4 Where can I buy a cap?
5 An apple a day keeps the doctor away.

□ flight attendant 승무원
□ gym 체육관
□ cap 모자
□ keep away 멀리하다

STEP 2 다음 우리말과 일치하도록 괄호 안의 말을 이용하여 빈칸에 알맞은 말을 쓰시오.

1 비가 내리고 있다. 우산을 챙겨라. (take, umbrella)
It's raining. ______________________________.

2 나는 14살이다. 나는 중학생이다. (middle school student)
I am fourteen years old. ______________________________.

3 우리는 한 달 전에 캐나다에 갔다. (month, ago)
We went to Canada ______________________________.

4 민호는 어제 서점에서 소설책 한 권을 샀다. (buy, novel)
Minho ______________________________ at the bookstore yesterday.

5 나의 아버지는 일 년에 한 번 해외로 출장을 가신다. (once, year)
My father goes abroad on a business trip ______________________________.

□ umbrella 우산
□ novel 소설
□ go on a business trip 출장을 가다
□ abroad 해외에, 해외로

STEP 3 다음 밑줄 친 부분 중 의미가 나머지 넷과 다른 것은? 내신

① He is a police officer.
② Tom is an honest person.
③ She is wearing a beautiful dress.
④ This smartphone is a great invention.
⑤ Sumi practices the piano two hours a day.

□ police officer 경찰관
□ honest 정직한
□ wear 입다
□ invention 발명품

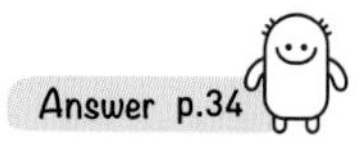
Answer p.34

Point 051 하늘에는 많은 별들이 있었다.

There were many stars in the sky.

- 정관사 the는 특정한 것을 가리킬 때 쓰며, 명사의 단수형과 복수형 앞에 모두 쓰인다.

앞에 나온 명사를 다시 언급할 때	I have a dog. **The** dog is a poodle.
문맥이나 상황상 서로 알고 있는 것을 가리킬 때	Where is **the** key?
뒤에 있는 수식어의 꾸밈을 받을 때	**The** ball under the chair is mine.
관용적으로 쓰일 때	악기명(play **the** piano), 유일한 것(**the** sun, **the** moon), 자연환경(**the** sea, **the** sky), 인터넷(**the** Internet)

STEP 1 다음 괄호 안에서 알맞은 말을 고르시오.

□ dark 어두운
□ countryside 시골 지역

1 I can play (a, the) guitar.
2 Look! (A, The) sky is getting dark.
3 Mom gave me (a, the) present. (A, The) present was a camera.
4 Did you eat (a, the) chocolate cake on the table?
5 I visit my grandparents in the countryside once (a, the) month.

STEP 2 다음 우리말과 일치하도록 괄호 안의 말을 이용하여 빈칸에 알맞은 말을 쓰시오.

□ salt 소금
□ pass 건네주다
□ portrait 초상화
□ village 마을

1 나에게 소금 좀 건네줄래? (salt)
Can you pass me ________ ________?

2 그녀는 훌륭한 바이올린 연주자이다. 그녀는 바이올린을 잘 켠다. (violin)
She is a great violinist. She plays ________ ________ well.

3 벽에 걸린 그림은 그의 초상화이다. (picture)
________ ________ on the wall is his portrait.

4 세계는 하나의 커다란 마을이다. (world)
________ ________ is a big village.

STEP 3 다음 우리말을 영어로 바르게 옮긴 것은? 내신

지구는 태양 주위를 돈다.

① Earth goes around sun.
② Earth goes around the sun.
③ An earth goes around a sun.
④ An earth goes around the sun.
⑤ The earth goes around the sun.

Point 052 나는 8시에 학교에 간다.

I go to school at 8.

breakfast, lunch, dinner 등 식사 이름 앞	I always have **breakfast**. cf. I had **a big breakfast**. (식사명 앞에 수식하는 말이 오면 관사를 쓰기도 한다.)
soccer, baseball 등 운동경기 이름 앞	Let's play **soccer**.
「by+교통수단」	I went to Busan **by KTX**.
건물이나 사물이 본래 목적으로 사용될 때	I go to **bed** at 11.

TIP 건물이나 사물이 본래의 목적으로 사용되지 않을 때에는 관사가 붙는다.

STEP 1 다음 괄호 안에서 알맞은 말을 고르시오.

□ school field trip 수학여행

1 My family has (a, X) dinner together every weekend.
2 Jisu is playing (the, X) piano and Junho is playing (the, X) basketball.
3 We went on a school field trip to Jeju by (an, X) airplane.
4 My father bought me (a, X) guitar for my birthday.
5 I go to (the, X) school from Monday to Friday.

STEP 2 다음 우리말과 일치하도록 괄호 안의 말을 이용하여 빈칸에 알맞은 말을 쓰시오.

□ pray 기도하다
□ delicious 맛있는
□ subway 지하철

1 나는 일요일마다 교회에 가서 기도를 드린다. (church)
I ______________________ and pray on Sundays.

2 우리는 그 이탈리아 식당에서 맛있는 점심을 먹었다. (delicious)
We had ______________________ at the Italian restaurant.

3 너는 학교에 버스를 타고 오니, 지하철을 타고 오니? (subway)
Do you come to school ______________________?

4 Tom은 여가 시간에 그의 친구들과 농구하는 것을 좋아한다. (basketball)
Tom likes ______________________ with his friends in his free time.

5 학교 앞에서 만나는 게 어때? (in front of)
How about meeting ______________________?

STEP 3 다음 중 어법상 틀린 것은? 내신

□ prepare 준비하다
□ check-up (건강) 검진
□ travel 여행하다

① Your cell phone is on the bed.
② Yujin is good at playing the violin.
③ I will prepare dinner for my parents.
④ She went to bed at 10:00 last night.
⑤ They traveled to Gyeongju by the bike.

Answer p.35

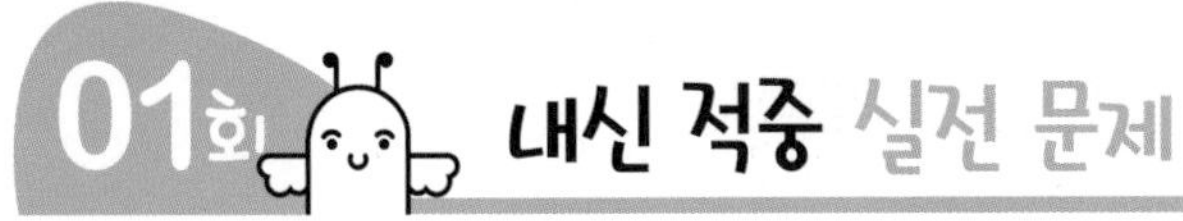

중요

Point 045

01 다음 중 명사의 복수형이 잘못 연결된 것은?

① bus – buses
② baby – babies
③ goose – geese
④ photo – photoes
⑤ holiday – holidays

Point 048

02 다음 빈칸에 들어갈 말이 순서대로 짝지어진 것은?

• I would like a ________ of orange juice.
• I need a ________ of paper for the report.

① piece – sheet ② slice – glass
③ bottle – pound ④ glass – piece
⑤ pound – slice

Point 049

03 다음 빈칸에 a나 an이 필요 없는 것은?

① I saw ________ ghost last night.
② She is ________ famous singer.
③ They raised ________ money at the party.
④ Is there ________ flower shop around here?
⑤ The failure was ________ good experience for me.

Point 051

04 다음 빈칸에 공통으로 들어갈 말로 알맞은 것은?

• ________ sunglasses in the drawer are my mother's.
• ________ sun is rising above the horizon.

① A ② An ③ The
④ Two ⑤ Few

Point 051

05 다음 밑줄 친 부분 중 어법상 틀린 것은?

I drew a(①) picture at the(②) park. In a(③) picture, there are(④) many(⑤) flowers and butterflies.

고난도

Point 051

06 다음 중 어법상 옳은 것은?

① You can't buy a happiness.
② My family had the dinner together yesterday.
③ The two men drank three bottle of beers at the pub.
④ There is a lot of false information on the Internet.
⑤ My uncle collected many stamp from different countries.

[07~08] 다음 빈칸에 들어갈 말로 알맞은 것을 고르시오.

Point 049

07

Let's hurry. We have ________ time left.

① much ② few ③ little
④ a few ⑤ a little

Point 050

08

Juho goes to the swimming pool three times ________ week.

① a ② an ③ the
④ on ⑤ of

[09~10] 다음 빈칸에 들어갈 말로 알맞지 않은 것을 고르시오.

Point 049

09

There are __________ students in the classroom.

① few ② little ③ three
④ a few ⑤ many

Point 052

10

I went to the ________ at 9 in the evening.

① mall ② bed ③ theater
④ hospital ⑤ restaurant

Point 051

11 다음 우리말을 영어로 바르게 옮긴 것은?

그 상자 안의 초콜릿들은 너를 위한 것이다.

① Chocolates in the box is for you.
② Chocolates in the box are for you.
③ The chocolates in box are for you.
④ The chocolates in the box is for you.
⑤ The chocolates in the box are for you.

Point 049

12 다음 두 문장이 같은 뜻이 되도록 할 때, 빈칸에 들어갈 말로 알맞은 것은?

A lot of people were enjoying the concert.
= __________ people were enjoying the concert.

① Much ② Many ③ A few
④ A little ⑤ Little

서술형

[13~14] 다음 우리말과 일치하도록 괄호 안의 말을 이용하여 빈칸에 알맞은 말을 쓰시오.

Point 048

13

그는 매일 아침 커피 두 잔을 마신다. (cup)

→ He drinks ________ ________ ________ ________ every morning.

Point 052

14

나는 토요일에는 학교에 가지 않는다. (go)

→ I don't ________ ________ ________ on Saturdays.

[15~16] 다음 대화의 빈칸에 들어갈 말을 조건에 맞게 영작하시오.

Point 046

15

조건 1 many, fish를 사용할 것
조건 2 총 4단어로 쓸 것

A: What do sharks eat?
B: ______________________________

Point 046

16

조건 1 treat, tooth를 사용할 것
조건 2 총 4단어로 쓸 것

A: What do dentists do?
B: ______________________________

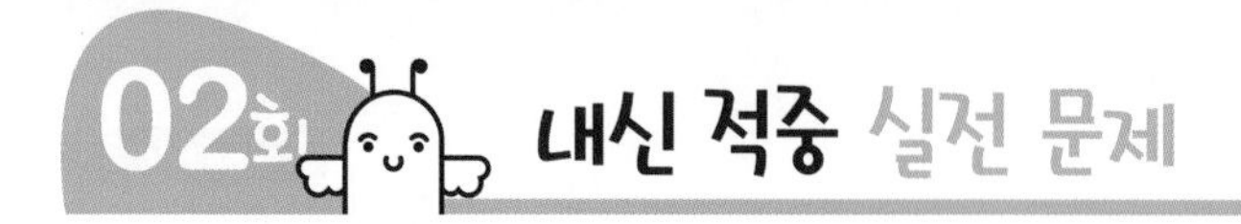

Point 049, 052

01 다음 빈칸에 들어갈 말이 순서대로 짝지어진 것은?

> • How often do you play ________ badminton?
> • I have ________ questions about the problem.

① a – a few ② the – a little
③ a – a little ④ 관사 없음 – a little
⑤ 관사 없음 – a few

Point 050

02 다음 밑줄 친 부분의 의미가 보기 와 같은 것은?

> 보기 I take a Chinese class twice a week.

① Do you need a pen?
② Bring a camera with you.
③ I will have a tuna sandwich.
④ The room costs 100 dollars a day.
⑤ Can I borrow a lantern at the camp site?

Point 048

03 다음 빈칸에 들어갈 말로 알맞지 않은 것은?

> Can you give me a piece of ________?

① bread ② cheese ③ advice
④ juice ⑤ information

Point 045

04 다음 밑줄 친 복수형이 바르지 않은 것은?

① Koalas eat eucalyptus leafs.
② My older brother has fancy watches.
③ Can you help me move the boxes over there?
④ Mom made me a delicious salad with potatoes.
⑤ Air pollution is a serious problem in many cities.

Point 046, 048

05 다음 우리말을 영어로 바르게 옮긴 것은?

> 쥐들이 치즈 두 덩어리를 먹었다.

① The mice ate two loafs of cheese.
② The mice ate two loafs of cheeses.
③ The mice ate two loaves of cheese.
④ The mouses ate two loafs of cheese.
⑤ The mouses ate two loaves of cheese.

고난도

Point 052

06 다음 중 어법상 옳은 것을 모두 고르면?

① A beauty is only skin deep.
② Moon goes around the earth.
③ My father goes to work by car.
④ John plays basketball after school.
⑤ Don't skip the breakfast for your health.

[07~08] 다음 빈칸에 들어갈 말로 알맞은 것을 고르시오.

Point 048

07

> I bought a ________ of pants at the department store.

① pair ② piece ③ loaf
④ slice ⑤ pound

Point 049

08

> I had so much ________ yesterday.

① fun ② snacks ③ drinks
④ errands ⑤ troubles

[09~10] 다음 대화의 빈칸에 들어갈 말로 알맞은 것을 고르시오.

Point 051

09

A: Would you close ________ window? I'm cold.
B: No problem.

① a ② an ③ the
④ few ⑤ little

Point 049

10

A: Can you lend me some money?
B: I'm afraid not. I have __________ money. I've almost spent my entire allowance.

① little ② few ③ a few
④ a little ⑤ much

Point 052

11 **다음 빈칸에 the가 필요하지 않는 것은?**

① ________ book on the shelf is mine.
② I usually go to school by ________ bike.
③ Do you know where ________ bank is?
④ Who is the girl playing ________ piano?
⑤ Many children are swimming in ________ sea.

Point 047

12 **다음 밑줄 친 단어의 성격이 나머지 넷과 다른 것은?**

① I added sugar to my tea.
② We have freedom of speech.
③ Many soldiers are fighting for peace.
④ The gentleman showed me kindness.
⑤ Friendship is very important to teenagers.

서술형

Point 049

13 **다음 우리말과 일치하도록 주어진 조건을 이용하여 영작하시오.**

조건 1 there로 시작할 것
조건 2 some, refrigerator를 사용할 것

냉장고에 아이스크림이 약간 있다.

→ ______________________

Point 045, 046

14 **다음 문장을 바르게 고쳐 쓰시오.**

Babysitters take care of childs and babys.

→ ______________________

[15~16] 다음 미나의 구매 목록표를 보고 아래 질문에 완전한 문장으로 답하시오.

품목	구매 여부
우유 한 병	○
고기 3파운드	×
피자 두 조각	○
치즈 10장	×

Point 048

15 A: What did Mina buy?
B: ______________________

Point 048

16 A: What is Mina going to buy?
B: ______________________

Grammar Review 핵심 정리

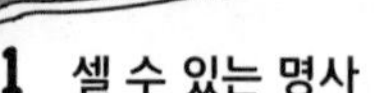

1 셀 수 있는 명사

Point

Monkeys like **bananas.** 045

☞ 명사: 사람, 사물, 장소 등의 이름을 나타내는 말로 셀 수 있는 명사와 셀 수 없는 명사로 나뉜다.
☞ 셀 수 있는 명사의 복수형 만드는 법 (규칙 변화)

대부분의 명사	명사+-s	girl → girls dog → dogs car → cars
-s, -sh, -ch, -x, -o로 끝나는 명사	명사+-es	bus → buses dish → dishes watch → watches (예외) piano → pianos photo → photos
「자음+y」로 끝나는 명사	y를 i로 바꾸고+-es	lady → ladies baby → babies city → cities
「모음+y」로 끝나는 명사	명사+-s	boy → boys monkey → monkeys toy → toys
-f, -fe로 끝나는 명사	-f, -fe를 v로 바꾸고 +-es	wife → wives wolf → wolves leaf → leaves (예외) roof → roofs safe → safes

Men and **women** think differently. 046

☞ 셀 수 있는 명사의 복수형 만드는 법 (불규칙 변화)

모음이 변하는 경우	man → men woman → women foot → feet tooth → teeth goose → geese mouse → mice
-en 또는 -ren이 붙는 경우	ox → oxen child → children
단수나 복수가 같은 경우	sheep → sheep fish → fish deer → deer

2 셀 수 없는 명사

People can't live without **air.** 047

☞ 셀 수 없는 명사에는 고유명사, 추상명사, 물질명사가 있다.

Will you have **a cup of coffee**? 048

☞ 셀 수 없는 명사는 그 물체의 모양이나 담는 용기와 관계있는 명사, 측정하는 단위 등을 이용하여 셀 수 있다.

3 셀 수 있는 명사 VS. 셀 수 없는 명사

Many people think they don't have **much money.** 049

셀 수 있는 명사	셀 수 없는 명사
부정관사(a/an)와 정관사(the)를 쓸 수 있으며 복수형도 가능함.	부정관사(a/an)와 함께 쓰일 수 없고 복수형으로도 쓸 수 없음.
many(많은), a few(약간의), few(거의 없는)의 수식을 받음.	much(많은), a little(약간의), little(거의 없는)의 수식을 받음.

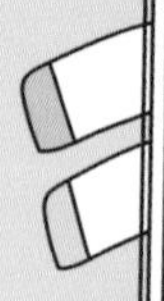

4 관사

He became **a** teacher. 050

☞ 관사는 명사 앞에 놓여 명사의 의미와 성격을 나타내는 말로, 부정관사 a/an과 정관사 the가 있다.
☞ 부정관사: 셀 수 있는 명사의 단수형 앞에 오며, '막연한 하나', '하나(one)', '~마다'의 의미를 갖는다.

There were many stars in **the** sky. 051

☞ 정관사: 앞에 나온 명사나 서로 알고 있는 것을 가리킬 때, 수식어가 뒤에서 꾸며주고 있을 때, 그 외 악기명이나 Internet 등의 앞에 관용적으로 쓰인다.

I go to **school** at 8. 052

☞ 식사명 앞, 운동경기 이름 앞, 「by+교통수단」, 건물이나 사물이 본래 목적으로 사용될 때 관사를 쓰지 않는다.

LESSON

07

형용사와 부사

Point 053 그녀는 나의 인생에서 중요한 사람이다.

She is someone important in my life.

- 형용사는 (대)명사를 앞이나 뒤에서 꾸며주는 역할을 한다.
- 형용사는 명사를 보통 앞에서 수식하지만, -thing, -body, -one으로 끝나는 대명사는 뒤에서 꾸민다.
  Do you want something **hot** to drink?
- 형용사는 보어로 쓰여 주어나 목적어를 보충 설명한다.
  Mr. Jones is **tall** and **handsome**. (주격 보어)
  The news made me **happy**. (목적격 보어)

STEP 1 다음 밑줄 친 부분을 바르게 고치시오.

1 She is a girl beautiful.
2 Jane wanted delicious something.
3 Mark could not buy the car expensive.
4 The reporter had to interview famous somebody for the article.
5 Mr. Brown heard about the student bright.

□ expensive 비싼
□ reporter 기자
□ famous 유명한
□ article 기사
□ bright 똑똑한

STEP 2 다음 우리말과 일치하도록 괄호 안의 말을 바르게 배열하시오.

1 나는 뭔가 재미있는 것이 필요하다. (fun, need, I, something)
____

2 그 마을은 오래되고 조용하다. (the, is, old, village, quiet, and)
____

3 John은 그 빈 상자를 발견했다. (empty, the, found, box, John)
____

4 그들은 어떤 특별한 것도 가지고 있지 않다. (anything, have, special, they, don't)
____

□ empty 비어있는
□ special 특별한

STEP 3 다음 우리말과 일치하도록 할 때, something이 들어가기에 알맞은 곳은? 내신

그녀는 Bill을 위해 의미 있는 것을 사고 싶었다.
→ She (①) wanted (②) to buy (③) meaningful (④) for (⑤) Bill.

□ meaningful 의미 있는

Point 054 나는 몇몇 외국인 친구들이 있다.

I have a few foreign friends.

- 수량 형용사는 수나 양을 나타내는 형용사로 꾸미는 명사가 셀 수 있는지 혹은 없는지 여부와, 형용사의 의미에 따라 다르게 쓰인다.

	약간 있는 (긍정적)	거의 없는 (부정적)	많은	
가산 명사	a few	few	many	a lot of / lots of
불가산 명사	a little	little	much	

There is **a little** gas in the can.
They bought **a lot of** gold from the country.

TIP money, time, news, information, advice, bread 등은 불가산 명사이므로 many, a few, few와 함께 쓸 수 없다.

STEP 1 다음 괄호 안에서 알맞은 말을 고르시오.

□ newspaper 신문
□ receive 받다
□ company 회사

1 He sold (many, much) newspapers.
2 Mr. Lee saw (a few, a little) movies on the weekend.
3 I had (a few, a little) money in my wallet.
4 They received too (many, much) information from the company.
5 I know (few, little) students at this school.

STEP 2 다음 빈칸에 들어갈 말을 보기에서 골라 쓰시오.

□ energy 기운
□ invent 발명하다

보기 many few little a few

1 나의 어머니는 그 파티를 위해 많은 쿠키를 만들었다.
My mother made ____________ cookies for the party.

2 그는 거리에서 몇몇 사람들을 봤다.
He saw ____________ people on the street.

3 Brown 씨는 이제 기운이 거의 없다.
Mr. Brown has ____________ energy now.

4 그는 아직 유용한 발명을 거의 하지 못했다.
He invented ____________ useful things yet.

STEP 3 다음 중 어법상 틀린 것은? 내신

□ plant 심다
□ be in charge of ~을 담당하다
□ square 광장

① All I wanted was a few bread.
② John has many hobbies that he likes.
③ They planted lots of trees on the hill.
④ Mr. Green is in charge of a few groups.
⑤ There are few people in the square.

Answer p.39

Point 055 나는 그 일을 매우 쉽게 끝낼 수 있다.

I can finish the work very easily.

- 부사는 동사, 형용사, 다른 부사, 문장 전체를 수식한다.
- 보통 부사는 「**형용사 + -ly**」 형태로 만든다. 「**자음 + -y**」 형태의 형용사는 y를 i로 고치고 -ly를 붙인다.

보통의 형용사	형용사 + -ly	usual → usually / nice → nicely
「자음 + -y」 형용사	y를 i로 고치고 + -ly	happy → happily / easy → easily

My teacher speaks **clearly**.

TIP 「명사 + -ly」 형태의 형용사가 있으니 이를 부사로 혼동하지 않도록 한다.
love 명 사랑 - lovely 형 사랑스러운 friend 명 친구 - friendly 형 다정한 month 명 달 - monthly 형 한 달에 한 번의

STEP 1 다음 괄호 안에서 알맞은 말을 고르시오.

□ disagree 동의하지 않다
□ opinion 의견

1 Jane is speaking (quiet, quietly).
2 She (kind, kindly) showed me the way to the museum.
3 It rained (heavy, heavily) last night.
4 He disagrees with your opinion (strong, strongly).
5 The mother was singing the song to her baby (soft, softly).

STEP 2 다음 우리말과 일치하도록 괄호 안의 단어를 빈칸에 알맞은 형태로 쓰시오.

□ couple 부부

1 Tom은 점심 식사를 느리게 먹는다. (slow)
Tom eats lunch ____________.

2 그녀는 아름답게 춤을 추고 노래를 불렀다. (beautiful)
She sings and dances ____________.

3 부자가 반드시 행복한 것은 아니다. (necessary)
The rich are not ____________ happy.

4 그 부부는 행복하게 살았다. (happy)
The couple lived ____________.

5 Jones 씨는 친절하게 문을 열었다. (kind)
Mr. Jones opened the door ____________.

STEP 3 다음 중 짝지어진 단어의 관계가 나머지 넷과 다른 것은? 내신

① loud – loudly
② love – lovely
③ special – specially
④ careful – carefully
⑤ different – differently

Answer p.39

Point 056 그는 빠르게 움직인다.

He moves quickly.

- 부사는 동사, 형용사, 다른 부사, 혹은 문장 전체를 수식하는 것과 같이 쓰임만큼이나 다양한 위치에 올 수 있다. 하지만, 부사의 기본적인 위치를 알면 문장 구조를 파악하기 쉽다.
- 부사가 동사를 수식할 때는 동사 뒤에 온다. Rachel will arrive **soon**.
- 부사가 형용사나 부사를 수식할 때는 형용사나 부사 앞에 온다. She runs **quite** slowly.
- 부사가 문장 전체를 수식할 때는 문장 맨 앞에 온다. **Suddenly**, the horse began to run away.

TIP 부사가 여러 개일 때는 장소 → 방법 → 시간 / 작은 단위 → 큰 단위 순으로 위치한다.
Jane left Paris at 9:00 p.m. yesterday.

STEP 1 다음 문장에서 부사가 수식하는 부분에 밑줄 그으시오.

1 The summer vacation was too short.
2 The kids all behaved well.
3 Thank you very much for your help.
4 Luckily, I avoided the large truck.
5 Surely, she will pass the exam.

□ vacation 방학
□ behave 행동하다
□ avoid 피하다

STEP 2 다음 우리말과 일치하도록 괄호 안의 말을 바르게 배열하시오.

1 Amy의 방은 정말 지저분했다. (was, Amy's, room, messy, really)

____

2 Tom은 피아노를 서툴게 연주한다. (Tom, the, plays, poorly, piano)

____

3 Britney는 절대 시끄럽게 말하지 않는다. (never, loudly, speaks, Britney)

____

□ messy 지저분한
□ loudly 시끄럽게

STEP 3 다음 우리말을 영어의 배열에 따라 바르게 옮긴 것은? 내신

그 벼룩시장이 학교에서 토요일 11시 정각에 열린다.

① The flea market opens at school on Saturday at 11 o'clock.
② The flea market opens at 11 o'clock at school on Saturday.
③ The flea market opens at school at 11 o'clock on Saturday.
④ The flea market opens on Saturday at 11 o'clock at school.
⑤ The flea market opens at 11 o'clock on Saturday at school.

□ flea market 벼룩시장

Point 057 나는 대부분의 나의 시간을 독서에 보낸다.

I usually spend most of my time reading.

- 빈도부사는 횟수를 나타내며, 보통 be동사나 조동사의 뒤, 일반동사의 앞에 위치한다.

항상	보통, 대개	종종, 자주	가끔, 때때로	거의 ~않다	결코 ~않다
always	usually	often	sometimes	seldom	never

Tom is **always** at home at night.
They will **never** forget your name.

STEP 1 다음 밑줄 친 부분을 바르게 고치시오.

□ be curious about ~에 대해 궁금해하다

1 Jane carries always the leather bag.
2 The computer makes never mistakes.
3 We sometimes are curious about the earth.
4 Bill wins seldom the tennis match with John.
5 She writes often an e-mail to you.

STEP 2 다음 우리말과 일치하도록 빈칸에 알맞은 빈도부사를 쓰시오.

□ appointment 약속
□ at night 밤에

1 Mr. Brown은 보통 일요일에 도서관에 간다.
Mr. Brown ___________ goes to the library on Sunday.

2 Rachel은 약속에 결코 늦지 않는다.
Rachel is ___________ late for an appointment.

3 8월에는 항상 매우 덥다.
It is ___________ very hot in August.

4 그녀는 가끔 Robinson 부인에게 밤에 전화를 한다.
She ___________ calls Mrs. Robinson at night.

5 Minho는 자주 그의 휴대전화로 사진을 찍는다.
Minho ___________ takes pictures with his cell phone.

STEP 3 다음 중 어법상 옳은 것을 모두 고른 것은? 내신

□ walk one's dog ~의 개를 산책시키다

(a) You can sometimes walk your dog.
(b) He often goes to Japanese restaurants.
(c) Mrs. Jones seldom feels bored and tired.

① (a) ② (a), (b) ③ (a), (c)
④ (b), (c) ⑤ (a), (b), (c)

Point 058 일찍 일어나는 새가 벌레를 잡는다.

The early bird catches the worm.

• 형용사와 부사의 형태가 같은 단어들은 주의해야 한다.

fast 형 빠른 부 빨리	early 형 이른 부 일찍	hard 형 어려운, 딱딱한, 열심인 부 열심히, 세게
near 형 가까운 부 가까이	late 형 늦은 부 늦게	high 형 높은, 비싼 부 높게

It is **hard** to take care of children. (hard 형 어려운)

You have to study **hard** to pass the exam. (hard 부 열심히)

TIP 'hardly(거의 ~ 않다), lately(최근에), highly(매우, 대단히), nearly(거의)' 등은 형용사 뒤에 -ly가 붙어 전혀 다른 의미를 가진 부사이다.

STEP 1 다음 밑줄 친 부분의 품사를 고르고 해석하시오.

□ poverty 가난
□ society 사회
□ lightning bolt 번개

1 It's been nearly six months since my last hairdye. (형용사, 부사: ______________)

2 Have you seen him lately? (형용사, 부사: ______________)

3 Poverty is a hard problem in every society. (형용사, 부사: ______________)

4 The sports car is fast like a lightning bolt. (형용사, 부사: ______________)

5 People don't buy it because of its high price. (형용사, 부사: ______________)

STEP 2 다음 우리말과 일치하도록 빈칸에 알맞은 말을 쓰시오.

□ melt 녹다

1 컵에 남은 커피가 거의 없다.
There is ______________ any coffee left in the cup.

2 Rachel은 이곳에서 거의 7년 동안 근무했다.
Rachel has worked here for ______________ seven years.

3 음료 안의 얼음이 매우 빠르게 녹고 있다.
The ice in the drink is melting very ______________.

4 그는 인생의 늦은 시기에 성공했다.
He succeeded ______________ in his life.

5 John은 그 공을 세게 찼고, 그것은 높게 날아갔다.
John kicked the ball ______________, and it flew ______________.

STEP 3 다음 밑줄 친 부분 중 어법상 틀린 것은? 내신

□ palace 궁전

① His habits are hard to break.
② I'll see you in the near future.
③ He is lately for work every day.
④ The wall of the palace is very high.
⑤ Something hard pressed against his right arm.

Answer p.40

Point 059 내 방은 언니 방만큼 크다.

My room is as big as my sister's.

- 원급 비교는 「as + 형용사/부사의 원급 + as」의 형태로, '~만큼 …한[하게]'의 의미이다.
  Tom speaks English **as fluently as** me.
- 부정은 「not as[so] + 형용사/부사의 원급 + as」의 형태로 '~만큼 …하지 않는[않게]'의 의미이다.
  Jane is **not as[so] tall as** Mary.

□ feather 깃털
□ original 원작의

STEP 1 다음 괄호 안에서 알맞은 말을 고르시오.

1 Your office is (as, so) large as a swimming pool.
2 You can have as much (as, so) you want.
3 My watch is (as, so) light as a feather.
4 This movie is (not so, so not) interesting as the original book.
5 John can sing as well (as, so) James.

STEP 2 다음 우리말과 일치하도록 보기 의 단어를 이용하여 빈칸에 알맞은 말을 쓰시오.

보기	strong	simple	high	cold

1 Peter는 황소만큼 강하다.
Peter is ______________________ an ox.

2 할 수 있는 만큼 팔을 높이 뻗으세요.
Stretch your arms ______________________ you can.

3 그 문제는 당신이 생각하는 것만큼 간단하지 않다.
The problem is ______________________ you think.

4 오늘은 어제만큼 춥지 않다.
Today is ______________________ yesterday.

□ last 지속하다
□ previous 이전의

STEP 3 다음 우리말과 일치하도록 할 때, 빈칸에 들어갈 말로 알맞은 것은? 내신

그녀는 그녀의 언니만큼 현명하지 않다.
She is ____________ her sister.

① wise ② as wise as ③ so wise as
④ not as wise as ⑤ not as wise so

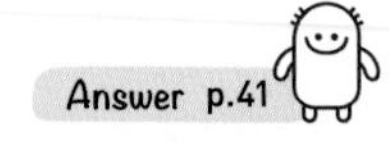

Point 060 비둘기가 참새보다 더 크다.

The pigeon is **bigger** than the sparrow.

• 비교급은 「**형용사/부사 + -er**」, 최상급은 「**형용사/부사 + est**」의 형태이다.

1음절 단어	-(e)r / -(e)st	tall-taller-tallest / wise-wiser-wisest
1음절 「단모음 + 단자음」 단어	자음을 한 번 더 쓰고 -er / -est	fat-fatter-fattest / thin-thinner-thinnest
「자음 + -y」 단어	y를 i로 바꾸고 -er / -est	scary-scarier-scariest / healthy-healthier-healthiest
-ful, -ous, -ing, -ive 등으로 끝나는 2음절이나 3음절 이상 단어	앞에 more / most	famous-more famous-most famous

TIP 비교급과 최상급의 변화가 불규칙한 단어들이 있다.
good-better-best / little-less-least / bad-worse-worst / many[much]-more-most

STEP 1 다음 단어의 비교급과 최상급을 쓰시오.

1 loud – ( ) – ( )
2 busy – ( ) – ( )
3 beautiful – ( ) – ( )
4 careful – ( ) – ( )
5 sad – ( ) – ( )

STEP 2 다음 우리말과 일치하도록 괄호 안의 단어를 빈칸에 알맞은 형태로 쓰시오.

1 그것을 만드는 더 값싼 방법이 있을까요? (cheap)
Is there any ____________ way to make it?

2 사랑보다 더 어려운 것은 없다. (difficult)
Nothing is ____________ than love.

3 내일은 날씨가 가장 나쁠 것이다. (bad)
Tomorrow, the weather will be the ____________.

4 Brian은 그의 반에서 가장 키가 클지도 모른다. (tall)
Brian may be the ____________ in his class.

STEP 3 다음 중 어법상 옳은 것을 모두 고른 것은? 내신

(a) I found something excitinger than skiing.
(b) These vegetables digest more quickly than meat.
(c) She is the most famous actress in this country.

① (a) ② (a), (b) ③ (a), (c)
④ (b), (c) ⑤ (a), (b), (c)

□ digest 소화되다
□ actress 여배우

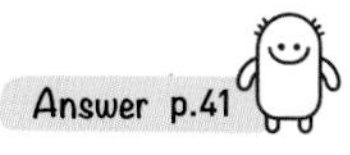
Answer p.41

Point 061 이 차는 너의 것보다 훨씬 더 빠르다.

This car is *much* faster than yours.

- 비교급을 이용한 비교 표현은 「**비교급 + than**」의 형태로 '~보다 더 …한[하게]'의 의미이다.
  Mr. Brown is **younger than** my father.
- 비교급을 강조할 때는 much, even, a lot, far, still 등을 통해 '훨씬'의 의미를 나타낼 수 있다.
  French is *far* **more difficult** to learn **than** English.

STEP 1 다음 괄호 안에서 알맞은 말을 고르시오.

1 This dress is (much, very) better than that one.

2 My dog is (far, as) bigger than his dog.

3 Jane's bicycle is (a lot, so) cheaper than mine.

4 This movie is (even, lots) longer than the other one.

5 This year's apples are (still, than) worse than the previous years.

STEP 2 다음 우리말과 일치하도록 괄호 안의 말을 바르게 배열하시오.

1 이 집은 내가 생각했던 것보다 훨씬 더 오래됐다.
(older, this, a lot, thought, house, I, is, than)

____

2 그 어린 사자는 그 호랑이 보다 훨씬 더 강했다.
(much, the, stronger, lion, young, than, was, the, tiger)

____

3 이 문제가 저 문제보다 훨씬 더 어렵다.
(this, is, problem, that, even, difficult, more, than, problem)

____

4 그 소년은 그 소녀보다 훨씬 더 키가 작다. (than, the, still, girl, boy, is, shorter, the)

____

STEP 3 다음 중 어법상 틀린 것은? 내신

① John is even smarter than me.
② The tower is far higher than the hill.
③ The ship is still larger than the house.
④ This book is lots easier than that book.
⑤ This cartoon is much more interesting than the movie.

□ cartoon 만화

Answer p.40

Point 062 Tom은 학급에서 가장 똑똑하다.

Tom is the smartest in the class.

- 최상급을 이용한 비교 표현은 「**the+최상급**」의 형태로 '가장 ~한[하게]'의 의미이다. 부사의 최상급 앞에서는 the를 생략하기도 한다.
  The dog is **the fastest** of my pets.
- 「**one of the+최상급+복수 명사**」는 '가장 ~한 …중의 하나'의 의미다.
  He is **one of the best singers** in this country.

STEP 1 다음 괄호 안에서 알맞은 말을 고르시오.

□ planet 행성
□ universe 우주
□ harbor 항구

1 Bill is (the youngest, the most youngest) player on his team.
2 The earth is (the more, the most) beautiful planet in the universe.
3 It is (the more good, the best) book I've read.
4 Shanghai is one of (the largest city, the largest cities) in the world.
5 Jane is one of the most (healthier, healthiest) students in this school.

STEP 2 다음 우리말과 일치하도록 괄호 안의 단어 빈칸에 알맞은 형태로 쓰시오.

□ novel 소설

1 Green 부인은 그 요리 교실에서 최고의 요리사이다. (good)
Mrs. Green is ______________________ cook in the cooking class.

2 이 라디오는 이 가게에서 가장 싼 물건들 중 하나이다. (cheap)
This radio is ______________________ items in this store.

3 Brown 씨는 그 대학에서 가장 나이가 많다. (old)
Mr. Brown is ______________________ in the college.

4 이 소설은 이 도서관에서 가장 흥미로운 책들 중 하나이다. (interesting)
This novel is ______________________ books in this library.

5 런던에서 가장 유명한 곳은 어디인가요? (famous)
Where is ______________________ place in London?

STEP 3 다음 빈칸에 들어갈 말로 알맞은 것은? 내신

She is one of the ________ people on our team.

① important ② as important as ③ more important
④ most important ⑤ most importantly

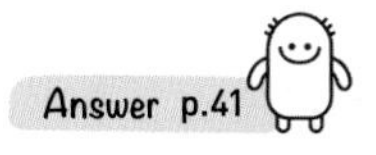

01회 내신 적중 실전 문제

[01~02] 다음 중 품사가 다른 하나를 고르시오.

Point 055
01 ① usually ② easily ③ monthly ④ nicely ⑤ loudly

Point 055
02 ① quickly ② slowly ③ luckily ④ suddenly ⑤ friendly

[03~04] 다음 중 보기 의 밑줄 친 부분과 바꿔 쓸 수 있는 것을 고르시오.

Point 058
03

보기 There is a lot of water in the bathtub.

① few ② a few ③ too ④ much ⑤ many

Point 054
04

보기 Tom has many friends in his class.

① too ② little ③ much ④ a little ⑤ lots of

Point 053
05 다음 문장에서 necessary가 들어가기에 알맞은 곳은?

Did (①) you (②) buy (③) everything (④) for (⑤) breakfast?

Point 060
06 다음 중 원급 – 비교급 – 최상급이 잘못 연결된 것은?

① high – higher – highest
② calm – calmer – calmest
③ slow – more slow – most slow
④ useful – more useful – most useful
⑤ special – more special – most special

Point 057
07 다음 중 어법상 옳은 것을 모두 고른 것은?

(a) She is usually busy in the afternoon.
(b) Men sometimes grow beards and mustaches.
(c) Mr. Jones often goes to his office on Saturday.

① (a) ② (a), (b) ③ (a), (c) ④ (b), (c) ⑤ (a), (b), (c)

고난도
Point 053
08 다음 중 어법상 틀린 것은?

① You need to boil a lot of water.
② They seldom have coffee at night.
③ At least I did important something.
④ Economy class is a lot cheaper than first class.
⑤ Brian is one of the best students in the school.

[09~10] 다음 우리말과 일치하도록 할 때, 빈칸에 들어갈 말로 알맞은 것을 고르시오.

Point 059

09

이번 겨울은 작년 겨울만큼 춥지 않다.
→ This winter is not ________ cold as last winter.

① so ② too ③ to
④ of ⑤ as to

Point 062

10

Tom은 반에서 가장 키가 큰 소년이다.
→ Tom is the ________ boy in class.

① tall ② taller ③ tallest
④ most tall ⑤ more taller

중요

Point 058

11 다음 빈칸에 공통으로 들어갈 말로 알맞은 것은?

• The dog can run as ________ as your horse.
• The ship is famous for its ________ speed.

① fast ② fastly ③ faster
④ fastest ⑤ more fast

Point 057

12 다음 중 빈도부사의 위치가 틀린 것은?

① I'm usually home by 7 o'clock.
② I always wanted to have a bicycle.
③ The old man seldom used his radio.
④ My father often feels tired in the evening.
⑤ I watch sometimes TV in the morning.

서술형

Point 059, 061

13 다음 두 문장이 같은 뜻이 되도록 할 때, 빈칸에 알맞은 말을 쓰시오.

Seoul is not as big as Tokyo.
= Tokyo is ____________ ____________ Seoul.

Point 061

14 다음 우리말과 일치하도록 괄호 안의 말을 바르게 배열하시오.

당신은 당신의 사진보다 훨씬 더 아름다워 보인다.
(than, you, more, look, picture, beautiful, much, your)

→ ________________________________

[15~16] 다음 자동차 정보표를 보고, 괄호 안의 말을 이용하여 문장을 완성하시오.

	Sona	Mabi	Betz
Cost	$35,000	$37,000	$40,000
Weight	850 kg	900 kg	950 kg

Point 061

15 A Mabi is ________________ than a Sona. (expensive)

Point 062

16 The Betz is ________________ of the three cars. (heavy)

[01~04] 다음 빈칸에 들어갈 말로 알맞은 것을 고르시오.

Point 055

01

She is singing ________.

① well ② soft ③ good
④ slow ⑤ quiet

Point 059

02

Jane's hair is as ________ as mine.

① long ② longer ③ longest
④ more long ⑤ most long

Point 061

03

You look ________ than before.

① good ② better ③ best
④ more good ⑤ most better

Point 062

04

Seoul is one of the ________ in the world.

① interesting city
② more interesting city
③ most interesting city
④ more interesting cities
⑤ most interesting cities

Point 060

05 다음 중 원급 – 비교급 – 최상급이 잘못 연결된 것은?

① tall – taller – tallest
② sad – sadder – saddest
③ thin – thinner – thinnest
④ busy – busyer – busyest
⑤ important – more important – most important

[06~07] 다음 중 어법상 틀린 것을 고르시오.

Point 054

06
① I want to eat something sweet.
② We didn't have much time to waste.
③ Do you know someone funny like David?
④ There is few information about the class.
⑤ She spent so much money playing computer games.

Point 057

07
① She is usually cheerful.
② I will never go there again.
③ He sometimes writes to me.
④ They watch seldom television these days.
⑤ My family always goes on a trip in summer.

Point 060

08 다음 중 어법상 옳은 것을 모두 고른 것은?

(a) She is not so weak as she looks.
(b) The medicine made the patient more bad.
(c) John is one of the smartest students in our school.

① (a) ② (a), (b) ③ (a), (c)
④ (b), (c) ⑤ (a), (b), (c)

Answer p.43

Point 057

09 다음 대화의 빈칸에 들어갈 말로 알맞은 것은?

A: Tom won the prize again. He never loses.
B: Yeah, Tom ________ wins the prize.

① always ② often ③ sometimes
④ seldom ⑤ never

Point 061

10 다음 보기 의 문장과 의미가 같은 것은?

보기 John is 15 years old and I am 14 years old.

① John is as old as me.
② John is older than me.
③ John isn't so old as me.
④ John is the oldest of my friends.
⑤ John is one of the oldest members in this meeting.

Point 061

11 다음 우리말과 일치하도록 할 때, 빈칸에 들어갈 말로 알맞은 것은?

이 의자는 너의 것보다 훨씬 더 편하다.
➞ This chair is ________ than yours.

① comfortable ② comfortabler
③ more comfortable ④ most comfortable
⑤ comfortably

고난도

Point 053, 057

12 다음 우리말을 영어로 바르게 옮긴 것은?

우리는 그날 대게 특별한 사람에게 초콜릿을 줍니다.

① We usually give chocolates to someone special on that day.
② We give usually chocolates to someone special on that day.
③ We usually give chocolates to special someone on that day.
④ We give usually chocolates to special someone on that day.
⑤ We usually special give chocolates to someone on that day.

서술형

[13~14] 다음 우리말과 일치하도록 괄호 안의 말을 바르게 배열하시오.

Point 061

13
Brown 씨는 Tom보다 훨씬 더 멀리 공을 던질 수 있다.
(Mr. Brown, a lot, Tom, can, the, ball, farther, throw, than, does)

➞ ________________

Point 058, 061

14
Emily는 2피트 보다 더 높이 뛸 수 있다.
(jump, Emily, two, can, higher, than, feet)

➞ ________________

[15~16] 다음을 읽고, 질문에 답하시오.

Mr. Brown: Hi, guys. How often do you eat breakfast?
Tom: I always eat breakfast.
Jane: I often eat it.
Bill: I sometimes eat breakfast.
Mary: ______(a)______.
Mr. Brown: Really? Why do you always skip breakfast?
Mary: Because I get up too late.

Point 057

15 아침식사를 자주 하는 순서로 세 학생들 (Tom, Jane, Bill)의 이름을 쓰시오.

➞ ________________

Point 057

16 대화의 흐름에 맞도록 (a)에 들어갈 말을 괄호 안의 단어를 이용하여 네 단어로 영작하시오. (never, breakfast)

➞ ________________

Grammar Review 핵심 정리

1 형용사

Point

She is someone important in my life. 053

☞ 형용사는 보통 명사를 앞에서 수식하지만, -thing, -body, -one으로 끝나는 대명사는 뒤에서 수식한다.
☞ 형용사는 주격 보어나 목적격 보어로 쓰여 대상의 상태나 성질을 나타낸다.

I have **a few** foreign friends. 054

☞ many(많은), a few(약간 있는), few(거의 없는)는 가산명사와 함께, much(많은) a little(약간 있는), little(거의 없는)은 불가산명사와 함께 사용할 수 있다.

2 부사

I can finish the work **very easily**. 055

☞ 보통의 형용사는 「형용사+-ly」의 형태로 부사를 만들고, -y로 끝나는 형용사는 y를 i로 고치고 -ly를 붙여 부사를 만든다.

He moves **quickly**. 056

☞ 부사가 동사를 수식할 때는 동사 뒤, 형용사나 부사를 수식할 때는 형용사나 부사 앞, 문장 전체를 수식할 때는 문장 맨 앞에 위치한다.

3 빈도부사

I **usually** spend most of my time reading. 057

☞ 빈도부사 always(항상), usually(보통), often(종종), sometimes(가끔), seldom(거의 ~않다), never(결코 ~않다) 등은 be동사나 조동사의 뒤, 일반동사의 앞에 위치한다.

4 주의해야 할 형용사와 부사

The **early** bird catches the worm. 058

☞ fast 형 빠른 부 빨리 early 형 이른 부 일찍 hard 형 어려운, 딱딱한, 열심인 부 열심히, 세게 near 형 가까운 부 가까이 late 형 늦은 부 늦게 high 형 높은, 비싼 부 높게

5 원급 비교

My room is **as big as** my sister's. 059

☞ 「as+형용사/부사의 원급+as」 '~만큼 …한[하게]'
☞ 「not as[so]+형용사/부사의 원급+as」 '~만큼 …하지 않는[않게]'

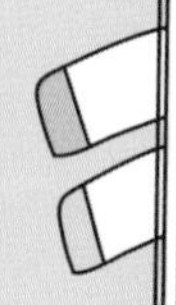

6 비교급, 최상급 만드는 방법

The pigeon is **bigger** than the sparrow. 060

☞ 보통 비교급은 「형용사/부사+-er」, 최상급은 「형용사/부사+-est」의 형태이다.

7 비교급

This car is *much* **faster than** yours. 061

☞ 「비교급+than」 '~보다 더 …한[하게]'

8 최상급

Tom is **the smartest** in the class. 062

☞ 「the+최상급」 '가장 ~한[하게]'
☞ 「one of the+최상급+복수 명사」 '가장 ~한 …중의 하나'

LESSON

08

to부정사

Point 063 뮤지컬을 보는 것은 재미있다.

명사적 용법 (주어)

To see a musical is interesting.

- to부정사는 「**to + 동사원형**」의 형태로, 문장에서 명사, 형용사, 부사 역할을 한다.
- to부정사가 명사 역할을 할 때 '~하기,' '~하는 것'으로 해석하며, 주어, 목적어, 보어로 쓰일 수 있다.
- to부정사가 주어로 쓰인 경우: '~하는 것은[이]'로 해석하며, 흔히 가주어 it을 주어 자리에 쓰고 진주어인 to부정사(구)는 문장 뒤에 쓴다.
  To set a goal in life is important.
  = **It** is important **to set a goal in life**.

STEP 1 다음 괄호 안에서 알맞은 말을 고르시오.

1 (To ask, Ask) for help takes courage.
2 It is wrong (for, to) tell lies to your parents.
3 (It, That) is fun to play with sand.
4 It is not easy (to learn, to learning) a foreign language.
5 To read comic books (brings, to bring) me joy.

□ take 필요하다
□ courage 용기
□ foreign language 외국어
□ bring 가져다주다

STEP 2 다음 우리말과 일치하도록 괄호 안의 말을 바르게 배열하시오.

1 강아지를 산책시키는 것은 내 차례이다. (to, the dog, walk)
It's my turn ______________________________.

2 축구 경기를 보는 것은 재미있다. (soccer, watch, games, to)
It's fun ______________________________.

3 유명한 작가가 되는 것은 매우 어렵다. (a, writer, famous, be, to)
It's very difficult ______________________________.

4 나의 가족과 더 많은 시간을 보내는 것이 내 새해 소망이다.
(to, more, with, time, spend, my family)
______________________________ is my New Year's wish.

5 당신의 주변 사람들을 돕는 것은 시간과 에너지를 필요로 한다.
(people, help, you, to, around)
______________________________ takes time and energy.

□ walk 산책시키다
□ writer 작가
□ wish 소망

STEP 3 다음 대화의 빈칸에 들어갈 말로 알맞은 것은? 내신

A: Hey, Jane. Why do you hate Mark?
B: Because __________ with him makes me unhappy.

① talk ② talks ③ talked ④ to talk ⑤ to talking

□ hate 싫어하다
□ unhappy 기분이 나쁜

Answer p.45

Point 064 나는 에펠탑에 가보고 싶다.

I want to go to the Eiffel Tower.

- to부정사가 목적어로 쓰인 경우: '~하기를', '~하는 것을'로 해석하며, 주로 want, wish, hope, expect, plan, promise, decide, choose, need, agree 등의 동사 뒤에 온다.
  I hope **to study** in Germany.

STEP 1 다음 문장을 밑줄 친 부분에 유의하여 우리말로 해석하시오.

1 David promised to keep my secret.
2 Ms. Kim decided to start her own business.
3 They agreed to meet at the restaurant.
4 Mom expects to go on a camping trip this weekend.
5 What kind of volunteer work do you plan to do?

□ keep a secret 비밀을 지키다
□ decide 결정하다
□ own ~ 자신의
□ expect 기대하다
□ volunteer work 자원봉사

STEP 2 다음 우리말과 일치하도록 괄호 안의 말을 이용하여 빈칸에 알맞은 말을 쓰시오.

1 당신은 자선단체에 돈을 기부하고 싶으세요? (wish, donate)
Do you ______________________ money to a charity?

2 우리는 먹을 것을 사야 할 필요가 있어요. (need, buy)
We ______________________ something to eat.

3 너는 파티에 무엇을 입고 가기로 선택했니? (choose, wear)
What did you ______________________ for the party?

4 너는 후식으로 무엇을 먹고 싶니? (want, eat)
What do you ______________________ for dessert?

5 너는 내 수학 숙제를 돕겠다고 약속해 주겠니? (promise, help)
Will you ______________________ me with my math homework?

□ donate 기부하다
□ charity 자선단체
□ choose 선택하다

STEP 3 다음 우리말을 영어로 바르게 옮긴 것은? 내신

그들은 하와이로 이사를 가기로 결심했다.

① They decided move to Hawaii.
② They decided moving to Hawaii.
③ They decided to move to Hawaii.
④ They decided to moving to Hawaii.
⑤ They decided and moved to Hawaii.

□ move to ~로 이사를 가다

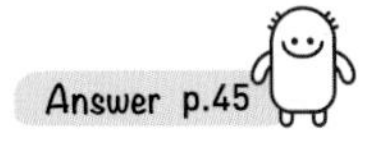

Point 065 그녀의 일은 옷을 디자인하는 것이다. 명사적 용법 (보어)

Her job is to design clothes.

- to부정사가 보어로 쓰인 경우: '~하는 것(이다)'로 해석하며, 동사 뒤에서 주어를 보충 설명한다.
  My dream is **to be** a famous soccer player.

STEP 1 다음 문장에서 밑줄 친 부분의 역할을 보기 에서 골라 쓰시오.

보기 주어 목적어 보어

1 My dad's hobby is to take pictures.
2 It's her dream to walk across the country.
3 We expect to win the game.
4 His goal is to be a great singer.
5 They wanted to come back home early.

□ country 국가
□ goal 목표

STEP 2 다음 빈칸에 들어갈 말을 보기 에서 골라 알맞은 형태로 쓰시오.

보기 travel lose save wash play

1 The best way is ___________ your hands with soap.
2 His hobby is ___________ basketball.
3 My plan for the vacation is ___________ weight.
4 The purpose of the campaign is ___________ water.
5 Paul's wish is ___________ around the world.

□ soap 비누
□ lose weight 체중을 줄이다
□ purpose 목적
□ campaign 캠페인

STEP 3 다음 대화의 밑줄 친 부분 중 어법상 틀린 것은? 내신

A: I hope ① to go on a trip to Europe.
B: Which country would you like ② to visit?
A: I want ③ to visit France.
B: Actually, I'll go ④ to Paris this summer.
A: Really? That will be nice. What are you going to do there?
B: My plan is ⑤ to riding a bike near the Seine River.
A: How romantic!

□ would like to ~하고 싶다
□ visit 방문하다
□ actually 사실은
□ romantic 낭만적인

Answer p.45

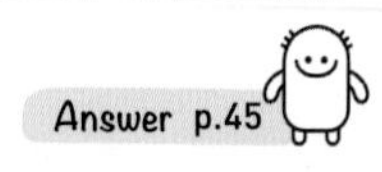

Point 066 우리에게는 할 일이 많다.

We have a lot of work to do.

• to부정사가 형용사 역할을 할 때 '~하는', '~할'로 해석하며, 이때 to부정사(구)는 앞에 있는 명사(구)를 수식한다.
He has many problems **to solve**.

TIP 「-thing으로 끝나는 명사 + 형용사 + to부정사」
I want **something cold to drink**.

STEP 1 다음 밑줄 친 부분을 바르게 고치시오.

□ dish 요리
□ share 나눠 갖다

1 We have to tell something you.
2 Look! Here are the top 10 to try dishes in Greece.
3 Is there fun anything to do around here?
4 I brought some candy share with you.
5 Do you have any money lending me?

STEP 2 다음 우리말과 일치하도록 괄호 안의 말을 바르게 배열하시오.

□ environment 환경
□ protect 보호하다
□ feed 먹이를 주다
□ report 보고서

1 여기 환경을 보호할 일곱 가지 방법이 있다.
(seven, ways, are, here, the environment, to protect)
____

2 그녀에게는 먹이를 줘야 할 두 마리의 새와 세 마리의 고양이가 있다.
(she, three cats, to feed, and, has, two birds)
____

3 나에게는 오늘 오후까지 완성해야 할 보고서가 있다.
(I, by this afternoon, have, to finish, a report)
____

4 저에게 달콤한 먹을거리를 주세요. (something, give, sweet, me, to eat)
Please ______________________________

5 그는 그녀에게 보여 줄 멋진 것을 갖고 있다. (to show, he, has, great, something, her)
____

STEP 3 다음 밑줄 친 부분 중 용법이 나머지 넷과 다른 것은? 내신

□ improve 개선하다
□ situation 상황

① She has a lot of money to spend.
② There are many interesting things to buy.
③ Do you have anything special to say to me?
④ We need something to eat for lunch.
⑤ They need to improve the situation.

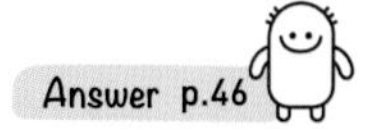
Answer p.46

Point 067 그는 책을 반납하기 위해 도서관에 갔다.

He went to the library to return a book.

- to부정사가 부사 역할을 할 때 목적, 감정의 원인, 결과 등의 다양한 의미를 나타낸다. 이때 to부정사(구)는 동사, 형용사, 부사를 수식한다.
- 목적을 나타내는 to부정사는 '~하기 위해', '~하려고'로 해석하며, 「**in order to + 동사원형**」으로 바꿔 쓸 수 있다.
  We got in line (**in order**) **to buy** some ice cream.

STEP 1 자연스러운 문장이 되도록 다음을 연결하시오.

1 We went to the farmers' market •
2 I work out every day •
3 He stayed up late •
4 We hurried to the bus stop •
5 Karen came to Korea •

• ⓐ to study for the history quiz.
• ⓑ to buy some fresh oranges.
• ⓒ to try Korean food.
• ⓓ to keep healthy.
• ⓔ to take the bus.

□ farmers' market 농산물 직판장
□ work out 운동하다
□ stay up late 늦게까지 자지 않고 있다
□ healthy 건강한

STEP 2 다음 두 문장이 같은 뜻이 되도록 할 때, 빈칸에 알맞은 말을 쓰시오.

1 I took a taxi because I wanted to be on time for the meeting.
= I took a taxi ________ ________ ________ ________ for the meeting.

2 Mom set an alarm clock because she wanted to wake up early.
= Mom set an alarm clock ________ ________ ________ early.

3 I'm waiting for Sally because I want to say something to her.
= I'm waiting for Sally ________ ________ ________ to her.

4 He went to Busan because he wanted to visit his uncle.
= He went to Busan ________ ________ ________ ________.

□ be on time 시간을 지키다
□ meeting 회의

STEP 3 다음 밑줄 친 부분의 용법이 보기 와 같은 것은? 내신

보기	I got up early to finish my science report.

① We decided to take him off our team.
② I will surely remember to lock the door.
③ My sister went to Paris to learn French.
④ The library has a lot of books to read.
⑤ I have a plan to travel to Europe next spring.

□ take A off B A를 B에서 빼다
□ surely 확실히
□ remember 기억하다
□ lock 잠그다
□ French 프랑스어

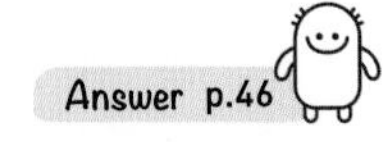

Point 068 테레사 수녀는 87세까지 살았다.

Mother Teresa lived to be 87 years old.

- 감정의 원인을 나타내는 to부정사는 '~해서', '~하니'로 해석하며, 감정을 의미하는 형용사 뒤에 온다.
  I am sorry **to hear** that.
  My mom was surprised **to see** my room.
- 결과를 나타내는 to부정사는 '~해서 (결국) …하다[되다]'로 해석하며, live, grow, wake 등의 동사 뒤에 온다.
  She grew up **to be** a great violinist.

STEP 1 다음 문장을 밑줄 친 부분에 유의하여 우리말로 해석하시오.

1 People were very surprised to see the giant shark on a beach.
2 Tom loved animals, so he grew up to be a vet.
3 Linda felt deeply sorry to hear the sad news.
4 He woke up to find someone in his house.
5 The guests were very pleased to see the hotel room.

□ giant 거대한
□ shark 상어
□ vet 수의사
□ guest 투숙객, 손님
□ pleased 기쁜

STEP 2 다음 우리말과 일치하도록 괄호 안의 말을 이용하여 빈칸에 알맞은 말을 쓰시오.

1 그녀는 자라서 세계적으로 유명한 정치인이 되었다. (grow up, be)
She ______________________ a world-famous politician.

2 그는 자신의 동료에게 작별 인사를 하게 되어 슬펐다. (sad, say)
He was ______________________ goodbye to his colleague.

3 내 남동생은 잠에서 깨어 자신이 집에 혼자 있다는 것을 알았다. (wake up, find)
My little brother ______________________ himself alone at home.

4 나는 너의 숙제를 도울 수 있어서 기뻐. (happy, help)
I am ______________________ you with the homework.

5 Sora의 어머니는 90세까지 사셨다. (live, be)
Sora's mother ______________________ 90 years old.

□ world-famous 세계적으로 유명한
□ politician 정치인
□ colleague 동료

STEP 3 다음 밑줄 친 부분 중 용법이 나머지 넷과 다른 것은? 내신

① I am glad to help you out.
② The lady lived to be 109 years old.
③ He doesn't have any friends to play with.
④ We were surprised to see our teacher there.
⑤ Dad got up early to watch the soccer match on TV.

Answer p.47

01회 내신 적중 실전 문제

[01~03] 다음 빈칸에 들어갈 말로 알맞은 것을 고르시오.

Point 064

01

My family decided ________ to Florida.

① move ② moves ③ moved
④ to move ⑤ moving

Point 068

02

She was really surprised ________ the present from David.

① got ② gets ③ to get
④ getting ⑤ to getting

Point 066

03

Teens and Stress
Stress is a natural part of teens' life. But sometimes they just need to relax. Here are ______________ stress.
– Listen to music. – Call a friend.
– Drink tea. – Exercise.

① four to cut down on ways
② to cut down on four ways
③ four ways to cut down on
④ cutting down on four ways to
⑤ four cutting down on ways to

Point 063

04 다음 밑줄 친 부분의 쓰임이 보기 와 같은 것은?

보기 To be a good friend is hard work.

① He likes to swim in the pool.
② Her hobby is to play the violin.
③ I hope to visit Australia someday.
④ It is easy to catch a cold in winter.
⑤ My job is to teach English at a middle school.

Point 067

05 다음 두 문장을 한 문장으로 알맞게 바꾼 것은?

I wanted to get a haircut. So I went to a hair salon.

① I got a haircut to go to a hair salon.
② I went to a hair salon to get a haircut.
③ I went to a hair salon getting a haircut.
④ I got a haircut and went to a hair salon.
⑤ I went to a hair salon to getting a haircut.

Point 068

06 다음 우리말과 일치하도록 할 때, 빈칸에 들어갈 말로 알맞은 것은?

그는 잠에서 깨어 자신이 벤치에 있음을 알게 되었다.
→ He woke up ________ himself on a bench.

① finds ② to find ③ found
④ finding ⑤ to finding

Point 063

07 다음 밑줄 친 부분 중 쓰임이 나머지 넷과 다른 것은?

① For your kids, it is the best pet.
② It is safe to cook fish in summer.
③ It will be fun to build a snowman.
④ Isn't it difficult to skate on the ice?
⑤ It is dangerous to dive into the river.

중요 Point 064

08 다음 빈칸에 들어갈 말로 알맞지 않은 것은?

I ________ to stand on the stage.

① chose ② agreed ③ decided
④ listened ⑤ expected

Point 068

09 다음 밑줄 친 부분의 용법이 보기 와 같은 것은?

보기 Today is my graduation day. Soon I will be a middle school student. I feel so sad to say goodbye to my teacher and friends.

① He has one more thing to ask.
② I hope to see you again before I leave.
③ Sarah was so excited to be the winner.
④ Eric's plan is to work out every morning.
⑤ It's a waste of time to look for the mirror here.

Point 067

10 다음 대화의 밑줄 친 부분 중 어법상 틀린 것은?

A: I would like ① to read books.
B: Then how about going to the library? It is a good place ② to visit because there are a lot of books ③ to read there.
A: Okay. ④ For borrow books, I need ⑤ to take my student ID card with me, right?
B: You're right.

Point 068

11 다음 우리말을 영어로 바르게 옮긴 것은?

그 어린 소년은 자라서 의사가 되었다.

① The little boy grew up to become a doctor.
② The little boy grew up becoming a doctor.
③ The little boy grew up to becoming a doctor.
④ The little boy grew up and becomes a doctor.
⑤ The little boy grew up and will become a doctor.

고난도 Point 066

12 다음 중 어법상 틀린 것은?

① I have bad something to tell you.
② Jane was sad to leave her hometown.
③ It's wise to save money for the future.
④ He got up to find himself in a strange place.
⑤ To answer the phone, my dad stopped his work.

서술형

Point 066, 067

13 다음 대화의 밑줄 친 ⓐ~ⓒ를 바르게 고쳐 쓰시오.

A: Let's go out ⓐ play soccer.
B: Sorry. I have a lot of things to do.
A: Okay. Then I'll buy something ⓑ eat for you.
B: Oh, thank you. Can you also buy me ⓒ cold something drink, too?

ⓐ ________ ⓑ ________ ⓒ ________

Point 067

14 다음 보기 와 같이 두 문장을 to부정사를 이용하여 한 문장으로 바꿔 쓰시오.

보기 I woke up early. I wanted to see the sunrise.
→ I woke up early to see the sunrise.

Mom is going to the supermarket. She wants to buy some vegetables.

→ ________________________________

Point 064

15 다음 우리말과 일치하도록 괄호 안의 말을 바르게 배열하시오.

그는 낮 12시까지 자신의 일을 끝내기로 계획했다.
(by noon, finish, he, to, planned, his work)

→ ________________________________

Point 065

16 다음 대화의 흐름에 맞도록 괄호 안의 말을 이용하여 빈칸에 알맞은 말을 쓰시오.

A: What's the purpose of the campaign?
B: The campaign's ________ is ________ ________ ________ ________ before it's too late. (save, the earth)

Point 068

01 다음 빈칸에 들어갈 말로 알맞은 것은?

> I was shocked _________ the news report about the terrible event.

① hear ② to hear ③ heard
④ hearing ⑤ to hearing

Point 065

02 다음 대화의 빈칸에 들어갈 말로 알맞은 것은?

> A: What's your hobby?
> B: My hobby is _________ stamps.
> A: Sounds interesting.

① collect ② collects ③ to collect
④ collection ⑤ to collecting

Point 064, 068

03 다음 대화의 빈칸에 들어갈 말이 순서대로 짝지어진 것은?

> A: Congratulations for winning the best actress award!
> B: Thank you so much. I didn't expect _________ such a great award, so I was very surprised _________ the announcement.

① win – hear ② to win – hearing
③ to win – to hear ④ winning – to hear
⑤ winning – hearing

Point 063

04 다음 우리말과 일치하도록 할 때, 빈칸에 들어갈 말이 순서대로 짝지어진 것은?

> 집 없는 어린이들을 가엾게 여기는 것은 당연하다.
> → _________ is natural _________ sorry for the homeless children.

① It – feeling ② It – to feel
③ It – to feeling ④ That – feeling
⑤ That – to feel

Point 066

05 다음 밑줄 친 부분 중 용법이 나머지 넷과 다른 것은?

① They agreed to order a pizza.
② Cathy promised to be on time.
③ He hopes to see his old friend again.
④ Which would you like to have, beer or wine?
⑤ We need some time to think about the matter.

[06~07] 다음 밑줄 친 부분의 용법이 보기 와 같은 것을 고르시오.

Point 067

06

> 보기 She stopped by the store to buy a bottle of water.

① To roller-skate at the rink is exciting.
② My plan is to take off one day a month.
③ Please tell me something new to watch.
④ To get a good grade, she studied really hard.
⑤ Susan wants to be in the same class as Karen.

Point 063

07

> 보기 To run across the street is dangerous.

① It is important to form good habits.
② There is no time to lose, so hurry up!
③ I have something fantastic to show you.
④ Jessica went to the post office to send a letter.
⑤ He was really happy to complete the marathon.

Point 066

08 다음 중 어법상 옳은 것은?

① That is unsafe to play with matches.
② She decided to changing her lifestyle.
③ They were excited hearing the good news.
④ We're looking for ways to grow our business.
⑤ To be a doctor, he needs studying really hard.

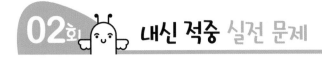

Point 067

09 다음 중 어법상 틀린 것은?

① It's dangerous to drink and drive.
② She lived to be ninety-seven years old.
③ I was so pleased to see your parents.
④ I will find you something warm to wear.
⑤ All humans need jobs in order to surviving.

Point 063

10 다음 중 빈칸에 to가 들어갈 수 없는 것은?

① What do you want ________ dinner today?
② His job is ________ put out fires and save people.
③ They have a lot of projects ________ complete.
④ I was happy ________ win high praise for my first book.
⑤ She went to the stadium ________ see the baseball game.

Point 068

11 다음 밑줄 친 부분 중 어법상 틀린 것은?

Sam wanted ① to get up early ② to arrive at work on time. However, he slept late in the morning and woke up ③ finding himself still in his bed. He didn't have enough time ④ to prepare. He hurried ⑤ to work by taxi.

Point 063, 065

12 다음 중 어법상 옳은 문장의 개수는?

- To ride a horse on the beach is my wish.
- My plan is to book a table for four at the restaurant.
- I hope being a world-famous tennis player.
- It will be fun to go on a safari.
- It's hard to solving this math problem.

① 1개 ② 2개 ③ 3개 ④ 4개 ⑤ 5개

서술형

Point 066

13 다음 문장에서 어법상 틀린 부분을 찾아 바르게 고쳐 쓰시오.

I bought a birthday present giving to Jasmine.

________ → ________

Point 064

14 다음 대화의 흐름에 맞도록, 빈칸에 들어갈 말을 보기 에서 골라 알맞은 형태로 쓰시오.

보기 do bring visit take

A: What would you like ________ in Myeongdong?
B: I hope ________ N Seoul Tower.
A: If you want ________ photos, that's the best place for a night view.
B: It really is. I won't forget ________ my camera.

Point 068

15 다음 대화의 흐름에 맞도록 빈칸에 알맞은 말을 쓰시오.

A: Thank you for your kind help.
B: You're welcome. I was glad ________ ________ you.

Point 067

16 다음 우리말과 일치하도록 괄호 안의 말을 이용하여 빈칸에 알맞은 말을 쓰시오.

Jenny는 쿠키를 굽기 위해 밀가루와 우유를 샀다.
(flour, milk, bake, cookies)

→ ________

Grammar Review 핵심 정리

1 to부정사의 명사적 용법

Point

To see a musical is interesting. 063

☞ to부정사는 「to+동사원형」의 형태로, 문장에서 명사, 형용사, 부사 역할을 한다.
☞ to부정사가 주어로 쓰인 경우: '~하는 것은[이]'로 해석하며, 보통 가주어 it을 주어 자리에 쓰고 진주어인 to부정사(구)는 문장 뒤로 보낸다.

I want **to go** to the Eiffel Tower. 064

☞ to부정사가 목적어로 쓰인 경우: '~하기를', '~하는 것을'로 해석하며, 주로 동사 want, wish, hope, expect, plan, promise, decide, need 등의 뒤에 온다.

Her job is **to design** clothes. 065

☞ to부정사가 보어로 쓰인 경우: '~하는 것(이다)'로 해석하며, 동사 뒤에서 주어를 보충 설명한다.

2 to부정사의 형용사적 용법

We have a lot of work **to do.** 066

☞ to부정사가 형용사 역할을 할 때 '~하는', '~할'로 해석하며 앞에 있는 명사(구)를 수식한다.

3 to부정사의 부사적 용법

He went to the library **to return** a book. 067

☞ to부정사가 부사 역할을 할 때 목적, 감정의 원인, 결과 등의 의미를 나타내며, 동사, 형용사, 부사를 수식한다.
☞ 목적을 나타내는 to부정사는 '~하기 위해', '~하려고'로 해석하며, 「in order to+동사원형」으로 바꿔 쓸 수 있다.

Mother Teresa lived **to be** 87 years old. 068

☞ 감정의 원인을 나타내는 to부정사는 '~해서', '~하니'로 해석하며, 감정을 나타내는 형용사 뒤에 온다.
☞ 결과를 나타내는 to부정사는 '~해서 (결국) …하다[되다]'로 해석하며, 동사 live, grow, wake 등의 뒤에 온다.

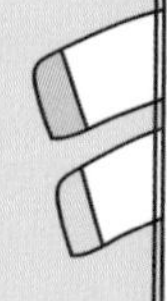

LESSON 09

동명사

Point 069 비행기 조종사가 되는 것이 나의 꿈이다.

Being a pilot is my dream.

- 동명사는 「**동사원형 + -ing**」의 형태로 명사처럼 문장에서 주어, 목적어, 보어 역할을 한다.
- 동명사가 주어로 쓰인 경우 '~하는 것은[이]'으로 해석하고, 단수 취급한다.

Walking is a good exercise. (주어)

TIP 동명사는 명사로 쓰이지만, 동사의 의미와 성질을 가지므로 뒤에 목적어나 보어가 오거나 부사의 수식을 받을 수 있다.

Making *true* friends is hard. (목적어 동반)
Studying *hard* is necessary. (부사 수식)

STEP 1 다음 괄호 안에서 알맞은 말을 고르시오.

1 (Drink, Drinking) a lot of water is good for your health.
2 (Travel, Traveling) alone is dangerous.
3 (Learn, Learning) a foreign language is difficult.
4 (Play, Playing) the piano is my hobby.
5 (Climb, Climbing) mountains takes time and energy.

□ alone 홀로, 혼자서
□ dangerous 위험한
□ foreign language 외국어

STEP 2 다음 우리말과 일치하도록 괄호 안의 말을 이용하여 빈칸에 알맞은 말을 쓰시오.

1 TV를 너무 많이 보는 것은 눈에 해롭다. (watch)
____________ too much TV is harmful to your eyes.

2 건강을 유지하는 것은 중요하다. (keep)
____________ healthy is important.

3 늦게 일어나는 것은 나쁜 습관이다. (get up)
____________ late is a bad habit.

4 애완동물을 기르는 것은 책임감을 필요로 한다. (raise)
____________ a pet requires responsibility.

5 많은 사람들 앞에서 말하는 것은 나를 긴장되게 만든다. (speak)
____________ in front of many people makes me nervous.

□ harmful 해로운
□ habit 습관
□ require 필요로 하다
□ responsibility 책임감

STEP 3 다음 우리말을 영어로 바르게 옮긴 것은? 내신

영화를 보는 것은 재미있다.

① Watch movies is fun.
② Watch movies are fun.
③ Watching movies is fun.
④ Watching movies are fun.
⑤ To Watching movies is fun.

Answer p.51

Point 070 나는 숙제하는 것을 끝냈다.

I finished **doing** my homework.

- 동명사가 동사나 전치사의 목적어로 쓰인 경우, '~하는 것을, ~하기를'로 해석한다.

  I enjoy **surfing** the Internet. (동사의 목적어)

  I'm interested in **taking** pictures. (전치사의 목적어)

TIP 동명사와 현재분사는 「동사원형 + -ing」로 형태는 같지만, 현재분사는 형용사로 명사를 수식하거나 진행 시제와 함께 쓰인다.

I *am* **listening** to music. (현재진행) / **Barking** *dogs* seldom bite. (명사 수식)

STEP 1 다음 괄호 안에서 알맞은 말을 고르시오.

□ role 역할
□ play 연극

1 My father enjoys (fish, fishing) in the lake.
2 Do you mind (open, opening) the windows?
3 I'm thinking of (move, moving) to another city.
4 People avoid (go, going) hiking on rainy days.
5 Let's consider (change, changing) the roles for the play.

STEP 2 다음 우리말과 일치하도록 빈칸에 들어갈 말을 보기 에서 골라 알맞은 형태로 쓰시오.

□ accident 사고
□ be fond of ~을 좋아하다
□ afraid 두려워하는

보기	be	make	watch	elect	cause

1 그들은 마침내 새로운 지도자 선출을 마쳤다.
They finally finished ____________ a new leader.

2 회의에 늦어서 죄송합니다.
I am sorry for ____________ late for the meeting.

3 그 트럭 운전사는 사고를 낸 것을 부인했다.
The truck driver denied ____________ the accident.

4 나의 엄마는 TV 드라마 보는 것을 매우 좋아하신다.
My mom is fond of ____________ TV dramas.

5 실수하는 것을 두려워하지 마라.
Don't be afraid of ____________ mistakes.

STEP 3 다음 밑줄 친 부분 중 쓰임이 나머지 넷과 다른 것은? 내신

□ chance 기회
□ recover from ~로부터 회복하다

① My bicycle needs repairing.
② They went camping in the forest.
③ Everybody was enjoying the party.
④ It was a perfect chance for making money.
⑤ Warm tea is good for recovering from a cold.

Point 071 내 취미는 사진을 찍는 것이다.

My hobby is taking pictures.

- 동명사가 보어로 쓰인 경우, '~하는 것이다, ~하기이다'로 해석한다.
  My favorite activity is **riding** a skateboard.
  Rachel's goal is **getting** good grades on the exams.

STEP 1 다음 괄호 안에서 알맞은 말을 고르시오.

1 His job is (sell, selling) cars.
2 Yuna's goal is (play, playing) on the world stage.
3 Their plan is (widen, widening) the road.
4 Her problem is (tell, telling) lies.
5 The important thing is (do, doing) your best.

□ stage 무대
□ widen 넓히다
□ road 길
□ lie 거짓말

STEP 2 다음 우리말과 일치하도록 괄호 안의 말을 바르게 배열하시오.

1 그들의 목표는 다음 월드컵에서 우승하는 것이다. (the, World Cup, winning, next)
Their goal is ______________________.

2 나의 꿈은 컴퓨터 전문가가 되는 것이다. (a, becoming, computer, expert)
My dream is ______________________.

3 그의 장점은 남의 말을 귀 기울여 들어주는 것이다. (to, others, listening)
His strength is ______________________.

4 그의 문제는 너무 많이 먹는 것이다. (too, eating, much)
His problem is ______________________.

5 내 여가 활동들 중 하나는 첼로를 연주하는 것이다. (playing, cello, the)
One of my leisure time activities is ______________________.

□ strength 장점
□ leisure time activity 여가 활동

STEP 3 다음 밑줄 친 부분 중 어법상 틀린 것은? 내신

One of her advantages is keep promises.
① One ② advantages ③ is ④ keep ⑤ promises

□ advantage 장점

Answer p.52

Point 072 너는 스키 타는 것을 즐기니?

Do you *enjoy* skiing?

- 동명사만을 목적어로 취하는 동사에는 enjoy, finish, keep, stop, mind, give up, avoid, consider, deny, quit, practice, suggest 등이 있다.
  I *finished* **cleaning** my room.
- 전치사의 목적어로 동명사는 쓸 수 있지만, to부정사는 쓸 수 없다.
  I am tired *of* **eating** ramyeon.

TIP to부정사만를 목적어로 취하는 동사에는 want, expect, wish, hope, plan, promise, decide, agree, refuse 등이 있다.

STEP 1 다음 밑줄 친 부분을 바르게 고치시오.

1 I don't mind to wait.
2 The owner decided selling the restaurant.
3 It kept to snow for two days.
4 You promised keeping the rules, didn't you?
5 I expected to visiting the National Museum.

□ owner 소유주
□ keep 지키다
□ the National Museum 국립박물관

STEP 2 다음 우리말과 일치하도록 괄호 안의 말을 바르게 배열하시오.

1 새로운 것들을 시도하는 것을 포기하지 마라. (new, never, trying, things, give, up)
____

2 나는 이곳에서 너를 만날 거라고 기대하지 않았다. (you, here, didn't, I, to, expect, meet)
____

3 Sarah는 해외에서 공부를 할 계획이다. (to, abroad, Sarah, study, plans)
____

4 나의 어머니는 혼잡한 시간대에 운전하는 것을 피하신다.
(driving, my mother, rush hour, avoids, during)
____

5 나는 구기 종목을 잘하지 못한다. (at, I, not, playing, am, good, ball games)
____

□ try 시도하다
□ abroad 해외에서
□ rush hour (출퇴근) 혼잡 시간대, 러시아워

STEP 3 다음 빈칸에 들어갈 말로 알맞은 것은? 내신

Napoleon was famous for ________ great leadership skills.

① have ② had ③ having
④ to have ⑤ to having

□ leadership 통솔력

Answer p.52

Point 073 나는 일주일 전에 운동하는 것을 시작했다.

I *started* exercising[to exercise] a week ago.

- 동명사와 to부정사를 모두 목적어로 취하는 동사에는 like, love, hate, start, begin, continue 등이 있다.
  I *like* **hanging[to hang]** out with my friends.
  I *love* **traveling[to travel]** around the world.

STEP 1 다음 괄호 안에서 알맞은 말을 고르시오.

□ bark 짖다
□ fantasy novel 공상 소설
□ prepare 준비하다
□ performance 공연

1 The dog continued (bark, barking).
2 Do you hate (be, being) an only child?
3 My little brother loves (read, to read) fantasy novels.
4 They began (prepare, to prepare) the performance.
5 Do you like (go, going) to concerts?

STEP 2 다음 두 문장이 같은 뜻이 되도록 할 때, 빈칸에 들어갈 말로 알맞은 것을 쓰시오.

□ all of a sudden 갑자기
□ stuck 꼼짝 못하는
□ traffic jam 교통 체증

1 I like to travel by train.
= I like ________________.

2 It started to rain all of a sudden.
= It started ________________.

3 When did you begin learning swimming?
= When did you begin ________________?

4 My grandparents love taking a walk in the park.
= My grandparents love ________________.

5 Most people hate to be stuck in a traffic jam.
= Most people hate ________________.

STEP 3 다음 빈칸에 들어갈 말로 알맞지 않은 것은? 내신

I ________ eating[to eat] hamburgers.

① liked ② hated ③ started
④ finished ⑤ continued

Answer p.52

Point 074 나는 신분증 가져오는 것을 잊었다.

I forgot to bring my ID card.

• 동명사와 to부정사 둘 다를 목적어로 취하면서 의미가 달라지는 동사는 다음과 같다.

	remember	forget	regret	try	stop
동명사	~한 것을 기억하다	~한 것을 잊다	~한 것을 후회하다	시험 삼아 (한번) ~해보다	~하는 것을 멈추다
to부정사	~할 것을 기억하다	~할 것을 잊다	~하게 돼서 유감이다	~하려고 노력하다	~하기 위해 멈추다

TIP stop은 동명사만을 목적어로 취하므로, 「**stop + to부정사**」의 to부정사는 목적을 나타내는 부사적 용법으로 쓰인 것이다.

STEP 1 다음 밑줄 친 부분에 유의하여 우리말로 해석하시오.

1 I remember putting my glasses on the desk.
2 Don't forget to buy some milk on your way home.
3 Tom regretted missing the class.
4 Try to make new friends every year.
5 My father stopped smoking for his health.

STEP 2 다음 우리말과 일치하도록 괄호 안의 말을 이용하여 빈칸에 알맞은 말을 쓰시오.

□ business 사업
□ put on 입다, 신다
□ glass 유리
□ discuss 토론하다

1 나는 사업을 시작한 것을 후회하지 않는다. (start)
I don't regret ____________ a business.

2 Ben은 어젯밤 Mary에게 전화한 것을 잊어버렸다. (call)
Ben forgot ____________ Mary last night.

3 그 아가씨들은 시험 삼아 한 번 유리 구두를 신어봤다. (put on)
The ladies tried ____________ ____________ the glass shoes.

4 나는 내일 영화 보러 갈 것을 기억한다. (go and see)
I remember ________ ________ ________ ________ the movie tomorrow.

5 그들은 그 문제에 대해 토론하는 것을 멈췄다. (discuss)
They stopped ____________ the problem.

STEP 3 다음 우리말과 일치하도록 할 때, 빈칸에 들어갈 말로 알맞은 것은? 내신

나는 꽃을 사기 위해 멈췄다.
→ I stopped __________ some flowers.

① buy ② bought ③ buying ④ to buy ⑤ to buying

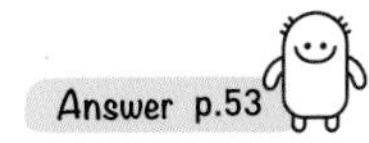

01회 내신 적중 실전 문제

Point 070

01 다음 밑줄 친 부분의 쓰임이 나머지 넷과 다른 것은?

① Yumi is good at cooking.
② My goal is mastering English.
③ Minho is carrying a heavy box.
④ Playing computer games is exciting.
⑤ I like reading comic books in my free time.

Point 074

02 다음 우리말을 영어로 바르게 옮긴 것은?

그녀는 그 파티에 간 것을 후회한다.

① She regrets go to the party.
② She regrets going to the party.
③ She regrets to go to the party.
④ She regrets went to the party.
⑤ She regrets to going to the party.

Point 074

03 다음 우리말과 일치하도록 할 때, 빈칸에 들어갈 말로 알맞은 것은?

마침내, 비가 내리기를 그쳤다.
➞ At last, it stopped ________.

① rain ② rained ③ raining
④ to rain ⑤ be raining

[04~05] 다음 중 어법상 틀린 것은?

Point 072

04 ① Stop sleeping in class.
② Do you enjoy singing?
③ I gave up persuading my parents.
④ They finished building the bridge.
⑤ She promised working hard for the company.

중요

Point 069

05 ① Seeing is believing.
② Hosting an Olympics is their plan.
③ Meeting the deadline is important.
④ Solving the math problems were not easy.
⑤ Watching violent programs is not educational.

Point 072

06 다음 빈칸에 들어갈 말이 순서대로 짝지어진 것은?

• My father promised ________ more time with me.
• I avoid ________ a lot at night.

① spending – eating ② to spend – eating
③ spending – to eat ④ to spend – to eat
⑤ spend – to eat

[07~08] 다음 빈칸에 들어갈 말로 알맞은 것을 고르시오.

Point 070

07 I am not interested in ________ to the piano concert.

① go ② went ③ to go
④ goes ⑤ going

Point 071

08 Sumi's hobby is ________ coins.

① collect ② collected ③ collection
④ collecting ⑤ to collecting

[09~10] 다음 빈칸에 들어갈 말로 알맞지 않은 것을 고르시오.

Point 072

09

Did you ________ eating the cake?

① enjoy ② finish ③ stop
④ start ⑤ want

Point 072

10

I ________ to meet my cousins.

① hope ② like ③ consider
④ plan ⑤ hate

Point 074

11 다음 밑줄 친 부분 중 어법상 틀린 것은?

① The man denied robbing the bank.
② I never regret marrying my wife. I'm happy.
③ You are never satisfied. Stop to complain.
④ Don't forget to take your umbrella. It's raining.
⑤ Do you remember to meet me at 2? I'll be there on time.

Point 069

12 다음 두 문장이 같은 뜻이 되도록 할 때, 빈칸에 들어갈 말로 알맞은 것은?

To live in a foreign country is hard.
= ________ in a foreign country is hard.

① Live ② Lives ③ Lived
④ Living ⑤ To Living

서술형

Point 074

13 다음 두 문장을 주어진 조건에 맞게 한 문장으로 바꿔 쓰시오.

조건 1 I forgot으로 시작할 것
조건 2 총 6단어로 쓸 것

I had to water the plants. I totally forgot about it.

→ ____________________

Point 069

14 다음 문장을 바르게 고쳐 쓰시오.

Exercise regularly make you healthy. (동명사 주어 사용)

→ ____________________

[15~16] 다음은 친구들의 취미를 나타낸 표이다. 표를 보고 아래 질문에 답하시오.

Name	Hobby
Yuna	dance
Juho	play soccer

Point 072

15

조건 1 enjoy를 사용할 것
조건 2 총 3단어로 쓸 것

What does Yuna do in her free time?

→ ____________ in her free time.

Point 073

16

조건 1 like를 사용할 것
조건 2 총 4단어로 쓸 것

What does Juho do in his free time?

→ ____________ in his free time.

Point 072

01 다음 빈칸에 들어갈 말이 순서대로 짝지어진 것은?

- Did you finish _________ the dishes?
- I decided _________ the English debate club.

① washing – joining ② to wash – joining
③ washing – to join ④ to wash – to join
⑤ washed – to join

Point 070

02 다음 중 밑줄 친 부분의 쓰임이 보기 와 다른 것은?

보기 I like writing poems.

① I stopped eating fast food.
② Skipping breakfast is a bad habit.
③ The bus was coming down the hill.
④ Her job is taking care of sick animals.
⑤ My teacher is known for having a great sense of humor.

Point 072

03 다음 빈칸에 들어갈 말로 알맞지 않은 것은?

Chris _________ watching scary movies.

① enjoyed ② gave up ③ stopped
④ began ⑤ expected

고난도

Point 074

04 다음 중 문장의 해석이 틀린 것은?

① I regret to say that to you.
나는 너에게 그 말을 한 것을 후회한다.
② They stopped to greet each other.
그들은 인사를 나누기 위해 멈췄다.
③ I remember turning on the gas stove.
나는 가스레인지를 켜 놓은 것을 기억한다.
④ Did you forget to bring your homework?
너는 숙제 가져오는 것을 잊어버렸니?
⑤ The little girl tried to overcome her handicap.
그 어린 소녀는 장애를 극복하려고 노력했다.

Point 071

05 다음 우리말을 영어로 바르게 옮긴 것은?

내 꿈은 전 세계를 여행하는 것이다.

① My dream is travel around the world.
② My dream is travels around the world.
③ My dream is traveling around the world.
④ My dream is traveled around the world.
⑤ My dream is to traveling around the world.

Point 069

06 다음 두 문장이 같은 뜻이 되도록 할 때, 빈칸에 들어갈 말로 알맞은 것은?

I usually paint pictures in my free time.
= _________ pictures is my hobby.

① Paint ② Painter ③ Painted
④ Painting ⑤ To painting

[07~08] 다음 빈칸에 들어갈 말로 알맞은 것을 고르시오.

Point 074

07

Stop _________ the piano. It's already 9 o'clock.

① play ② played ③ playing
④ to playing ⑤ be playing

Point 069

08

_________ a bike at night is dangerous.

① Ride ② Rides ③ Rider
④ Riding ⑤ Rideing

[09~10] 다음 대화의 빈칸에 들어갈 말로 알맞은 것을 고르시오.

Point 070

09

A: Would you _________ the door?
B: Not at all.

① mind close ② mind closing
③ mind to close ④ want closing
⑤ want close

Point 074

10

A: What took you so long?
B: I'm sorry. I stopped _________ on my way here.

① buying some snacks
② for buy some snacks
③ to buy some snacks
④ bought some snacks
⑤ to bought some snacks

중요

Point 072

11 다음 중 빈칸에 들어갈 말이 나머지 넷과 다른 것은?

① How about _________ out for lunch?
② My father enjoys _________ hiking with me.
③ I don't feel like _______ for a walk today.
④ Susan stopped _________ hiking on Sundays.
⑤ Tom plans _________ to Canada this summer.

Point 070

12 다음 밑줄 친 부분 중 어법상 틀린 것은?

The gentleman thanked(①) me(②) for(③) show(④) him(⑤) the way.

서술형

[13~14] 다음 우리말과 일치하도록 괄호 안의 단어를 바르게 배열하시오.

Point 069

13

야구 경기를 보는 것은 재미있다.
(baseball, is, games, fun, watching)

→ _______________

Point 070

14

그녀는 작별인사도 없이 나를 떠났다.
(saying, me, left, without, she, good-bye)

→ _______________

[15~16] 다음 메모를 보고, 완전한 문장으로 답하시오.

이름: 수진
흥미: 책 읽기, 글쓰기
장래 희망: 작가

Point 070

15

조건 1 be interested in을 사용할 것
조건 2 총 7단어로 쓸 것

Write a sentence about Sujin's interests.

→ _______________

Point 071

16

조건 1 Her future dream으로 시작하고 동명사를 사용할 것
조건 2 총 7단어로 쓸 것

Write a sentence about Sujin's future dream.

→ _______________

Grammar Review 핵심 정리

1 동명사의 역할

Point

Being a pilot is my dream. 069

☞ 동명사는 「동사원형+-ing」의 형태로 명사처럼 문장에서 주어, 목적어, 보어 역할을 한다.
☞ 동명사가 주어로 쓰인 경우 '~하는 것은[이]'으로 해석하고, 단수 취급한다.

I finished **doing** my homework. 070

☞ 동명사가 동사나 전치사의 목적어로 쓰인 경우, '~하는 것을, ~하기를'로 해석한다.
☞ 동명사와 현재분사는 「동사원형+-ing」로 형태는 같지만, 현재분사는 형용사로 명사를 수식하거나 진행 시제와 함께 쓰인다.

My hobby is **taking** pictures. 071

☞ 동명사가 보어로 쓰인 경우, '~하는 것이다, ~하기이다'로 해석한다.

2 동명사와 to부정사

Do you *enjoy* **skiing**? 072

☞ 동명사만을 목적어로 취하는 동사에는 enjoy, finish, keep, stop, mind, give up, avoid, consider, deny, quit, practice, suggest 등이 있다.
☞ 전치사의 목적어로 동명사는 쓸 수 있지만, to부정사는 쓸 수 없다.
☞ to부정사만을 목적어로 취하는 동사에는 want, expect, wish, hope, plan, promise, decide, agree, refuse 등이 있다.

I *started* **exercising[to exercise]** a week ago. 073

☞ 동명사와 to부정사를 모두 목적어로 취하는 동사에는 like, love, hate, start, begin, continue 등이 있다.

I **forgot to bring** my ID card. 074

☞ 동명사와 to부정사 둘 다를 목적어로 취하면서 의미가 달라지는 동사는 다음과 같다.

	remember	forget	regret	try	stop
동명사	~한 것을 기억하다	~한 것을 잊다	~한 것을 후회하다	시험 삼아 ~해보다	~하는 것을 멈추다
to부정사	~할 것을 기억하다	~할 것을 잊다	~하게 돼서 유감이다	~하려고 노력하다	~하기 위해 멈추다

☞ stop은 동명사만을 목적어로 취하므로, 「stop+to부정사」의 to부정사는 목적을 나타내는 부사적 용법으로 쓰인 것이다.

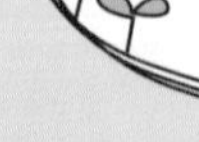

대명사

I don't like the white shirt. Show me a green one.

- one은 앞에 나온 명사와 종류는 같지만 대상이 다를 때 명사의 반복을 피하기 위해 사용하여, 불특정 대상을 나타낸다. 복수형은 ones이다.
  If you need a pen, I will lend you **one**. (one = a pen)
  I want to buy pants. I need black **ones**. (ones = pants)
- 부정대명사 one은 일반적인 사람을 나타낸다.
  One should respect the elderly. (one = a person)

TIP it은 무엇인지 정해지고, 특정한 명사를 대신한다.
If you take my bag, please give **it** back to me. (it = my bag)

STEP 1 다음 괄호 안에서 알맞은 말을 고르시오.

□ choose 고르다, 선택하다

1. Her red shoes are nice. I want to buy red (them, ones).
2. My little sister wants to buy a smart-phone. She wants a pink (one, it).
3. My computer is broken. I need to buy a new (one, it).
4. If you like my skirt, you may wear (one, it).
5. There are many apples. You can choose (that, one).

STEP 2 다음 우리말과 일치하도록 빈칸에 알맞은 말을 쓰시오.

□ keep one's promise 약속을 지키다
□ luxury 사치(품)

1. 사람은 약속을 지켜야 한다.
   ____________ should keep his promise.
2. 그녀는 명품 가방을 좋아한다. 그래서 나는 그녀를 위해 하나 샀다.
   She likes luxury handbags. So I bought ____________ for her.
3. 네가 Ann의 태블릿 컴퓨터를 빌렸니? 나에게 그것을 돌려줘.
   Did you borrow Ann's tablet computer? Return ____________ to me.
4. 이 영화를 봤니? 너는 그것을 좋아할 거야.
   Did you watch this movie? You'll love ____________.
5. 나는 립크림을 잃어버렸다. 나는 립크림을 하나 사야 한다.
   I've lost my lip cream. I have to buy ____________.

STEP 3 다음 빈칸에 들어갈 말이 순서대로 짝지어진 것은? 내신

Is this cup yours? Can I use __________?
I don't like black hats. Show me a white __________.

① one – one ② one – it ③ it – one
④ it – ones ⑤ it – it

Answer p.56

Point 076 책들 중 몇 권은 매우 재미있다.

Some of the books are very funny.

- some은 '약간(의), 몇몇, 어떤 사람들'의 뜻으로 긍정의 평서문에 쓰인다. 긍정의 대답이 예상되는 의문문이나 권유문에서도 쓰인다.
- any는 의문문, 부정문, 조건문에서 주로 사용하며, 의문문에서는 '약간', 부정문에서는 '어느 ~도 (…않다)'의 뜻이다.
  You have a lot of money, but I don't have **any**.

TIP 부정형용사 some과 any는 명사를 수식하며, '약간의, 몇몇의'의 뜻이다. 긍정문에는 some, 의문문, 부정문, 조건문에는 any를 쓴다.
She has **some** dolls. / He doesn't have **any** friends to help him.

□ present 선물

STEP 1 다음 괄호 안에서 알맞은 말을 고르시오.

1 I don't want (some, any) cheese on my burger.
2 I have too much food. Do you want (some, any)?
3 Mom doesn't want (some, any) presents from Dad.
4 Would you drink (some, any) Coke?
5 I need a notebook. If you have (some, any), please lend me one.

STEP 2 다음 우리말과 일치하도록 괄호 안의 말을 바르게 배열하시오.

1 제가 커피를 좀 마실 수 있나요? (I, some, could, have, coffee)
____

2 나는 나의 남자친구로부터 어떤 선물도 얻지 못했다.
(from, I, get, my, didn't, any, present, boyfriend)
____

3 너는 여동생이 있니? (you, do, have, sisters, any)
____

4 너는 케이크를 좀 먹을래? (some, would, like, you, cake)
____

STEP 3 다음 대화의 빈칸에 들어갈 말로 알맞은 것은? 내신

A: Would you like ________ more salad?
B: Yes, please.

① some ② any ③ somebody
④ anybody ⑤ something

Point 077 오늘은 날씨가 맑고 햇살이 좋다.

It is nice and sunny today.

- 비인칭 대명사 it은 '그것'이라고 해석하지 않고, 형식상으로 쓰여 시간, 날짜, 날씨, 요일, 계절, 명암, 거리 등을 나타낸다.

What time is **it**? (시간) **It** is August 1 today. (날짜)
It is Monday. (요일) **It** is summer now. (계절)
It is dark in the hall. (명암) How far is **it** from here to the museum? (거리)

TIP 「It(가주어) ~ to부정사(진주어)」 구문에서도 it이 사용된다.
It is important **to follow** the rules.

STEP 1 다음 질문에 대한 알맞은 응답을 찾아 연결하시오.

1 What day is it today? •
2 How far is it from your house to school? •
3 What date is it today? •
4 What's the weather like today? •
5 What time is it now? •

• ⓐ It's seven thirty.
• ⓑ It's cloudy.
• ⓒ It's about three kilometers.
• ⓓ It's Monday.
• ⓔ It's August 1.

STEP 2 다음 우리말과 일치하도록 괄호 안의 말을 바르게 배열하시오.

□ solve 풀다
□ theater 극장
□ autograph 사인

1 밖에 비가 오고 있니? (raining, is, it, outside)

____

2 한국은 가을이다. (fall, in, Korea, is, it)

____

3 그 수학 문제를 푸는 것은 쉽지 않다.
(is, it, to, the, math, problem, not, solve, easy)

____

4 극장 안은 어두웠다. (dark, in, the, theater, is, it)

____

5 그의 사인을 받는 것은 어렵다. (to, his, autograph, get, difficult, it, is)

____

STEP 3 다음 밑줄 친 부분의 쓰임이 나머지 넷과 다른 것은? 내신

□ humid 습기가 많은
□ take care of ~을 돌보다

① It is Monday.
② It is humid now.
③ It is my birthday today.
④ It is ten kilometers.
⑤ It is hard to take care of children.

Answer p.57
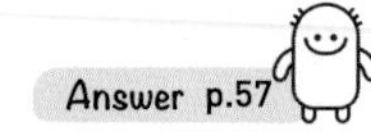

Point 078 나는 내 자신이 매우 자랑스럽다.

I am very proud of **myself.**

• 재귀대명사는 목적어로 쓰여 주어 자신을 나타내거나, 주어, 목적어, 보어와 동격이 되어 그 뜻을 강조한다. 인칭 대명사의 소유격이나 목적격에 단수는 '-self'를 복수는 '-selves'를 붙인다.

	1인칭	2인칭	3인칭
단수	myself	yourself	himself, herself, itself
복수	ourselves	yourselves	themselves

STEP 1 다음 밑줄 친 부분을 알맞은 재귀대명사로 고치시오.

□ enjoy 즐기다

1 Mike enjoyed him at the party last night.
2 Mom and Dad helped them.
3 Jake and I went there us.
4 Some people don't love them.
5 Jenny her visited my house.

STEP 2 다음 빈칸에 들어갈 말을 보기에서 골라 쓰시오.

□ amusement park 놀이공원
□ solve 풀다, 해결하다

보기	myself	yourselves	himself	herself	itself

1 Did you and your friends enjoy ____________ at the amusement park?
2 I cut ____________ by mistake.
3 Susie ____________ solved the problem.
4 Tom painted the wall by ____________.
5 The door opened by ____________.

STEP 3 다음 대화의 빈칸에 들어갈 말이 순서대로 짝지어진 것은? 내신

□ vegetable 채소
□ grow 기르다

A: There are _________ vegetables in the basket.
B: I grew them _________.

① some – me ② some – my ③ some – myself
④ any – yourself ⑤ any – yourselves

Answer p.57

Mike drew himself.

- 재귀대명사의 재귀 용법이란 재귀대명사가 목적어로 쓰여 주어 자신을 나타내는 것이다.
  Ben introduced **himself** to the office. (동사의 목적어)
  Rosie was proud of **herself**. (전치사 목적어)
- 재귀대명사의 강조 용법이란 주어, 목적어, 보어와 동격이 되어 그 뜻을 강조하는 것이다. 보통 강조하는 말의 바로 뒤나 문장의 뒤에 위치하고, 생략해도 문장이 성립한다.
  Mom made the cake **herself**. (주어 강조)
  My family met the president **himself**. (목적어 강조)

STEP 1 다음 문장을 밑줄 친 부분에 유의하여 우리말로 해석하시오.

□ hurt 다치다

1 Jenny hurt herself last week.
2 You should do the work yourself.
3 We looked at ourselves in the mirror.
4 The desk itself was quite long.
5 It was the queen herself.

STEP 2 다음 우리말과 일치하도록 빈칸에 알맞은 말을 쓰시오.

□ take a picture 사진을 찍다
□ in front of ~의 앞에

1 그 호텔 자체는 좋았지만, 서비스는 형편없었다.
The hotel ____________ was great, but the service was terrible.

2 그녀는 그녀 자신을 매우 많이 사랑한다.
She loves ____________ very much.

3 Julie 바로 그녀가 경주에서 우승했다.
Julie won the race ____________.

4 Mike는 박물관 앞에서 그 자신의 사진을 찍었다.
Mike took a picture of ____________ in front of the museum.

5 Amy는 바로 그 아이들을 가르치는 것을 좋아한다.
Amy loves to teach the children ____________.

STEP 3 다음 밑줄 친 부분 중 용법이 나머지 넷과 다른 것은? 내신

□ faithful 충직한
□ invite 초대하다
□ idol star 아이돌 스타
□ statue 조각상
□ look after 돌보다

① My dog itself is very faithful.
② I invited the idol star himself.
③ Mike himself made the statue.
④ The girl in the room was Jenny herself.
⑤ Animals look after themselves in the wild.

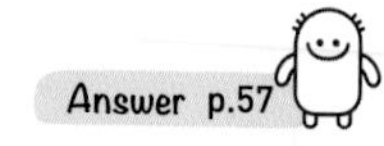

Point 080 James는 혼자서 베를린에 살았다.

James lived in Berlin by himself.

- 재귀대명사는 전치사나 동사와 함께 관용적 표현으로 사용된다.

- by oneself	혼자서	- enjoy oneself	즐겁게 지내다
- beside oneself	제정신이 아니다	- help oneself	마음껏 먹다
- for oneself	스스로	- talk to oneself	혼잣말 하다
- make oneself at home	느긋하게 [편히]쉬다	- hurt oneself	다치다

STEP 1 다음 괄호 안에서 알맞은 말을 고르시오.

1 Tom cooked dinner for (his, himself).
2 Janet went there by (her, herself).
3 They enjoyed (them, themselves) in Seoul.
4 Jake hurt (he, himself) in the dark last night.
5 I often talked to (me, myself).

STEP 2 다음 우리말과 일치하도록 빈칸에 알맞은 말을 쓰시오.

1 나는 당신이 편히 쉬기를 바라요.
I want you to make ____________ at home.

2 그는 저녁을 실컷 먹었다.
He helped ____________ to dinner.

3 Ann은 혼자서 영화를 보러 갔다.
Ann went to see a movie ____________ herself.

4 너는 여행에서 즐거운 시간을 보냈니?
Did you enjoy ____________ during the trip?

5 그가 그 소식을 들었을 때 제정신이 아니었다.
He was beside ____________ when he heard the news.

STEP 3 다음 대화의 빈칸에 들어갈 말로 알맞은 것은? 

□ delicious 맛있는

A: Did you cook lunch for yourself? The food looks delicious.
B: Yes, I did. ______________________________.

① By yourself.
② Beside yourself.
③ Help yourself.
④ Hurt yourself.
⑤ Talk to yourself.

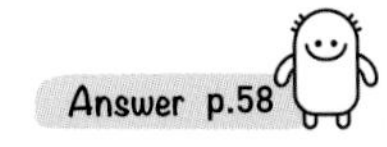

Point 075, 077

01 다음 빈칸에 들어갈 말이 순서대로 짝지어진 것은?

> • Your sweater looks nice. ________ looks expensive.
> • I need a bag. I will buy ________.

① It – it ② It – one
③ One – it ④ One – one
⑤ One – ones

Point 076

02 다음 빈칸에 들어갈 말로 알맞은 것은?

> I have ________ good friends to help me.

① some ② any ③ one
④ ones ⑤ it

Point 077

03 밑줄 친 it의 쓰임이 나머지 넷과 다른 것은?

① It's summer now.
② Is it Friday today?
③ What time is it now?
④ It is easy to learn to skate.
⑤ What day was it yesterday?

Point 077

04 다음 대화의 빈칸에 들어갈 말이 순서대로 짝지어진 것은?

> A: I lost my smart-phone. Do you know where ________ is? I can't find it.
> B: Don't worry. I'll buy you a new ________.

① it – it ② it – one ③ one – it
④ one – one ⑤ ones – it

Point 078

05 다음 우리말과 일치하도록 할 때, 빈칸에 들어갈 말로 알맞은 것은?

> Hannah는 그녀 스스로를 사랑한다.
> → Hannah loves ________.

① myself ② herself
③ ourselves ④ yourselves
⑤ themselves

[06~07] 다음 밑줄 친 부분의 쓰임이 보기 와 같은 것을 고르시오.

Point 079

06

> 보기 James finished the project himself.

① The boy talked to himself.
② We can do the work ourselves.
③ I cut myself on the sharp knife.
④ Janet drew herself in art class.
⑤ Matthew blamed himself for the mistake.

Point 079

07

> 보기 Mom and Dad themselves bought me this beautiful dress.

① I think myself the best.
② Help yourself to this food.
③ Dad likes to talk to himself.
④ Did she enjoy herself last night?
⑤ Jenny herself saw the idol star.

[08~09] 다음 대화의 빈칸에 들어갈 알맞은 것을 고르시오.

Point 079

08

> A: May I stay at your home?
> B: Of course. ________________.

① For yourself.
② Hurt yourself.
③ Help yourself.
④ Talk to yourself.
⑤ Make yourself at home.

09 Point 076

A: Will you drink ________ red tea?
B: Yes, please. I like it.

① it ② one ③ ones
④ some ⑤ these

[10~11] 다음 밑줄 친 부분 중 어법상 틀린 것을 고르시오.

10 Point 080

① I spent the weekend by myself.
② They helped them to the dishes.
③ I talk to myself from time to time.
④ James hurt himself in the accident.
⑤ Did you enjoy yourself at the concert?

고난도
11 Point 075

① Do you have a coin? I need one.
② I have a green bike. Mike has a red one.
③ I have three books. Do you want one?
④ Andy bought a new smart-phone. But he lost one.
⑤ My glasses are old-fashioned. I want new ones.

12 Point 069
다음 두 문장이 같은 뜻이 되도록 할 때, 빈칸에 들어갈 말로 알맞은 것은?

We have a lot of rain in summer.
= ________ rains a lot in summer.

① It ② One ③ Ones
④ Some ⑤ They

서술형

[13~14] 다음 보기 의 말을 이용하여 대화를 완성하시오.

13 Point 075

보기 it one some any

A: My T-shirt is dirty. Do you have a clean (1) ________?
B: Yes. There are (2) ________ in my closet.

14 Point 076

보기 it any yourself yourselves

A: I failed the test again. I think I can't pass (1) ________.
B: Trust (2) ________. You'll do better next time.

[15~16] 다음 우리말과 일치하도록 괄호 안의 말을 바르게 배열하시오.

15 Point 076

너 빵 좀 먹을래? (you, bread, like, some, would)

→ ________________________?

16 Point 079

Mike는 그 자신을 우리에게 소개했다.
(introduced, Mike, to, himself, us)

→ ________________________?

[01~04] 다음 빈칸에 공통으로 들어갈 말로 알맞은 것을 고르시오.

Point 075

01

- If you want a hat, I'll give you ________.
- Do you have a pencil? I need ________.

① one ② ones ③ itself
④ them ⑤ themselves

Point 077

02

- ________ is not far from here.
- ________ is my birthday today.

① It ② One ③ This
④ That ⑤ They

Point 078, 080

03

- Children enjoyed ________ on the slides.
- Children don't know about ________.

① myself ② yourself ③ yourselves
④ ourselves ⑤ themselves

Point 080

04

- She showed Randy ________ the letter.
- He should climb the mountain by ________.

① one ② ones ③ oneself
④ him ⑤ himself

Point 077

05 다음 대화의 빈칸에 들어갈 말이 순서대로 짝지어진 것은?

A: Do you have ________ good ideas for our new project?
B: Yes, I have ________.

① any – that ② any – any
③ any – some ④ some – that
⑤ some – any

[06~07] 다음 중 어법상 틀린 것을 고르시오.

Point 078

06 ① She killed herself.
② I want to go there myself.
③ Jack went to the theater by himself.
④ Bob and you have to clean the room yourself.
⑤ Maggie and Nancy invented the machine themselves.

Point 076

07 ① I don't have any candy.
② Some of children enjoyed the game.
③ There are some fruits in the basket.
④ The restaurant doesn't have some delicious food.
⑤ If you have a lot of money, please lend me some.

[08~09] 다음 밑줄 친 부분 중 쓰임이 나머지 넷과 다른 것을 고르시오.

Point 079

08 ① The man talked about himself.
② I burned myself on the stove.
③ I did the math homework myself.
④ I looked at myself in the camera.
⑤ Mom talked to herself in the morning.

고난도

09
Point 077

① It is late spring.
② What day is it today?
③ It isn't Monday today.
④ It was so hot yesterday.
⑤ It is important to arrive on time.

10
Point 080

다음 밑줄 친 부분의 해석이 틀린 것은?

① She is beside herself. (제정신이 아니다)
② Jake hurt himself in the last game. (다쳤다)
③ Bob talked to himself in his room. (혼잣말을 했다)
④ I enjoyed myself at the party. (즐거운 시간을 보냈다)
⑤ Please help yourself to some cake. (너 스스로를 도와라)

11
Point 075

다음 밑줄 친 부분 중 one이나 ones로 바꾸어 쓸 수 없는 것은?

① The cats are so cute! I want a cat!
② A person has a dream about the future.
③ I have many balls. There are some red balls.
④ Your pen looks nice. Please lend your pen.
⑤ Jenny wanted to buy a blouse. She wanted a white blouse.

12
Point 076

다음 밑줄 친 부분 중 어법상 틀린 것은?

① I need some paper.
② They didn't buy some food.
③ I'll give him some comic books.
④ There are some pears in the refrigerator.
⑤ My husband bought some flowers for me.

서술형

[13~14] 다음 일기예보를 참고하여 문장을 완성하시오.

> Hello, everyone. This is the weather report!
> Today is very hot and humid. We'll get tired easily by the heat. Tomorrow we will have a lot of rain. The rain will cool the air.

13
Point 077

A: How is the weather today? (It 사용)
B: ______________________

14
Point 077

A: What's the weather going to be like tomorrow? (It 사용)
B: ______________________

15
Point 080

다음 우리말과 일치하도록 괄호 안의 말을 바르게 배열하시오.

> 편안히 지내세요. (at, make, yourself, home)

→ Please ______________________.

16
Point 076

다음 대화의 빈칸에 들어갈 말을 보기 에서 골라 쓰시오.

> 보기 it one some any

A: I want to see a movie. Are there (1) __________ theaters nearby?
B: Yes, there are (2) __________ downtown.
A: Will you join me?
B: Sounds great. I'll buy you (3) __________ popcorns.

Grammar Review 핵심 정리

Point

1 부정대명사 one

I don't like the white shirt. Show me a green **one**. 075

☞ one은 앞에 나온 명사와 종류는 같지만 대상이 다를 때 명사의 반복을 피하기 위해 사용하며, 불특정 대상을 나타낸다. 복수형은 ones이다.

2 부정대명사 some, any

Some of the books are very funny. 076

☞ some은 '약간(의) 몇몇, 어떤 사람들'의 뜻으로 긍정의 평서문에 쓰인다. 긍정의 대답이 예상되는 의문문이나 권유문에서도 쓰인다.

☞ any는 의문문, 부정문, 조건문에서 주로 사용하며, 의문문에서는 '약간', 부정문에서는 '어느 ~도 (… 않다)'의 뜻이다.

3 비인칭 대명사 it

It is nice and sunny today. 077

☞ 비인칭 대명사 it은 '그것'이라고 해석하지 않고, 형식상으로 쓰여 시간, 날짜, 날씨, 요일, 계절, 명암, 거리 등을 나타낸다.

4 재귀대명사의 형태

I am very proud of **myself**. 078

☞ 재귀대명사는 목적어로 쓰여 주어 자신을 나타내거나 주어, 목적어, 보어와 동격이 되어 그 뜻을 강조한다.

	1인칭	2인칭	3인칭
단수	myself	yourself	himself, herself, itself
복수	ourselves	yourselves	themselves

5 재귀대명사의 용법 (재귀, 강조)

Mike drew **himself**. 079

☞ 재귀대명사의 재귀 용법이란 재귀대명사가 목적어로 쓰여 주어 자신을 나타내는 것이다.

☞ 재귀대명사의 강조 용법이란 주어, 목적어, 보어와 동격이 되어 그 뜻을 강조하는 것이다. 강조하는 말의 바로 뒤나 문장 뒤에 위치하고, 생략해도 문장이 성립한다.

6 재귀대명사의 관용적 용법

James lived in Berlin **by himself**. 080

☞ 재귀대명사는 전치사나 동사와 함께 관용적 표현으로 사용된다.

- by oneself 혼자서
- beside oneself 제정신이 아니다
- for oneself 스스로
- make oneself at home 느긋하게 [편히]쉬다
- enjoy oneself 즐겁게 지내다
- help oneself 마음껏 먹다
- talk to oneself 혼잣말 하다
- hurt oneself 다치다

LESSON 11

접속사

Point 081 그녀와 나는 가장 친한 친구이다.

She and I are best friends.

- 등위 접속사: and, but, or 등으로, 문법적 역할이 대등한 단어, 구, 절을 연결한다.
- and는 '그리고', '그래서', '~와'라는 뜻으로 서로 비슷한 내용을 연결하거나 혹은 시간 순으로 나열할 때 쓴다.
  The boy came in the house **and** looked around.

TIP 「both A and B」는 'A와 B 둘 다'라는 뜻으로 주어로 쓰일 경우 복수 동사를 취한다.

STEP 1 자연스러운 문장이 되도록 다음을 연결하시오.

1 Sam • • ⓐ and excited.
2 It was raining • • ⓑ and write Russian.
3 John can speak • • ⓒ and Sally are twins.
4 She often wears jeans • • ⓓ and windy.
5 They were happy • • ⓔ and a white shirt.

□ excited 신이 난, 흥분한
□ Russian 러시아어
□ twins 쌍둥이

STEP 2 다음 우리말과 일치하도록 괄호 안의 말을 바르게 배열하시오.

1 더 많이 웃어라! 그것은 당신의 몸과 마음에 좋다.
(it, good, is, body, and, for, your, mind)
Laugh more! ______________________________.

2 그녀와 나 둘 다 그 사고에 대한 책임이 있다.
(she, I, are, both, for, and, the accident, responsible)
______________________________.

3 내 이름은 Tim이고 나는 14살이야.
(Tim, and, my, years, name, is, I'm, fourteen, old)
______________________________.

4 탁자 위에는 사과와 바나나가 몇 개 놓여 있다.
(apples, and, bananas, there, are, some)
______________________________ on the table.

□ mind 마음
□ responsible for ~에 책임이 있는

STEP 3 다음 대화의 빈칸에 들어갈 말로 알맞은 것은? 내신

A: How do you know Sam?
B: Sam __________ I went to the same school.
He is a very close friend to me.

① both ② but ③ so ④ or ⑤ and

Answer p.61

Point 082 그 테이블은 비싸지만, 그 의자는 싸다.

The table is expensive, but the chair is cheap.

- but은 '그러나' 또는 '그런데'라는 뜻으로 서로 반대되는 말이나 대조되는 내용을 연결할 때 쓴다.
  He got hurt, **but** he didn't cry.

TIP 「not A but B」는 'A가 아니라 B'라는 뜻으로 주어로 쓰일 경우 동사의 수는 B에 일치시킨다.

STEP 1 다음 문장을 밑줄 친 부분에 유의하여 우리말로 해석하시오.

□ tired 피곤한, 지친

1 We were tired but happy.
2 The movie was good, but its background music was bad.
3 The black shirt is small, but the red one is big.
4 David was sick, but he went to school.
5 I'm sorry, but I have to go now.

STEP 2 A, B에서 알맞은 표현을 골라 접속사 but를 사용하여 자연스러운 문장을 완성하시오.

A		B
1. I am very excited 2. Tim likes Sarah 3. I want to buy a nice car 4. My grandmother wants to go to Paris 5. I woke up very late	but	a. nervous about my new school. b. I was not late for school. c. my grandfather doesn't like her idea. d. she doesn't like him. e. I don't have enough money.

1 ________________
2 ________________
3 ________________
4 ________________
5 ________________

STEP 3 다음 중 어법상 틀린 것은? 내신

□ blow (바람이) 불다 (-blew-blown)

① I'd like a cheese burger and French fries.
② They are not going fishing but swimming.
③ The wind blew hard, but we went outside.
④ Her hobbies are playing badminton and singing.
⑤ The doctor was very kind, and the nurse was not.

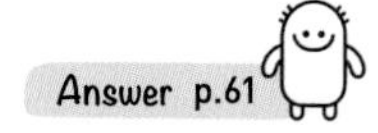

Point 083 축구 혹은 테니스 중 어느 것이 더 좋으니?

Which do you like better, soccer or tennis?

- or는 '또는', '혹은'이라는 뜻이며 둘 중 하나를 선택할 때 쓴다.
  Are you an early bird **or** a night owl?
  Is your brother younger **or** older than you?

TIP 「either A or B」는 'A와 B 둘 중 하나'라는 뜻으로 「either A or B」가 주어 자리에 올 경우 동사의 수는 B에 일치시킨다.
Either you **or** she *is* wrong.

STEP 1 다음 괄호 안에서 알맞은 말을 고르시오.

□ false 틀린, 사실이 아닌

1 Is the news true (or, and) false?
2 You can take a taxi (or, but) a bus.
3 Either you (or, and) I should go home early.
4 Do you want to stay home (or, and) go out?
5 Either she or I (am, is) going shopping in the afternoon.

STEP 2 다음 우리말과 일치하도록 할 때, 빈칸에 알맞은 접속사를 쓰시오.

□ flu 독감
□ here and there 여기저기

1 너는 파티에 가는 거니 안 가는 거니?
Are you going to the party ____________ not?

2 그녀는 독감에 걸렸지만 진찰을 받지 않았다.
She had a bad flu, ____________ she didn't go to see a doctor.

3 우리는 공원에서 여기저기를 걸어 다녔다.
We walked here ____________ there in the park.

4 당신은 스페인어를 읽거나 쓸 수 있나요?
Can you read ____________ write Spanish?

5 그 방에는 의자 두 개, 탁자 하나, 그리고 책상이 하나 있었다.
In the room, there were two chairs, a table, ____________ a desk.

STEP 3 다음 빈칸에 들어갈 말이 순서대로 짝지어진 것은? 내신

- A: What would you like?
  B: I'd like a cheeseburger __________ Coke.
- A: For here __________ to go?
  B: To go, please.

① or – and ② or – but ③ and – but
④ and – and ⑤ and – or

Answer p.62

Point 084 내가 어렸을 때, 나는 과학자가 되기를 원했다.

When I was young, I wanted to be a scientist.

- 부사절: 문장 내에서 시간, 조건 등을 나타내며 주절의 의미를 보충하는 역할을 한다.
- 시간을 나타내는 부사절 접속사 when은 '~할 때'라는 의미로 시간 부사절을 이끌며, 주절의 앞이나 뒤 어느 곳이든 올 수 있다.
- 시간을 나타내는 접속사가 이끄는 부사절에서는 현재시제로 미래를 나타낸다.
  When Dad **comes** home, Mom will set the table.

TIP when은 '언제'라는 의미의 의문사로도 쓰인다.
When did you finish your work? / I don't know **when** he'll be back.

STEP 1 다음 괄호 안에서 알맞은 말을 고르시오.

1 (When, Before) you come, please bring your textbooks.
2 (When, After) I arrived at home, Mom was cooking.
3 I will welcome her when she (will visit, visits) me.
4 She first met David (when, because) he was fifteen years old.
5 (When, After) I was a child, I used to play with dolls.

□ textbook 교과서
□ arrive at ~에 도착하다
□ welcome 환영하다

STEP 2 다음 우리말과 일치하도록 괄호 안의 말을 바르게 배열하시오.

1 나는 그 여배우를 길에서 만났을 때 매우 기뻤다.
(I, on the street, the actress, met, when)
I was very pleased ______________________.

2 내가 아침에 일어났을 때, 밖에는 눈이 내리고 있었다.
(woke up, I, when, in the morning)
______________________, it was snowing outside.

3 그 소녀와 내가 같은 반이었을 때, 나는 그녀와 사랑에 빠졌다.
(I, were, in the same class, the girl, and, when)
______________________, I fell in love with her.

4 그가 돌아왔을 때, 나는 그곳에 없었다. (came, when, he, back)
______________________, I wasn't there.

□ fall in love with ~와 사랑에 빠지다

STEP 3 다음 밑줄 친 부분 중 쓰임이 나머지 넷과 다른 것은? 내신

① I go to bed early when I feel tired.
② When are you planning to go to Paris?
③ Can you help me when you are not busy?
④ When you have any questions, let me know.
⑤ When I have a cold, I have some chicken soup.

□ plan to do ~할 계획이다
□ have a cold 감기에 걸리다

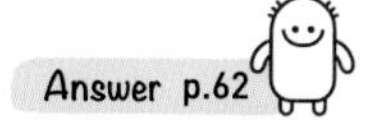
Answer p.62

We must go home before it gets dark.

- before는 '~전에', after는 '~후에'라는 뜻으로 「**before/after + 주어 + 동사**」의 어순으로 쓴다.

Before the movie started, I spilled my popcorn.
Brush your teeth **after** you eat sweets.

TIP before / after가 전치사로 쓰이는 경우 뒤에 명사(구)나 동명사가 온다.
After *winning* the gold medal, he became really famous.

STEP 1 다음 괄호 안에서 알맞은 말을 고르시오.

1 (After, before) washing your hands, you may have a meal.
2 Prepare your books (after, before) the class starts.
3 I washed the dishes (after, before) I had breakfast.
4 We have only five minutes (after, before) the train leaves.
5 Please knock on the door (after, before) you enter the room.

□ wash the dishes 설거지를 하다

STEP 2 다음 우리말과 일치하도록 빈칸에 들어갈 말을 보기 에서 골라 쓰시오.

보기	before	after	when

1 내가 집에 도착했을 때, 아빠는 신문을 읽고 계셨다.
_______ I got home, my dad was reading the newspaper.

2 우리는 비가 내리기 전에 학교에 들어갔다.
We entered the school _______ it started raining.

3 깊이 잠을 자고 난 후, 나는 기분이 훨씬 나아졌다.
_______ I had a sound sleep, I felt much better.

4 너는 크면 무엇이 되고 싶니?
What do you want to be _______ you grow up?

5 나는 시험이 시작되기 전에 매우 불안했다.
I felt very nervous _______ the test started.

□ have a sound sleep 한숨 푹 자다
□ grow up 성장하다, 자라다

STEP 3 다음 대화의 빈칸에 들어갈 말로 알맞은 것은? 내신

A: What made you so late?
B: I woke up very late. _______ I drank coffee, I couldn't sleep last night.

① When ② After ③ While ④ And ⑤ Or

Answer p.63

Point 086 Tim은 매우 열심히 공부했기 때문에 시험에 합격했다.

Tim passed the test because he studied very hard.

- because는 '~ 때문에'라는 뜻으로 원인이나 이유를 나타낸다.
  Because David is very kind, Sally liked him.
- since, as 등도 이유를 나타내며 '~ 때문에,' '~이니까'의 뜻으로 쓰인다.
  Since he was sick, he had to go to see a doctor.

TIP because 뒤에는 「주어+동사」가 오지만 because of 뒤에는 명사(구)가 온다.

STEP 1 자연스러운 문장이 되도록 다음을 연결하시오.

1 I couldn't arrive on time	•	• ⓐ because she failed the exam.
2 Eric was absent from class	•	• ⓑ because I missed the bus.
3 I turned on the heater	•	• ⓒ since it was too hard.
4 Sue was upset	•	• ⓓ because he was sick.
5 Sarah couldn't answer the question	•	• ⓔ because it was cold.

□ be absent from ~에 결석하다
□ miss 놓치다

STEP 2 다음 빈칸에 들어갈 말을 보기 에서 골라 쓰시오.

보기	when	before	because	and but

1 My sister brushes her teeth ____________ she goes to bed.
2 ____________ it's raining outside, let's just stay at home.
3 ____________ I was ten years old, I started playing the drums.
4 I couldn't solve the riddle, ____________ my brother was able to.
5 The woman felt tired, sleepy, ____________ lonely.

□ riddle 수수께끼

STEP 3 다음 밑줄 친 부분의 쓰임이 잘못된 것은? 내신

① I cried because I lost my purse.
② I didn't go out because of I got a cold.
③ Because of the noise, I couldn't hear the bell.
④ Because he was tired, he had to rest at home.
⑤ I took some medicine because I had a stomachache.

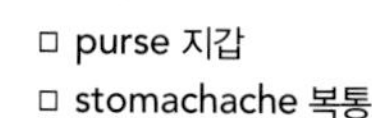

□ purse 지갑
□ stomachache 복통

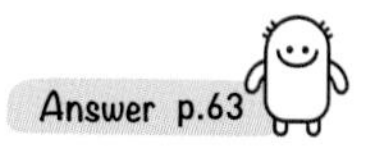
Answer p.63

Point 087 엄마가 집에 오시면, 나에게 전화를 주세요.

If Mom comes home, please call me.

- if는 '만일 ~라면[한다면]'이라는 의미로, 조건을 나타낸다.
- 조건을 나타내는 접속사가 이끄는 부사절에서는 현재시제로 미래를 나타낸다.

TIP 「if ~ not」은 unless로 바꿔 쓸 수 있으며 '만약 ~하지 않는다면' 이라는 뜻이다.

STEP 1 다음 괄호 안에서 알맞은 말을 고르시오.

1 (If, Unless) Mr. Smith is honest, the boss won't hire him.

2 (If, Unless) you have some time, please help me.

3 If she (catches, will catch) the train, she will be on time.

4 (If, Unless) you study hard, you will get good grades.

5 I can't finish the report, (if, unless) you help me.

□ hire 고용하다
□ catch (버스 등을 시간 맞춰) 타다

STEP 2 다음 우리말과 일치하도록 괄호 안의 말을 바르게 배열하시오.

1 우리 아빠가 출근하지 않으시면, 나는 이번 주말에 캠핑을 갈 것이다.
(if, go to work, doesn't, my dad)
______________________, I will go camping this weekend.

2 만일 네가 쓰레기를 매일 내다 버리면, 나는 너를 영화관에 데려갈게.
(If, every day, take out, you, the trash)
______________________, I will take you to the movies.

3 네가 서두른다면 너는 그곳에 3시까지 도착할 것이다.
(get there, if, hurry up, you, will, you, by three o'clock)
______________________________________.

4 만일 그것이 사실이 아니라면, 많은 문제가 있을 거야.
(if, will be, a lot of, true, not, it's, there, problems)
______________________________________.

□ trash 쓰레기
□ trouble 문제

STEP 3 다음 대화의 빈칸에 들어갈 말로 알맞은 것은? 내신

A: Dad, I want to go to the zoo.
B: Do you want to go this Saturday?
A: Sounds great!
B: _________ it rains, we will go on Saturday.

① If ② Unless ③ And ④ But ⑤ When

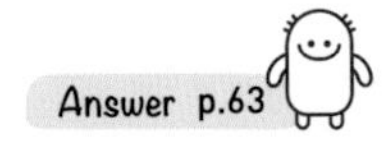

Point 088 문제는 내가 스페인어를 할 수 없다는 것이다.

The problem is that I can't speak Spanish.

- 문장에서 명사처럼 주어, 목적어, 보어 역할을 하는 절을 명사절이라고 한다.
- 명사절을 이끄는 접속사 that은 '~라는 것'이라는 뜻을 가지며, 목적어 역할을 하는 that은 생략이 가능하다.

That he speaks English very well is not a lie. (주어)
= **It** is not a lie **that** he speaks English very well.
He said (**that**) he was playing the piano then. (목적어)
The truth is **that** he is a great dancer. (보어)

TIP that절이 주어로 쓰였을 때 「It(가주어) ~ that(진주어)」 구문으로 바꾸어 쓸 수 있다.

STEP 1 다음 문장을 밑줄 친 부분에 유의하여 우리말로 해석하시오.

□ concern 고민, 걱정
□ locker key 사물함 열쇠

1 That Tim passed the final exam is true.
2 Did you hear that he won the game?
3 My concern is that I lost my locker key.
4 It is true that our teacher talks too much.
5 Her last words were that there is no place like home.

STEP 2 다음 우리말과 일치하도록 괄호 안의 말을 바르게 배열하시오.

1 Charlie가 1등상을 받은 것은 확실하다.
(It, that, is, got, certain, first prize, Charlie)

____

2 나의 유일한 희망은 그가 크리스마스 때까지 돌아올 거라는 것이다.
(is, that, my only hope, come back, he, will, by Christmas)

____

3 우리는 어린이들이 놀이를 통해 배운다고 믿는다.
(we, through, play, believe, that, children, learn)

____

4 지구가 둥글다는 것은 사실이다. (is, it, the Earth, that, round, is, true)
→ ______________________________

STEP 3 다음 밑줄 친 부분 중 쓰임이 나머지 넷과 다른 것은? 내신

□ intelligent 똑똑한, 총명한
□ fur (동물의) 털
□ solution 해결책

① I believe that Mr. Lee can do well.
② I didn't know that he is intelligent.
③ She liked that pink coat with soft fur.
④ It is true that he is my homeroom teacher.
⑤ My worry is that we don't have any solution.

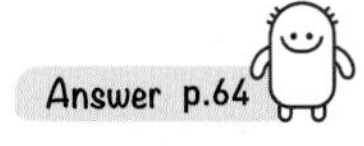
Answer p.64

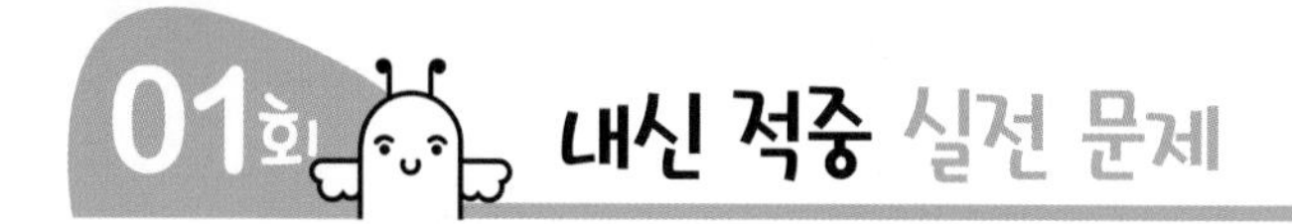

Point 084

01 다음 밑줄 친 부분의 쓰임이 보기 와 같은 것은?

> 보기 When I was ten years old, I was an elementary school student.

① Tell me when your birthday is.
② When shall we meet tomorrow?
③ When are you going to Canada?
④ Sam asked me when I was born.
⑤ When you grow up, what do you want to be?

Point 084, 085

02 다음 빈칸에 들어갈 말로 알맞은 것은?

> I will clean the living room before Mom ________ back.

① come ② came
③ comes ④ is come
⑤ will come

Point 086

03 다음 밑줄 친 부분과 바꾸어 쓸 수 있는 것은?

> Since it was too foggy, the flight couldn't take off.

① Until ② While ③ When
④ Because ⑤ Before

중요

Point 086, 088

04 다음 빈칸에 들어갈 말이 순서대로 짝지어진 것은?

> • My wish is ________ my grandmother gets well soon.
> • You must be tired ________ you drove for five hours.

① if – because
② that – although
③ that – before
④ that – because
⑤ because – before

고난도

Point 084

05 다음 두 문장이 같은 뜻이 되도록 할 때, 빈칸에 들어갈 말로 알맞은 것은?

> During her childhood, she used to play the violin at church on Sundays.
> = ________ she was a child, she used to play the violin at church on Sundays.

① When ② After
③ Before ④ Since
⑤ Because

[06~08] 다음 빈칸에 공통으로 들어갈 말로 알맞은 것을 고르시오.

Point 087

06

> • ________ the weather permits, I will walk to school.
> • ________ you don't listen to me, you will regret it.

① If ② Unless ③ When
④ That ⑤ Because

Point 082

07

> • Dad wants to eat spaghetti, ________ Mom doesn't like his idea.
> • I'm sorry ________ I have to go now.

① as ② or ③ but
④ and ⑤ because

Point 081

08

> • I'll bring you some milk ________ cookies.
> • We went to the restaurant ________ had lunch.

① of ② or ③ but
④ and ⑤ because

[09~10] 다음 대화의 빈칸에 들어갈 말로 알맞은 것을 고르시오.

Point 083

09

A: Which do you like better, oranges ________ apples?
B: I prefer apples.

① so ② or ③ and
④ but ⑤ because

Point 081

10

A: Why do you like the singer?
B: She's good at both singing ________ dancing.

① so ② or ③ but
④ and ⑤ after

Point 087

11 다음 중 어법상 틀린 것을 고르시오.

① If you swim every day, you'll lose weight.
② If you're not careful, you'll break the glass.
③ The bike won't go well unless you fix it now.
④ If you will practice hard, you will be a great pianist.
⑤ Unless you accept the idea, you won't succeed.

Point 088

12 다음 밑줄 친 부분의 쓰임이 보기 와 같은 것은?

보기 The doctor said that the little boy had an eye problem.

① I hate that dog.
② That is my umbrella.
③ I think that he is funny.
④ Mr. Brown lives in that house.
⑤ Please pass me that salt bottle.

서술형

Point 088

13 다음 두 문장을 한 문장으로 바꿀 때 빈칸에 알맞은 말을 쓰시오.

He speaks English very well. It is not true.

→ ________ is not true ________ he speaks English very well.

Point 087

14 다음 우리말과 일치하도록 괄호 안의 말을 이용하여 빈칸에 알맞은 말을 쓰시오.

당신이 기차를 놓치지 않는다면, 당신은 제시간에 도착할 것이다. (if, miss)

→ ________________, you will be on time.

[15~16] 다음 두 문장을 괄호 안의 접속사를 이용하여 한 문장으로 바꿔 쓰시오.

Point 088

15

Denis will overcome the difficulties.
I believe it. (that)

→ ________________

Point 085

16

I brushed my teeth. Then I went to bed. (before)

→ ________________

[01~04] 다음 빈칸에 들어갈 말로 알맞은 것을 고르시오.

Point 081

01

In the living room, there were a table, a vase, ________ a sofa.

① so ② if ③ or ④ and ⑤ but

Point 087

02

If anyone ________ me, please tell him or her that I'm not at home.

① call ② calls
③ called ④ will call
⑤ is calling

Point 086

03

________ I felt so sleepy last night, I went to bed early.

① Until ② Before ③ Unless
④ While ⑤ Because

Point 083

04

Rachel is either Canadian ________ American.

① or ② so ③ but
④ and ⑤ nor

Point 084

05 다음 밑줄 친 부분 중 쓰임이 나머지 넷과 다른 것은?

① When I was young, I wanted to be a teacher.
② When you finish your work, what will you do?
③ When I feel lonely, I listen to cheerful music.
④ When you're free, please call me.
⑤ When are you going home?

[06~08] 다음 빈칸에 공통으로 들어갈 말로 알맞은 것을 고르시오.

Point 088

06

• My eyesight is poor. It is clear ________ I need to wear glasses.
• I believe ________ the clerk is an honest person.

① if ② after ③ when
④ that ⑤ because

Point 085

07

• What do you usually do ________ school?
• ________ Dorothy drank coffee, she couldn't sleep at all.

① if[If] ② after[After]
③ before[Before] ④ that[That]
⑤ because[Because]

Point 085

08

• Please turn off the lights ________ you go out.
• I take a bath ________ I go to bed.

① that ② after ③ since
④ before ⑤ though

Answer p.66

Point 087

09 다음 대화의 빈칸에 들어갈 말로 알맞은 것은?

A: Mom, do I have to wear my heavy coat?
B: Sure. _________ you don't wear it, you'll catch a cold.

① If ② That ③ After
④ Before ⑤ Unless

[10~11] 다음 중 어법상 틀린 것을 고르시오.

Point 081

10 ① The shirt looks nice, but I don't like it.
② I had a slice of bread and a cup of coffee.
③ My favorite subjects are English and math.
④ Bulgogi and Kimchi hotdogs are very popular in the city.
⑤ My hobbies are collecting stamps and solve math problems.

Point 082

11 다음 중 어법상 틀린 것은?

① I was watching TV when Dad called me.
② I'm very happy and excited for our field trip.
③ Both she and I went to the same kindergarten.
④ I don't like science, after my brother likes science.
⑤ There are many kinds of trees and flowers in the forest.

Point 087

12 다음 빈칸에 들어갈 말이 순서대로 짝지어진 것은?

Unless she _________ her best, she _________ her project on time.

① do – won't finish ② does – won't finish
③ does – finish ④ will do – will finish
⑤ will do – won't finish

서술형

Point 088

13 다음 우리말과 일치하도록 괄호 안의 말을 바르게 배열하시오.

그 마법사가 거짓말쟁이라는 것을 아무도 모른다.
(the wizard, nobody, that, knows, is, a liar)

→ ______________________________

Point 087

14 다음 괄호 안의 말을 이용하여 빈칸에 알맞은 말을 쓰시오.

If I ___________ (finish) my history report, I ___________ (not, go) to the park.

Point 084, 085

15 다음 문장에서 어법상 틀린 부분을 찾아 바르게 고쳐 쓰시오.

My homeroom teacher always tells us, "Don't try to get off the bus before it will stop completely."

______________ → ______________

Point 086

16 다음 두 문장을 괄호 안의 접속사를 이용하여 한 문장으로 바꿔 쓰시오.

I had a toothache. So, I went to the dentist.
(because)

→ ______________________________

Grammar Review 핵심 정리

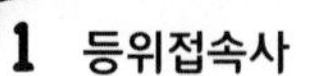

1 등위접속사

등위접속사: 문법적으로 대등한 역할을 하는 단어, 구, 절을 각각 연결하는 말로 and, but, or 등이 있다.

Point

She and I are best friends. 081

☞ and: '그리고', '그래서'라는 뜻으로 서로 비슷한 내용을 연결하거나 혹은 시간 순으로 나열할 때 쓴다.

The table is expensive, but the chair is cheap. 082

☞ but: '그러나', '그런데'라는 뜻으로 서로 반대되는 말이나 대조되는 내용을 연결할 때 쓴다.

Which do you like better, soccer or tennis? 083

☞ or: '또는', '혹은'이라는 뜻이며 둘 중 하나를 선택할 때 쓴다.

2 부사절 접속사

부사절: 문장 내에서 시간, 조건, 이유 등을 나타내며 주절의 의미를 보충하는 역할을 한다.

When I was young, I wanted to be a scientist. 084

☞ when: 시간을 나타내는 부사절 접속사로 '~할 때'라는 의미를 갖는다. 시간 부사절을 이끌며, 주절의 앞이나 뒤 어느 곳이든 올 수 있다.

☞ 시간을 나타내는 접속사가 이끄는 부사절에서는 현재시제로 미래를 나타낸다.

We must go home before it gets dark. 085

☞ before, after: 시간을 나타내는 부사절 접속사로 before는 '~전에', after는 '~후에'라는 뜻이다.

Tim passed the test because he studied very hard. 086

☞ because: '~이기 때문에'라는 의미로 원인이나 이유를 나타낸다.

If Mom comes home, please call me. 087

☞ if: '만일 ~라면[한다면]'이라는 의미로, 조건을 나타낸다.

☞ 조건을 나타내는 접속사가 이끄는 부사절에서는 현재시제로 미래를 나타낸다.

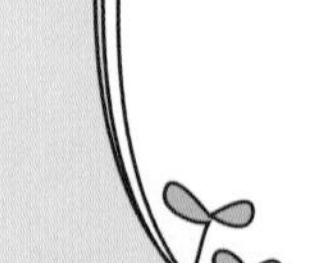

3 명사절 접속사

명사절: 문장에서 명사처럼 주어, 목적어, 보어 역할을 하는 절을 명사절이라고 한다.

The problem is that I can't speak Spanish. 088

☞ 명사절을 이끄는 접속사 that은 '~라는 것'이라는 뜻을 가지며, 목적어 역할을 하는 that은 생략이 가능하다.

LESSON

12

의문문 I (의문사 의문문)

Point 089 사진 속의 이 사람은 누구입니까?

Who is this in the picture?

- 의문사가 포함된 의문문은 「**의문사 + be동사 + 주어~?**」 또는 「**의문사 + 조동사 + 주어 + 동사원형~?**」의 형태로, 이에 대해 Yes/No로 대답하지 않는다.
- 의문사 **who**는 '누구'라는 뜻이다.
  A: **Who** can play the guitar in this class? B: Jake can.
- 의문사 who가 동사나 전치사의 목적어 역할을 할 때 whom('누구를')으로 바꿔 쓸 수 있고, whose는 '누구의 ~', '누구의 것'이라는 뜻이다.
  Whom do you want to meet first? / **Whose** book is this?

STEP 1 다음 괄호 안에서 알맞은 말을 고르시오.

1 Who (is the woman, the woman is)?
2 Who (you met, did you meet) yesterday?
3 (Who, Whose) album is this?
4 (Whom, Whose) did you cook this food for?
5 Whose car (were, did) you borrow?

□ album 사진첩
□ borrow 빌리다

STEP 2 다음 빈칸에 알맞은 의문사를 쓰시오.

1 A: ____________ is the little boy?
B: He is Andy, my son.

2 A: ____________ smartphone is this?
B: It's my mom's.

3 A: ____________ is Alice waiting for?
B: She is waiting for her father.

4 A: ____________ house shall we meet at tonight?
B: How about mine?

5 A: ____________ broke the vase?
B: Ben did.

□ wait for ~를 기다리다
□ break 깨다
□ vase 꽃병

STEP 3 다음 대화의 빈칸에 공통으로 들어갈 말로 알맞은 것은? 내신

A: __________ do you want to go with?
B: I want to go with Jack.
A: __________ is Jack?
B: He is my younger brother.

① Who ② Whose ③ What ④ Which ⑤ Whom

Answer p.67

Point 090 너는 저녁으로 무엇을 먹기를 원하니?

What do you want for dinner?

• 의문사 **what**은 '무엇'이라는 뜻으로, 명사(구)와 함께 쓰여 '무슨 ~'이라는 뜻을 나타내기도 한다.
A: **What**'s your favorite fruit? B: It's melons.
What subject do you like most?

STEP 1 다음 문장에서 틀린 부분을 바르게 고치시오.

1 What colors you like?
2 What he is interested in?
3 Who is your hobby?
4 What sports you can play?
5 What make you think so?

□ be interested in ~에 관심이 있다
□ hobby 취미
□ think 생각하다

STEP 2 다음 우리말과 일치하도록 괄호 안의 말을 바르게 배열하시오.

1 너는 손 안에 무엇을 가지고 있니? (do, in your hand, what, have, you)

____

2 Mary는 지난 주말에 무엇을 했니? (what, Mary, last weekend, did, do)

____

3 우리 삼촌의 결혼식에서 내가 무슨 노래를 불러야 할까?
(should, what, at, sing, my uncle's wedding, I, song)

____

4 너는 지금 무엇에 대해서 생각하고 있니? (are, thinking, what, you, now, about)

____

5 너는 그녀를 위해 무슨 종류의 선물을 샀니?
(present, did, for her, kind of, you, buy, what)

____

□ wedding 결혼식
□ present 선물
□ kind 종류

STEP 3 다음 대화의 빈칸에 들어갈 말로 알맞은 것은? 내신

A: ______________________?
B: I ate a hamburger with a Coke.

① What did you want for lunch?
② What did you eat for lunch?
③ What food did you make?
④ Who did you eat lunch with?
⑤ When did you eat lunch?

□ Coke 콜라

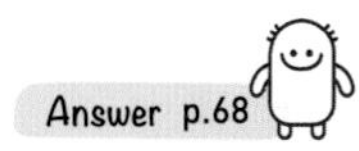

Point 091 너는 커피와 주스 중 어느 것을 더 좋아하니?

Which do you like better, coffee or juice?

- 의문사 **which**는 '어느 것'이라는 뜻으로, 정해진 대상 중에서 선택을 물어볼 때 사용된다.
  A: **Which** is your car, the gray one or the black one?   B: The gray car is mine.
- 의문사 which는 명사(구)나 전치사구와 함께 쓰여 '어떤 ~', '어느 것'이라는 뜻을 나타내기도 한다.
  Which floor is your office on? / **Which** of the two teams won the game?

TIP 의문사 which와 달리, 의문사 what은 정해진 대상 없이 선택을 물어볼 때 사용된다.

STEP 1 다음 괄호 안에서 알맞은 말을 고르시오.

1 (Who, Which) one do you want?
2 (Which, What) size do you wear, small or medium?
3 (Which, What) dish would you recommend?
4 (Which, What) is better for you, swimming or skating?
5 (Which, Who) do you want to travel with?

□ medium (치수 · 길이 등이) 중간의
□ recommend 추천하다
□ travel 여행하다

STEP 2 다음 빈칸에 들어갈 말을 보기 에서 골라 쓰시오.

보기	Who	Whose	What	Which

1 ____________ birthday is today?
2 ____________ did you experience in the camp?
3 ____________ is Lisa's bag among these?
4 ____________ music do you prefer, dance or hip-hop?
5 ____________ is your favorite athlete?

□ experience 경험하다
□ prefer 더 좋아하다
□ favorite 가장 좋아하는
□ athlete 운동선수

STEP 3 다음 빈칸에 공통으로 들어갈 말로 알맞은 것은? 내신

- __________ shirt would you choose, striped or plain?
- __________ car is the most popular among the three?

① What ② Which ③ Whose
④ How ⑤ Where

□ choose 선택하다
□ striped 줄무늬가 있는
□ plain 무늬가 없는
□ popular 인기 있는

Answer p.68

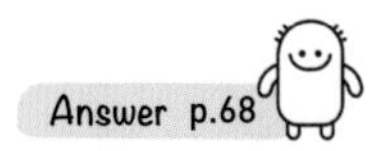

Point 092 야구 경기는 언제 시작하니?

When does the baseball game start?

- 의문사 **when**은 '언제'라는 뜻으로, 시간이나 때를 물어볼 때 사용된다.
  A: **When** is your birthday? B: August 1.
- when으로 시간을 물을 때는 what time으로 바꿔 쓸 수 있다.
  When[**What time**] do you get up?

STEP 1 다음 문장에서 틀린 부분을 바르게 고치시오.

1 When you left for Sydney?
2 When Ms. Parker will be free?
3 When do Daniel go to the library?
4 What time of the week is it today?
5 When does your father gets off work?

□ leave for ~로 떠나다
□ free 한가한, 자유로운
□ get off work 퇴근하다

STEP 2 다음 대화의 흐름에 맞도록 괄호 안의 말을 바르게 배열하시오.

1 A: ______________________ in your life?
(moment, when, happiest, the, was)
B: When I went on a trip to Hawaii.

2 A: ______________________ every morning?
(time, does, Jack, what, jog)
B: He jogs at 6:30 a.m.

3 A: ______________________ this year?
(did, begin, when, jazz festival, the)
B: It began on May 27.

4 A: ______________________ yesterday?
(what, over, the, time, party, was)
B: Around midnight.

□ moment 순간
□ jog 조깅하다
□ festival 축제

STEP 3 다음 대화의 빈칸에 들어갈 말로 알맞은 것은? 내신

A: ________ does your family have breakfast?
B: At 8 o'clock.

① Who ② What ③ Which
④ What time ⑤ How much

Answer p.68

Point 093 국립 박물관은 어디에 있니?

Where is the National Museum?

• 의문사 **where**는 '어디에', '어디서'라는 뜻으로, 장소를 물어볼 때 사용된다.
A: **Where** did she find this treasure? B: In the cave.

STEP 1 다음 괄호 안에서 알맞은 말을 고르시오.

□ Rome 로마

1 (What, Where) are you from?
2 (Who, Where) is his new car?
3 (When, Where) will you visit Paris?
4 I live in Rome. (When, Where) do you live?
5 (Which, Where) fruit do you like better, kiwis or pineapples?

STEP 2 다음 밑줄 친 부분을 묻는 의문문을 완성하시오.

□ earring 귀걸이
□ backyard 뒷마당

1 Janet's school is near her house.
→ ________________ Janet's school?
2 His sister found the dog in the park.
→ ________________ the dog?
3 Amy bought the earrings at that store.
→ ________________ the earrings?
4 Mike can borrow the book in the library.
→ ________________ the book?
5 Kevin grows vegetables in the backyard.
→ ________________ vegetables?

STEP 3 다음 중 짝지어진 대화가 어색한 것은? 내신

□ green tea 녹차
□ else (그 밖의) 다른
□ just now 방금 전에
□ by ~ 옆에

① A: Which one do you want, juice or green tea?
B: I want something else.
② A: When did you come home?
B: I came back just now.
③ A: What can I see in France?
B: You can see the Eiffel Tower.
④ A: Who is the man by the car?
B: He is my friend, Jake.
⑤ A: Where shall we meet?
B: How about one o'clock?

Answer p.69

Why were you late for school?

- 의문사 **why**는 '왜'라는 뜻으로, 이유를 물어볼 때 사용된다. why를 사용한 의문문에 대한 대답은 주로 Because('왜냐하면 ~')로 시작한다.
  A: **Why** did he take a taxi? B: **Because** his car broke down.

STEP 1 다음 질문에 대한 알맞은 응답을 찾아 연결하시오.

1 Why are you so upset? •
2 Why did she come back late? •
3 Why did he buy a new smartphone? •
4 Why do you like the song? •
5 Why do you want to marry him? •

• ⓐ Because he is a very nice man.
• ⓑ Because she worked late.
• ⓒ Because its melody is sweet.
• ⓓ Because he lost his old one.
• ⓔ Because my brother broke my computer.

□ upset 화가 난
□ melody 선율
□ marry 결혼하다

STEP 2 다음 우리말과 일치하도록 괄호 안의 말을 이용하여 빈칸에 알맞은 말을 쓰시오.

1 너는 왜 그렇게 말하니? (say)
_______________ so?

2 그들은 왜 나를 찾고 있니? (look for)
_______________ me?

3 너희 어머니는 왜 너를 꾸짖으셨니? (scold)
_______________ you?

4 John은 왜 인도에 갔니? (go)
_______________ to India?

5 그녀는 왜 오늘 학교에 올 수 없니? (come)
_______________ to school today?

□ look for ~을 찾다
□ scold 꾸짖다
□ India 인도

STEP 3 다음 대화의 빈칸에 들어갈 말이 순서대로 짝지어진 것은? 내신

A: _______ do you like the actor?
B: _______ he is very talented.

① What – And ② Why – And ③ Who – Because
④ What – Because ⑤ Why – Because

□ actor 배우
□ talented 재능이 있는

Point 095 호텔까지 어떻게 가면 되나요?

How can I get to the hotel?

- 의문사 **how**는 '어떻게', '어떤'이라는 뜻으로, 방법이나 상태를 물어볼 때 사용된다.
  A: **How** was your weekend? B: It was great! I went to a concert with my friend.

STEP 1 다음 빈칸에 알맞은 말에 V 표시를 하시오.

1 ________ can rockets fly without wings? □ When □ How
2 ________ do I get to the station? □ Whom □ How
3 ________ does he want for his birthday? □ What □ How
4 ________ was your trip to Iceland? □ Where □ How
5 ________ color do you want to choose, green or purple? □ How □ Which

□ rocket 로켓
□ wing 날개
□ purple 자주색

STEP 2 다음 우리말과 일치하도록 괄호 안의 말을 이용하여 빈칸에 알맞은 말을 쓰시오.

1 커피를 어떻게 드시겠어요? (would, like)
________________ your coffee?

2 제가 당신을 어떻게 도와드릴 수 있을까요? (help)
________________ you?

3 그녀는 그것을 어떻게 알았을까? (know)
________________ that?

4 요즘 당신의 일은 어떻게 되어 가고 있습니까? (business, going)
________________ these days?

5 'The Giver'에서 이야기가 어떻게 끝나니? (story, end)
________________ in *The Giver*?

STEP 3 다음 빈칸에 들어갈 말이 나머지 넷과 다른 것은? 내신

① ________ is the weather today?
② ________ did he become famous so quickly?
③ ________ was the concert last night?
④ ________ do you make a living?
⑤ ________ can I do for you?

□ quickly 빨리
□ make a living 생계를 꾸리다

Answer p.70

Point 096 너희 집은 학교에서 얼마나 머니?

How far is your house from the school?

• 「how + 형용사/부사」는 '얼마나 ~한/~하게'라는 뜻으로, 정도를 물어볼 때 사용된다.

how many+셀 수 있는 명사: 얼마나 많은 수의 ~ (수)	how much+셀 수 없는 명사: 얼마나 많은 양의 ~ (양)
how much: 얼마의 (가격)	how old: 몇 살의 (나이)
how tall: 얼마나 키가 큰/높은 (키/높이)	how long: 얼마나 긴/오래 (길이/기간)
how far: 얼마나 먼 (거리)	how often: 얼마나 자주 (빈도)

How many hairpins do you have? / **How much sugar** do you need?

STEP 1 다음 대화의 A의 말에서 틀린 부분을 바르게 고치시오.

□ take (시간이) 걸리다

1 A: How tall is your mom? B: She is 40 years old.
2 A: How many is this shirt? B: It's 30 dollars.
3 A: How old is it from here? B: It's 5 kilometers.
4 A: How long do you visit your uncle's? B: Once a month.
5 A: How far does it take to the airport? B: It takes about an hour.

STEP 2 다음 우리말과 일치하도록 괄호 안의 말을 바르게 배열하시오.

□ snowman 눈사람
□ market 시장
□ doll 인형

1 너는 지금 돈을 얼마나 갖고 있니? (much, how, do, have, you, money, now)

____

2 그 눈사람의 높이는 어느 정도니? (tall, is, the, how, snowman)

____

3 Sam은 얼마나 자주 수영을 하러 가니? (how, Sam, swimming, often, does, go)

____

4 시장까지의 거리가 어느 정도니? (far, is, to, how, it, market, the)

____

5 Jane은 인형을 얼마나 많이 갖고 있니? (Jane, dolls, does, have, how, many)

____

STEP 3 다음 대화의 빈칸에 들어갈 말로 알맞은 것은? 내신

□ stage 무대
□ twice 두 번

A: ________ does she play the guitar on the stage?
B: Twice a week.

① How often ② How much ③ How long
④ How far ⑤ How

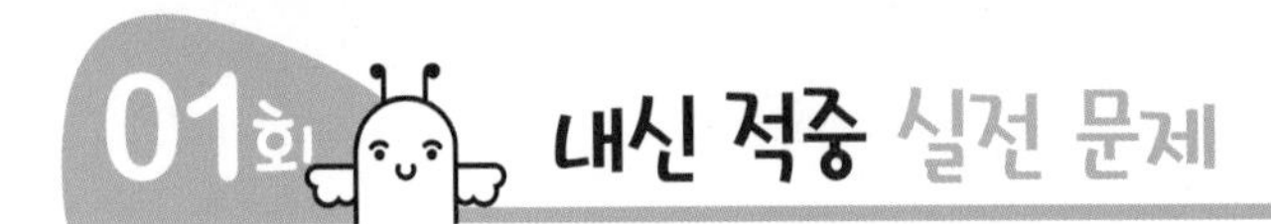

Point 089

01 다음 빈칸에 들어갈 말이 나머지 넷과 다른 것은?

① ________ called my name?
② ________ smartphone is this?
③ ________ teaches you English?
④ ________ do you want to invite?
⑤ ________ is the girl under the tree?

Point 090

02 다음 빈칸에 공통으로 들어갈 말로 알맞은 것은?

• ________ kind of music do you like?
• ________ makes you laugh?

① Who ② How ③ What
④ Why ⑤ Which

[03~04] 다음 응답이 나올 수 있는 질문으로 알맞은 것을 고르시오.

Point 091

03

Q: ________________?
A: I like chili sauce more.

① What is your favorite sauce?
② Would you like to try chili sauce?
③ Are you going to add chili sauce?
④ What sauce would you like to buy?
⑤ Which sauce do you prefer, chili or mustard?

Point 090

04

Q: ________________?
A: She gave her ring to her sister.

① Where did Nancy buy the ring?
② When did Nancy see her sister?
③ Why did Nancy meet her sister?
④ What did Nancy give to her sister?
⑤ How did Nancy go to her sister's house?

Point 092

05 다음 밑줄 친 부분을 대신할 수 있는 말로 알맞은 것은?

What time do you go to bed?

① How ② Why ③ When
④ Where ⑤ Which

Point 093

06 다음 질문에 대한 응답으로 알맞은 것은?

Q: Where is the bike shop?
A: ________________.

① It's mine.
② It's 8 o'clock.
③ It's across the street.
④ I bought a bike there.
⑤ I went there with Tom.

고난도

Point 094

07 다음 대화의 밑줄 친 부분 중 어법상 틀린 것은?

A: ① When are you in such a hurry?
B: The first train ② leaves soon.
A: ③ What time does it leave?
B: In 30 minutes.
A: ④ How will you go to the station?
B: ⑤ On foot.

Point 095

08 다음 밑줄 친 부분 중 의미가 나머지 넷과 다른 것은?

① How far is it from here?
② How old is your father?
③ How high is that mountain?
④ How did they get to the hotel?
⑤ How many books do you have?

[09~10] 다음 중 짝지어진 대화가 어색한 것을 고르시오.

Point 094

09 ① A: What do you do?
B: I'm a dentist.
② A: Where did you travel?
B: I traveled to Italy.
③ A: Why do you like the song?
B: I'm good at singing.
④ A: Who is the girl by the gate?
B: She is my cousin.
⑤ A: When did you go to the lake?
B: Last Sunday.

중요

Point 096

10 ① A: How far is it to the sea?
B: It's 10 kilometers.
② A: How old is your grandfather?
B: He is over 70 years old.
③ A: How long did he stay in London?
B: He is 172 centimeters tall.
④ A: How many necklaces does she have?
B: She has ten.
⑤ A: How often do you visit your parents?
B: Once a week.

Point 091

11 다음 중 어법상 틀린 것은?

① Why is the baby crying?
② How do I get to the hospital?
③ When did Julie leave for Seoul?
④ Where is the Chinese restaurant?
⑤ What do you prefer, milk or soda?

Point 089

12 다음 우리말을 영어로 바르게 옮긴 것은?

너는 누구와 함께 공원에 갔니?

① Who did you go to the park?
② Whom did you go to the park?
③ Whose did you go to the park?
④ Who did you go to the park for?
⑤ Whom did you go to the park with?

서술형

[13~15] 다음 표를 보고, 괄호 안의 말을 이용하여 빈칸에 알맞은 말을 쓰시오.

이름	사는 곳	통학 수단	통학 시간
Dave	Insadong	bus	20 minutes
Alice	Sinchon	subway	15 minutes

Point 093

13 Dave: I live in Insadong.
____________________, Alice? (live)
Alice: I live in Sinchon.

Point 095

14 Dave: ____________________ to school? (go)
Alice: By subway. How about you?
Dave: By bus.

Point 096

15 Alice: ____________________ to school? (take)
Dave: It takes 20 minutes.

Point 092

16 다음 우리말과 일치하도록 괄호 안의 말을 이용하여 빈칸에 알맞은 말을 쓰시오.

우리 방문객들이 몇 시에 도착할까요? (what, arrive)

→ __________ __________ __________ our visitors __________?

내신 적중 실전 문제

[01~03] 다음 대화의 빈칸에 들어갈 말로 알맞은 것을 고르시오.

Point 089

01

A: _________ eraser is this?
B: It's Judy's.

① Who ② What ③ Whom
④ Which ⑤ Whose

Point 090

02

A: _________ color did you choose for your curtains?
B: I chose green.

① Who ② When ③ What
④ Why ⑤ Whose

Point 091

03

A: Are you ready to order?
B: Yes. I want one pepperoni pizza.
A: _________________________?
B: Medium, please.

① How much is it?
② How do you like it?
③ How many do you want?
④ What kind of pizza did you order?
⑤ Which size do you want, large or medium?

Point 092, 093

04 다음 밑줄 친 부분 중 어법상 틀린 것은?

① When does Andy live?
② When did the movie end?
③ When shall we meet again?
④ When does this flower bloom?
⑤ When will you come to my house?

[05~06] 다음 응답이 나올 수 있는 질문으로 가장 알맞은 것을 고르시오.

Point 093

05

Q: _________________________?
A: Go straight two blocks. It's on your right.

① Where is the post office?
② Why did you go to the post office?
③ What did you do at the post office?
④ When did you go to the post office?
⑤ How long does it take to the post office?

Point 094

06

Q: _________________________?
A: Because it is funny.

① What movie do you like?
② How do you like the movie?
③ Why do you like the movie?
④ What do you think of the comedy movie?
⑤ Which do you like the most among these?

Point 095

07 다음 대화의 빈칸에 들어갈 말이 순서대로 짝지어진 것은?

A: _________ was your trip to Italy?
B: It was great.
A: _________ did you go to Italy?
B: By ship.

① How – How ② How – Why
③ Why – Why ④ Why – When
⑤ When – How

고난도

Point 096

08 다음 중 어법상 틀린 것은?

① How tall is this tree?
② How many pencils do you have?
③ How often do you listen to music?
④ How much languages can you speak?
⑤ How long does it take to your office?

Point 094

09 다음 중 어법상 옳은 것은?

① What do you learn Japanese?
② How many milk do you want?
③ Who did you do last Saturday?
④ Why didn't you tell me about it?
⑤ Which did you buy the computer?

중요

Point 089

10 다음 중 짝지어진 대화가 어색한 것은?

① A: Where are your friends?
B: They are in the playground.
② A: Who did you meet last night?
B: I want to meet my son.
③ A: When does the first class begin?
B: It begins at 9:10 a.m.
④ A: How many tickets do you have?
B: I have two.
⑤ A: Why didn't you do your homework?
B: Because I was sick.

Point 095

11 다음 빈칸에 공통으로 들어갈 말로 알맞은 것은?

• _________ is the weather today?
• _________ will you get from the airport to the hotel?

① How ② What ③ When
④ Where ⑤ Which

Point 091

12 다음 빈칸에 들어갈 말이 보기 와 같은 것은?

보기 _________ vegetable do you need, carrots or mushrooms?

① _________ one do you want?
② _________ are you doing now?
③ _________ does your cat look like?
④ _________ is the guy with sunglasses?
⑤ _________ did you go to the party with?

서술형

[13~15] 다음 Mike에 대한 소개글을 참고하여 빈칸에 알맞은 말을 쓰시오.

Hello. My name is Mike Anderson. I live in Hannamdong. I am a Hannam Middle School student. I moved to Korea four years ago. My hobby is playing the flute. Nice to meet you.

Point 093

13 Q: _________ _________ you _________?
Mike: I live in Hannamdong.

Point 092

14 Q: _________ _________ you _________ to Korea?
Mike: I moved to Korea four years ago.

Point 090

15 Q: _________ _________ your hobby?
Mike: My hobby is playing the flute.

Point 096

16 다음 대화에서 어법상 틀린 부분을 찾아 바르게 고쳐 쓰시오.

A: How long do you go fishing?
B: I go fishing once a month.

_________ → _________

Grammar Review 핵심 정리

Point

1 who 의문문

Who is this in the picture? — 089

☞ 의문사가 포함된 의문문: 「의문사+be동사+주어~?」/「의문사+조동사+주어+동사원형~?」
☞ 의문사 who는 '누구'라는 뜻으로, 목적어 역할을 할 때 whom('누구를')으로 바꿔 쓸 수 있고, whose는 '누구의 ~', '누구의 것'이라는 뜻이다.

2 what 의문문

What do you want for dinner? — 090

☞ 의문사 what은 '무엇'이라는 뜻이며, 명사(구) 앞에 올 경우 '무슨 ~'이라는 뜻이다.
☞ 의문사 what은 정해진 대상 없이 선택을 물어볼 때도 사용된다.

3 which 의문문

Which do you like better, coffee or juice? — 091

☞ 의문사 which는 '어느 것'이라는 뜻으로, 정해진 대상 중에서 선택을 물어볼 때 사용된다.
☞ 의문사 which가 명사(구)나 전치사구 앞에 올 경우 '어떤 ~', '어느 것'이라는 뜻이다.

4 when 의문문

When does the baseball game start? — 092

☞ 의문사 when은 '언제'라는 뜻으로, 시간이나 때를 물어볼 때 사용된다.

5 where 의문문

Where is the National Museum? — 093

☞ 의문사 where는 '어디에', '어디서'라는 뜻으로, 장소를 물어볼 때 사용된다.

6 why 의문문

Why were you late for school? — 094

☞ 의문사 why는 '왜'라는 뜻으로, 이유를 물어볼 때 사용된다.

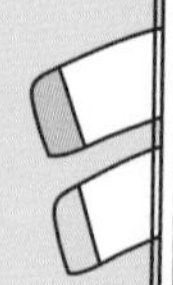

7 how 의문문

How can I get to the hotel? — 095

☞ 의문사 how는 '어떻게', '어떤'이라는 뜻으로, 방법이나 상태를 물어볼 때 사용된다.

How far is your house from the school? — 096

☞ 「how+형용사/부사」는 '얼마나 ~한/~하게'라는 뜻으로, 정도를 물어볼 때 사용된다.

how many+셀 수 있는 명사: 얼마나 많은 수의 ~ (수)	how much+셀 수 없는 명사: 얼마나 많은 양의 ~ (양)
how much: 얼마의 (가격)	how old: 몇 살의 (나이)
how tall: 얼마나 키가 큰/높은 (키/높이)	how long: 얼마나 긴/오래 (길이/기간)
how far: 얼마나 먼 (거리)	how often: 얼마나 자주 (빈도)

LESSON

13

의문문 Ⅱ

Point 097 너는 애플파이를 좋아하지, 그렇지 않니?

You like apple pie, don't you?

- 부가 의문문: 평서문 뒤에 덧붙여 상대에게 사실을 확인하거나 동의를 구할 때 사용하며, '그렇지?' 혹은 '그렇지 않니?'라는 의미를 가진다.
- 긍정문 뒤의 부가 의문문 만드는 방법: 앞 문장이 긍정문일 때, 부가 의문문은 부정으로 쓰며, 이때 부정의 부가 의문문은 축약형을 쓴다.

주어	평서문의 주어 → 대명사 *this/that → it	Thomas is your best friend, **isn't he**? That is your notebook, **isn't it**?
동사와 시제	be동사, 조동사 → be동사, 조동사 일반동사 → do[does/did] 시제는 평서문 시제에 일치	She can swim, **can't she**? Your friends play soccer very well, **don't they**? Your mom was a nurse, **wasn't she**?

TIP 부가 의문문의 대답은 부가 의문문의 내용이 긍정이든, 부정이든 상관없이 대답이 긍정이면 Yes, 부정이면 No로 답하면 된다.

STEP 1 다음 밑줄 친 부분을 바르게 고치시오.

1 You will have a math test tomorrow, don't you?
2 Jenny lost her new shoes, doesn't she?
3 James got an A on the science test, did he?
4 Sally will go swimming after school, won't Sally?
5 Susan and you were very tired yesterday, didn't you?

□ math 수학
□ lose 잃어버리다(-lost-lost)
□ tired 피곤한

STEP 2 빈칸에 알맞은 부가 의문문을 쓰시오.

1 Jane and Jill are sisters, ____________ ____________?
2 The boys and girls can dance very well, ____________ ____________?
3 You like Chinese food, ____________ ____________?
4 The writer's new novel was really exciting, ____________ ____________?
5 Mr. Brown finished his new project, ____________ ____________?

□ writer 작가

STEP 3 다음 대화의 빈칸에 들어갈 말이 순서대로 짝지어진 것은? 내신

A: Briony came from the UK, ____________?
B: ____________. She came from Australia.

① did she – No, she didn't
② didn't she – Yes, she did
③ didn't she – No, she does
④ didn't she – No, she didn't
⑤ doesn't she – Yes, she did

Answer p.75

Point 098 그들은 극장 앞에 있지 않았지, 그렇지?

They were not in front of the theater, were they?

• 부정문 뒤의 부가 의문문 만드는 방법: 앞 문장이 부정문일 때, 부가 의문문은 긍정으로 쓴다.

주어	평서문의 주어 → 대명사 *this/that → it	Jinju didn't have spaghetti for lunch, **did she**? The song wasn't a big hit, **was it**?
동사와 시제	be동사, 조동사 → be동사, 조동사 일반동사 → do[does/did] 시제는 평서문 시제에 일치	He can't read Spanish, **can he**? Emily and you were not that close, **were you**? She doesn't ride a bike, **does she**?

TIP (1) 명령문의 부가 의문문은 앞 문장이 긍정인지, 부정인지와 상관없이 항상 「~, will you?」를 쓴다.
Open the window, **will you**?
(2) 「Let's~」의 부가 의문문은 「~, shall we?」를 쓴다.
Let's take a ten minute break, **shall we**?

STEP 1 다음 괄호 안에서 알맞은 말을 고르시오.

□ be able to ~할 수 있다
□ airport 공항
□ go out 외출하다
□ museum 박물관

1 He is not able to speak German, (does he, is he)?
2 She doesn't know how to get to the airport, (does she, will she)?
3 Clean your room before you go out, (won't you, will you)?
4 You don't like sushi, (don't you, do you)?
5 Let's go to the museum, (will you, shall we)?

STEP 2 다음 우리말과 일치하도록 빈칸에 알맞은 말을 쓰시오.

□ lantern 손전등
□ grade 성적
□ volunteer work 자원 봉사 활동

1 야간 산행을 위해 손전등을 가져와라, 알겠지?
Please bring your lantern for the night hike, ____________ ____________?

2 준서는 그의 쓰기 시험에서 좋은 성적을 받지 못했지, 그렇지?
Junseo didn't get a good grade on his writing test, ____________ ____________?

3 Daniel은 이번 주말에 자원봉사 활동을 하지 않을 거야, 그렇지?
Daniel won't do volunteer work this weekend, ____________ ____________?

4 이번 토요일에 바비큐 파티를 하자, 그렇게 할래?
Let's have a barbecue party this Saturday, ____________ ____________?

STEP 3 다음 밑줄 친 부분 중 어법상 틀린 것은? 내신

□ garbage 쓰레기

① Sally is a great pianist, isn't she?
② They didn't tell you the truth, did they?
③ Don't take out the garbage yet, do you?
④ Let's go see a movie this afternoon, shall we?
⑤ You can't have snack during the break, can you?

Answer p.75

Point 099 우리 같은 초등학교에 다니지 않았니?

Didn't we go to the same elementary school?

- 동사의 부정형으로 시작하는 의문문을 부정 의문문이라고 하며, 이때 부정형은 축약형으로 쓴다.
  Isn't that little boy cute? (be동사)
  Doesn't she teach English at your school? (일반동사)
  Can't David help me this afternoon? (조동사)
- 부정 의문문에 대한 대답은 대답의 내용이 긍정이면 Yes, 부정이면 No로 답한다.
  A: **Isn't** it cold in here? B: Yes, it is. / No, it isn't.

STEP 1 다음 괄호 안에서 알맞은 말을 고르시오.

1 (Don't, Aren't) I know you from somewhere?
2 (Wasn't, Weren't) your teacher nice to your classmates?
3 Look over there. (Isn't, Doesn't) he your dad?
4 (Shouldn't, Weren't) you be in school now?
5 (Don't, Doesn't) your husband do the house chores after work?

□ classmate 학급 친구
□ house chore 집안일

STEP 2 다음 대화의 흐름에 맞도록 빈칸에 알맞은 대답을 쓰시오.

1 A: Wasn't it snowing on your way home?
B: ___________, ___________ ___________. It was actually raining. I got wet.

2 A: Aren't you thirsty?
B: ___________, ___________ ___________. I want something very cold.

3 A: Don't you like horror movies?
B: ___________, ___________ ___________. I never watch horror movies.

4 A: Doesn't your father cook very well?
B: ___________, ___________ ___________. He is the best chef in my family.

□ on one's way (to) (~로) 가는 길에, 도중에
□ actually 사실
□ thirsty 목마른
□ horror movie 공포영화

STEP 3 다음 대화의 빈칸에 들어갈 말로 알맞은 것은? 내신

A: Didn't you lose your cell phone?
B: _______________. But I found it at the Lost and Found center.

① Yes, I didn't. ② Yes, I did ③ Yes, I do.
④ No, I don't. ⑤ No, I didn't.

□ Lost and Found center 분실물 취급소

Point 100 너는 어떤 것을 더 좋아하니, 오렌지 주스 아니면 아이스티?

Which do you like better, orange juice or iced tea?

- 제시된 대상 중 하나를 선택하도록 하는 의문문을 선택 의문문이라고 하며, or를 써서 나타낸다.
- 선택 의문문에 답할 때는 Yes나 No로 답하지 않고, 제시된 대상 중에 하나를 택하여 답한다.
  A: What day do you prefer, Saturday **or** Sunday?　B: I prefer Saturday.

STEP 1 다음 질문에 대한 알맞은 응답을 찾아 연결하시오.

□ table tennis 탁구

1 Would you like coffee or lemon tea? •
2 Was the movie exciting or boring? •
3 Are these glasses yours or his? •
4 Does Jane like to play tennis? •
5 Which season do you like better, winter or summer? •

• ⓐ I like winter better. I hate the hot season.
• ⓑ No, she doesn't. But she likes table tennis.
• ⓒ It was really boring. It put me to sleep.
• ⓓ Lemon tea, please. Coffee doesn't agree with me.
• ⓔ They are not mine. They may be his.

STEP 2 다음 우리말과 일치하도록 빈칸에 알맞은 말을 쓰시오.

□ on foot 걸어서

1 너는 학교에 걸어가니, 아니면 버스 타고 가니?
______ you go to school on foot ______ by bus?

2 너의 친구는 우유를 원하니, 아니면 물을 원하니?
______ your friend want milk ______ water?

3 당신은 어느 것을 선호하세요, 이탈리아 음식 아니면 한국 음식이요?
______ ______ ______ prefer Italian food or Korean food?

4 그는 어느 것을 샀니, 책 아니면 잡지?
______ did he buy, a book ______ a magazine?

STEP 3 다음 대화의 빈칸에 들어갈 말로 알맞은 것은? 내신

A: Is she at school or at the theater?
B: ______.

① Alright.　② Not at all.　③ At the theater.
④ Yes, she is.　⑤ No. At school.

Answer p.76

[01~03] 다음 빈칸에 들어갈 말로 알맞은 것을 고르시오.

Point 098

01

Sam is not coming tonight, ___________?

① is he　② isn't he
③ isn't Sam　④ does he
⑤ doesn't he

Point 097

02

She sent you the file by email, ___________?

① did she　② didn't she
③ does she　④ doesn't she
⑤ wasn't she

Point 097

03

Rachel will visit my parents, ___________?

① won't she　② will she　③ does she
④ doesn't she　⑤ isn't she

Point 100

04 다음 빈칸에 공통으로 들어갈 말로 알맞은 것은?

• Which do you like better, English _________ math?
• Will you go to Jejudo by plane _________ by ship?

① so　② or　③ but
④ and　⑤ with

중요

Point 098

05 다음 중 어법상 <u>틀린</u> 것은?

① You can swim, can't you?
② Aren't you getting hungry?
③ They did not come on time, didn't they?
④ Amy won't go to the restaurant, will she?
⑤ Would you like a sandwich or a hamburger?

[06~08] 다음 질문에 대한 대답으로 알맞은 것을 고르시오.

Point 099

06

A: Aren't you tired?
B: ___________. I need some rest now.

① No, I am.　② Yes, I am.
③ No, I'm not.　④ Yes, I'm not.
⑤ No. I'm okay.

Point 098

07

A: He doesn't get up early, does he?
B: ___________. He's an early bird.

① No, he does.　② No, he doesn't.
③ No, he didn't.　④ Yes, he doesn't.
⑤ Yes, he does.

Point 100

08

A: Which skirt would you like to choose, the red one or the blue one?
B: ______________________.

① No. I hate red.
② I'll take the blue one.
③ Yes, I like the blue skirt.
④ I don't have a blue skirt.
⑤ Sure. I'll buy the red one.

Answer p.76

Point 099

09 다음 우리말을 영어로 바르게 옮긴 것은?

너는 네 수학 숙제를 하지 않았니?

① Don't you do your math homework?
② Didn't you do your math homework?
③ Aren't you do your math homework?
④ Doesn't you do your math homework?
⑤ Weren't you do your math homework?

Point 097

10 다음 대화의 밑줄 친 부분 중 어법상 틀린 것은?

A: You cannot(①) speak(②) French, can't you(③)?
B: Yes, I can(④). I can speak(⑤) French very well.

Point 097, 098

11 다음 밑줄 친 부분 중 어법상 틀린 것은?

① You will be back by 7, won't you?
② You don't want to stay at home, do you?
③ Write your answer on the paper, will you?
④ You bought them at the supermarket, did you?
⑤ You are interested in classical music, aren't you?

Point 100

12 다음 대화의 빈칸에 들어갈 말로 알맞은 것은?

A: ________ do you like better, a ball point pen or a pencil?
B: I prefer a pencil.

① Which ② Who ③ Where
④ When ⑤ How

서술형

Point 100

13 다음 두 문장을 선택 의문문으로 바꿔 쓰시오.

Did Mary come from America?
Did Mary come from China?

→ ________________________

[14~15] 다음 우리말과 일치하도록 괄호 안의 말을 이용하여 빈칸에 알맞은 말을 쓰시오.

Point 100

14

그녀는 쇼핑을 가는 것을 좋아하니? 아니면 친구들과 외출하는 것을 좋아하니? (go shopping, go out)

→ Does she like ________ ________ ________ ________ ________ ________ ________ with friends?

Point 099

15

지나는 다음 주 토요일에 인도로 갈 예정이 아니니? (be going to, go to India)

→ ________ Jina ________ ________ ________ ________ ________ next Saturday?

Point 097

16 다음 대화의 흐름에 맞도록 빈칸에 알맞은 부가 의문문과 대답을 쓰시오.

A: Koreans serve kimchi at almost every meal, ________ ________?
B: Yes, ________ ________. Try some kimchi. It's delicious.

[01~02] 다음 빈칸에 들어갈 말로 알맞은 것을 고르시오.

Point 098

01

That comic book was not really good, ________?

① is it ② was it ③ isn't it
④ wasn't it ⑤ doesn't it

Point 098

02

Never throw trash on the street, ________?

① will you ② don't we ③ shall we
④ don't you ⑤ won't you

Point 098

03 다음 우리말을 영어로 바르게 옮긴 것은?

점심으로 스파게티를 먹자, 그렇게 할래?

① Let's have spaghetti for lunch, will we?
② Let's have spaghetti for lunch, shall we?
③ Let's have spaghetti for lunch, don't we?
④ Let's have spaghetti for lunch, won't we?
⑤ Let's have spaghetti for lunch, let's not we?

중요

Point 099

04 다음 중 짝지어진 대화가 어색한 것은?

① A: Wasn't the class fun?
B: Yes, it was.
② A: Didn't you finish your homework?
B: Yes, I didn't.
③ A: Can't you go home by yourself?
B: Sure, I can.
④ A: She is your best friend, isn't she?
B: No, she isn't.
⑤ A: Don't do that again, will you?
B: Okay.

[05~07] 다음 중 어법상 틀린 것을 고르시오.

Point 099

05
① Doesn't that a great idea?
② You like classical music, don't you?
③ Will you go outside or stay at home?
④ Let's go fishing this weekend, shall we?
⑤ Tim and Sarah are best friends, aren't they?

Point 097

06
① Can't you be more careful?
② Wasn't the lecture a little boring?
③ Don't you have a terrible headache?
④ Will you go to City Hall by bus or by taxi?
⑤ They are going to have a garage sale, won't they?

Point 097

07
① Won't you explain it to me?
② Aren't you studying history?
③ Does he work at a hospital or at a restaurant?
④ Which flavor would you like to try, vanilla or strawberry?
⑤ Your older brother goes to Daehan High School, don't he?

[08~09] 다음 질문에 대한 대답으로 알맞은 것을 고르시오.

Point 099

08

A: Isn't he a doctor?
B: ________________. He's a nurse.

① Yes, he is. ② No, he isn't.
③ Sure, he is. ④ Yes, he does.
⑤ No, he doesn't.

Point 099

09

A: Didn't you go to the hospital?
B: ________________. But I still have a fever.
I think I need to go see a doctor again.

① Yes, I did. ② Yes, I do.
③ No, I won't. ④ No. I didn't.
⑤ Yes, I didn't.

고난도

Point 099

10 다음 질문에 대한 대답으로 알맞지 않은 것은?

A: You won the gold medal in the women's 100m butterfly final. Aren't you happy?
B: ______________________.
I am excited about it.

① Yes, I am. ② Of course I am.
③ Absolutely. ④ No. I'm really happy.
⑤ Sure. I am so happy.

Point 100

11 다음 대화의 빈칸에 들어갈 말로 알맞은 것은?

A: ___________ season do you like better, spring or fall?
B: I prefer spring.

① How ② Why ③ When
④ Which ⑤ Where

중요

Point 097

12 다음 빈칸에 들어갈 말이 순서대로 짝지어진 것은?

- Tom and his little brother went to the museum, ___________?
- You and I will visit the Christmas market, ___________?

① didn't we – won't we
② didn't you – won't you
③ didn't they – won't we
④ did they – won't we
⑤ didn't they – will we

서술형

Point 097

13 다음 문장에서 밑줄 친 부분을 바르게 고쳐 쓰시오.

You know Miss Glen very well, do you?

Point 099

14 다음 우리말과 일치하도록 빈칸에 알맞은 말을 쓰시오.

내 문자 메시지를 못 받았니?

→ ___________ you get my text message?

Point 097

15 빈칸에 알맞은 부가 의문문을 쓰시오.

Every dish at dinner tasted delicious, ________ ________?

Point 100

16 다음 우리말과 일치하도록 괄호 안의 말을 바르게 배열하시오.

너는 등산과 자전거 타기 중 어느 것을 더 좋아하니?
(mountain climbing, do, you, which, prefer, or, cycling)

→ ________________________________
____

Grammar Review 핵심 정리

1 부가 의문문

부가 의문문: 평서문 뒤에 덧붙여 상대에게 사실을 확인하거나 동의를 구할 때 사용하며, '그렇지?' 혹은 '그렇지 않니?' 라는 의미를 가진다.

부가 의문문 만드는 방법

주어	평서문의 주어 → 대명사 *this/that → it
동사와 시제	be동사, 조동사 → be동사, 조동사 일반동사 → do[does/did] 시제는 평서문 시제에 일치

Point

You like an apple pie, **don't you**? 097

☞ 앞 문장이 긍정문일 때, 부가 의문문은 부정으로 쓰며, 이때 부정의 부가 의문문은 축약형을 쓴다.

They were not in front of the theater, **were they**? 098

☞ 앞 문장이 부정문일 때, 부가 의문문은 긍정으로 쓴다.

2 부정 의문문

Didn't we go to the same elementary school? 099

☞ 동사의 부정형으로 시작하는 의문문을 부정 의문문이라고 하며, 이때 부정형은 축약형으로 쓴다.
☞ 부정 의문문에 대한 대답은 대답의 내용이 긍정이면 Yes, 부정이면 No로 답한다.

3 선택 의문문

Which do you like better, orange juice **or** iced tea? 100

☞ 제시된 대상 중 하나를 선택하도록 하는 의문문을 선택 의문문이라고 하며, or를 써서 나타낸다.
☞ 선택 의문문에 답할 때는 Yes나 No로 답하지 않고, 제시된 대상 중에 하나를 택하여 답한다.

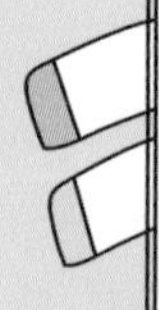

LESSON

14

감탄문과 명령문

Point 101 참 아름다운 날이구나!

What a beautiful day it is!

- 감탄문은 기쁨, 놀라움, 슬픔 등의 감정을 표현하는 문장으로, '참 ~하구나!', '얼마나 ~한가!'라고 해석한다.
- What으로 시작하는 감탄문은 다음과 같은 어순으로 쓴다.
  - What 뒤에 단수 명사가 올 때: 「**What + a/an + 형용사 + 단수 명사(+ 주어 + 동사)!**」
    What an intelligent boy (he is)!
  - What 뒤에 복수 명사가 올 때: 「**What + 형용사 + 복수 명사(+ 주어 + 동사)!**」
    What lovely cats (they are)!

TIP What으로 시작하는 감탄문에서 셀 수 없는 명사가 오는 경우에는 a[an]나 -s[-es]를 붙이지 않는다.

STEP 1 다음 문장을 우리말로 해석하시오.

1 What a great pool they have!
2 What a hard time we had!
3 What shocking news it was!
4 What sweet grapes she bought!
5 What a polite man he is!

□ pool 수영장
□ shocking 충격적인
□ polite 예의 바른

STEP 2 다음 괄호 안의 말을 바르게 배열하여 감탄문을 완성하시오.

1 ______________________________
(air, is, fresh, it, what)

2 ______________________________
(what, doll, have, you, cute, a)

3 ______________________________
(what, funny, book, a, is, it)

4 ______________________________
(a, scary, it, was, movie, what)

5 ______________________________
(great, these, what, running shoes, are)

□ fresh 신선한
□ doll 인형
□ scary 무서운
□ running shoes 운동화

STEP 3 다음 괄호 안의 말을 배열하여 문장을 완성할 때, 네 번째로 오는 단어는? 내신

A: Look! How do I look in this picture?
B: You look pretty. ____________________!
(wearing, what, you're, beautiful, dress, a)
A: Thanks.

① beautiful ② you're ③ what ④ dress ⑤ wearing

□ picture 사진
□ wear 입고 있다

Answer p.79

How wonderful the world is!

- How로 시작하는 감탄문은 「**How + 형용사/부사(+ 주어 + 동사)!**」의 어순으로 쓴다.
  How beautiful these flowers are!
  How well the ballerina dances!

STEP 1 다음 괄호 안에서 알맞은 말을 고르시오.

1 (What, How) nice the car is!
2 (What, How) a wonderful father!
3 (What, How) dark it is tonight!
4 (What, How) close we live to the theater!
5 (What, How) a brave soldier you were!

□ close 가까이
□ theater 극장
□ brave 용감한
□ soldier 군인

STEP 2 다음 주어진 문장을 How로 시작하는 감탄문으로 바꿔 쓰시오.

1 The mountain is very high.
→ ______________________________

2 The old man smiles very gently.
→ ______________________________

3 The dog barked very loudly.
→ ______________________________

4 The students were very smart.
→ ______________________________

5 The tower is very huge.
→ ______________________________

□ gently 다정하게
□ bark 짖다
□ loudly 큰 소리로
□ huge 거대한

STEP 3 다음 빈칸에 들어갈 말이 순서대로 짝지어진 것은? 내신

A: Hmm. ________ a good smell!
B: The hamburgers are almost done. Do you want to taste one?
A: Yes. I'd like a bite.
[After trying a bite]
B: ________ do you like it?
A: Oh, I love it. ________ delicious it is!

① How – What – How
② What – What – How
③ How – How – What
④ What – How – How
⑤ How – What – What

□ almost 거의
□ done 다 된
□ taste 맛보다
□ bite 한 입; 물다

Answer p.79

Point 103 수업 시간에는 휴대폰을 끄세요.

Turn off your cell phone during class.

- 명령문은 상대에게 어떤 행동을 하라고 시키거나 요구하는 문장이다.
- 긍정 명령문은 주어(You)를 생략하고 동사원형으로 시작하며, '~해라'라고 해석한다.
  Do your homework before you play.
  Be careful when you are swimming in the river.

TIP 공손한 표현을 만들기 위해 명령문의 앞이나 뒤에 **please**를 붙이기도 한다.

STEP 1 다음 괄호 안에서 알맞은 말을 고르시오.

1 Please (open, opens) the window.
2 Before dinner, (wash, washing) your hands.
3 (Did you do, Do) your best before you give up.
4 (Want, I want) to go home early and take a rest.
5 (Be, Being) nice to your friends in the classroom.

□ give up 포기하다
□ take a rest 휴식을 취하다

STEP 2 다음 우리말과 일치하도록 보기 의 말을 이용하여 빈칸에 알맞은 말을 쓰시오.

보기 exercise drink wash spend pour

1 사발에 약간의 물을 따르세요.
_______ _______ _______ into the bowl.
2 수학 공부에 더 많은 시간을 쓰세요.
_______ _______ _______ studying math.
3 공원에서 매일 운동하세요.
_______ _______ _______ in the park.
4 더울 때는 차가운 무언가를 마셔요.
_______ _______ _______ when it's hot.
5 잠자리에 들기 전에 세수를 하세요.
_______ _______ _______ before you go to bed.

□ bowl 사발
□ math 수학

STEP 3 다음 두 문장이 같은 뜻이 되도록 할 때, 빈칸에 들어갈 말로 알맞은 것은? 내신

You should lift your head and be confident.
= Lift your head and _______ confident.

① be ② to be ③ are
④ being ⑤ should be

□ lift 들어 올리다
□ confident 자신감 있는

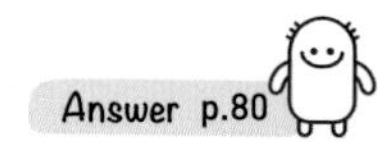

Point 104 도서관에서 시끄럽게 하지 마세요.

Don't make noise in the library.

- 부정 명령문은 「**Don't + 동사원형~**」의 형태로, '~하지 마라'라고 해석한다.
  Don't be so hard on him. Everyone makes mistakes.
  Don't talk behind someone's back.
  TIP 강한 금지를 나타낼 때 「Never + 동사원형~」을 쓰며, '절대로 ~하지 마라'라고 해석한다.

STEP 1 다음 밑줄 친 부분을 바르게 고치시오.

□ broken 깨진
□ floor 바닥
□ burner 버너, 가열 기구
□ get out of ~에서 나가다

1. Doesn't be too sad. Cheer up.
2. Touch not the broken glass on the floor.
3. Not leave the kitchen when the burners are on.
4. Be never get out of your car to take pictures of bears.
5. Don't worrying about the test tomorrow. It's just a simple quiz.

STEP 2 다음 우리말과 일치하도록 괄호 안의 말을 이용하여 빈칸에 알맞은 말을 쓰시오.

□ icy 얼음으로 뒤덮인
□ meeting 회의
□ trash 쓰레기
□ forget 잊다

1. 빙판길에서는 절대로 빠르게 운전하지 마시오. (never, fast)
   ______________ on icy roads.
2. 회의에 절대로 늦지 마세요. (never, late)
   ______________ for a meeting.
3. 식물에 물을 너무 자주 주지 마세요. (not, water)
   ______________ the plant too often.
4. 해변에 쓰레기를 버리지 마시오. (not, throw away)
   ______________ the trash on the beach.
5. 책을 갖고 오는 것을 잊지 마세요. (not, forget)
   ______________ to bring your books with you.

STEP 3 다음 빈칸에 공통으로 들어갈 말로 알맞은 것은? 내신

□ recycling 재활용
□ special 특별한
□ dessert 디저트

- ________ put the cans and plastics outside. Today is not recycling day.
- ________ you want to try this special dessert?

① Do ② Please ③ Never
④ Doesn't ⑤ Don't

Point 105 저를 따라오세요, 그러면 당신에게 길을 알려드릴게요.

Follow me, and I will show you the way.

- 「명령문, and~」: '…해라, 그러면 ~할 것이다'
  Drink some hot tea, and you will feel better.
- 「명령문, or~」: '…해라, 그렇지 않으면 ~할 것이다'
  Put on your coat, or you will catch a cold.

TIP 「명령문, and~」는 「If you+동사…」로, 「명령문, or~」는 「If you don't+동사원형…」이나 「Unless you+동사…」로 바꿔 쓸 수 있다.

STEP 1 다음 괄호 안에서 알맞은 말을 고르시오.

□ in danger 위험에 처한
□ work out 운동하다
□ flea market 벼룩시장
□ save 절약하다

1 Be careful, (and, or) you will be in danger.
2 Write her address down, (and, or) you will forget it.
3 Leave right away, (and, or) you will not be late.
4 Work out every day, (and, or) you will lose weight.
5 Buy things at the flea market, (and, or) you'll save a lot of money.

STEP 2 자연스러운 문장이 되도록 접속사 and나 or를 이용하여 (A)와 (B)를 연결하시오.

□ feed 먹이를 주다
□ post office 우체국
□ fall down 넘어지다
□ on time 정각에

(A)		(B)
Feed the cat, Open the window, Take a taxi, Watch out, Turn right,	and or	it will be hungry. you will see the post office. you may fall down. you will get there on time. it will get too hot in here.

1 Feed the cat, or ______________________
2 ______________________
3 ______________________
4 ______________________
5 ______________________

STEP 3 다음 두 문장이 같은 뜻이 되도록 할 때, 빈칸에 들어갈 말이 순서대로 짝지어진 것은? 내신

□ pass 합격하다

> ________ you study hard, you will not pass the exam.
> = Study hard, ________ you will not pass the exam.

① If – or ② If – and ③ Unless – or
④ Unless – and ⑤ Because – or

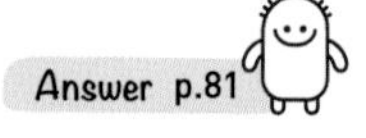

Point 106 오늘 밤에 영화 보러 가자.

Let's go to a movie tonight.

- 「**Let's + 동사원형~**」은 '(우리) ~하자', 「**Let's not + 동사원형~**」은 '(우리) ~하지 말자'라는 뜻으로, 권유나 제안을 할 때 사용된다.
  Let's not waste any more time.
- 「Let's + 동사원형~」은 다음과 같은 표현으로 바꿔 쓸 수 있다.

「**Shall we + 동사원형~?**」	**Shall we watch** TV now?
「**Why don't we + 동사원형~?**」	**Why don't we watch** TV now?
「**How/What about** + v-ing~?」	**How[What] about watching** TV now?

STEP 1 다음 문장에서 틀린 부분을 바르게 고치시오.

1 I'm so sleepy and tired. Let's play tennis today.
2 Shall we going out through the south exit?
3 Let's not have something cold. It's so hot.
4 Isn't it boring? What about do something fun?
5 Why do we stay inside? A heavy rain will begin to fall soon.

□ south 남쪽에 있는
□ exit 출구
□ boring 지루한
□ heavy rain 폭우

STEP 2 다음 주어진 문장을 괄호 안의 말을 이용하여 바꿔 쓰시오.

1 Let's wait a little longer. (shall we)
→ ______________________________

2 Let's have Italian food for lunch. (why don't we)
→ ______________________________

3 Let's go fishing this weekend. (how about)
→ ______________________________

4 Let's take a walk along the river. (what about)
→ ______________________________

5 Let's buy fish at the fish market. (how about)
→ ______________________________

□ Italian 이탈리아의
□ take a walk 산책하다
□ along ~을 따라

STEP 3 다음 대화의 빈칸에 들어갈 말로 알맞은 것은? 내신

A: Jane, I'm sorry. I can't make it to dinner tonight. I've got a lot of work to do.
B: All right. __________ get together for dinner some other time then.

① Let's ② Let's not ③ Shall we
④ How about ⑤ What about

□ make it (모임 등에) 가다
□ get together 만나다
□ some other time 다음에

Answer p.81

Point 101, 102

01 다음 빈칸에 들어갈 말이 나머지 넷과 다른 것은?

① ________ a small world!
② ________ a beautiful view!
③ ________ an exciting story!
④ ________ unique this skirt is!
⑤ ________ tasty snacks these are!

Point 104

02 다음 중 어법상 틀린 것은?

① Let's order a pizza.
② Tell her the answer.
③ Don't gives up easily.
④ Never spread a rumor.
⑤ Open the door, please.

Point 106

03 다음 대화의 빈칸에 들어갈 말로 알맞지 않은 것은?

A: Aren't you hungry?
B: Yes. I'm really hungry.
A: Me, too. ______________________________
B: Sounds good.

① Let's go out for lunch.
② Shall we go out for lunch?
③ How about going out for lunch?
④ Why don't you go out for lunch?
⑤ What about going out for lunch?

Point 101

04 다음 주어진 문장을 감탄문으로 바꿀 때, 빈칸에 들어갈 말로 알맞은 것은?

You are a very good cook.
→ ____________ cook you are!

① So good ② How good
③ What good ④ How a good
⑤ What a good

Point 105

05 다음 세 문장이 같은 뜻이 되도록 할 때, 빈칸에 들어갈 말이 순서대로 짝지어진 것은?

Leave now, ________ you will miss your flight.
= ________ you don't leave now, you will miss your flight.
= ________ you leave now, you will miss your flight.

① or – Unless – If
② and – Unless – If
③ or – If – Unless
④ and – If – Unless
⑤ so – If – Unless

[06~07] 다음 빈칸에 공통으로 들어갈 말로 알맞은 것을 고르시오.

Point 102, 106

06

• ________ about going on a picnic this weekend?
• ________ interesting the book is!

① What ② How ③ So
④ Very ⑤ Let's

Point 105

07

• Don't drink cold water, ________ you will keep coughing.
• Which do you like better, coffee ________ tea?

① as ② or ③ and
④ but ⑤ because

고난도

Point 103

08 다음 밑줄 친 부분 중 어법상 틀린 것은?

① Let's Follow the Class Rules
② Come to class on time.
③ Never run in the classroom.
④ Don't talk loudly during class.
⑤ Kind to your teachers and friends.

Answer p.82

[09~10] 다음 대화의 빈칸에 들어갈 말로 알맞은 것을 고르시오.

Point 104

09

> A: I want to be a nurse, but my parents don't like my idea.
> B: Well, ______________ on your dream. I believe you will be a great nurse.

① no give up
② not give up
③ never give up
④ don't giving up
⑤ never giving up

Point 105

10

> A: I'm worried about the soccer match.
> B: Don't worry. Practice hard, ______________.

① if you win the match
② if you lose the match
③ or you will win the match
④ unless you lose the match
⑤ and you will win the match

Point 106

11 다음 중 어법상 옳은 것은?

① What about waits for her?
② Let's eating some snacks.
③ Shall we playing table tennis?
④ How about turn the volume down?
⑤ Why don't we go to the shopping mall?

Point 105

12 다음 두 문장이 같은 뜻이 되도록 할 때, 빈칸에 들어갈 말로 알맞은 것은?

> If you go to school by taxi, you won't be late for the first class.
> = Go to school by taxi, __________ you won't be late for the first class.

① and ② but ③ or ④ so ⑤ as

서술형

Point 101, 102

13 다음 지민이의 영어 시험 답안지를 채점하여 점수를 쓰고, 어법상 틀린 부분을 찾아 바르게 고쳐 쓰시오.

> **English Test** **Name**: Kim, Jimin
> (1) 정원이 참 아름답군요! [3점]
> → What beautiful the garden is!
> (2) 당신은 정말 친절하군요! [3점]
> → How kind you are!
> (3) 정말 정직한 사람이군요! [3점]
> → How an honest man!

점수: __________
틀린 것: ( ) ______________ → ______________
( ) ______________ → ______________

Point 101

14 다음 대화의 흐름에 맞도록 괄호 안의 말을 이용하여 감탄문을 완성하시오.

> A: Wow, this drawing is great. Did Tom draw it?
> B: Yes, he did.
> A: __________ __________ __________ student he is! (talented)

Point 106

15 다음 대화의 흐름에 맞도록 괄호 안의 말을 이용하여 빈칸에 알맞은 말을 쓰시오.

> A: ______________________________ (why, ride a bike)
> B: That sounds great. I'll go home and get my bike. Let's meet back here at 4 o'clock.

Point 103

16 다음 우리말과 일치하도록 주어진 조건을 이용하여 영작하시오.

> **조건 1** 총 7단어로 쓸 것
> **조건 2** push를 사용할 것

테이블 위의 버튼을 눌러 주세요.
→ ______________________________

Point 102

01 다음 밑줄 친 부분 중 어법상 틀린 것은?

> What(①) handsome(②) you(③) look(④) in(⑤) a tuxedo!

Point 103

02 다음 밑줄 친 우리말을 영어로 바르게 옮긴 것은?

> A: My body aches all over. I feel really tired.
> B: 집에 일찍 가서 좀 쉬어요.
> A: I'm afraid I can't. I have to finish my work first.

① Go home early and take some rest.
② Going home early and taking some rest.
③ To go home early and to take some rest.
④ You can't go home early and take some rest.
⑤ Please go home early, and you'll take some rest.

Point 105

03 다음 빈칸에 들어갈 말로 알맞은 것은?

> Get up early in the morning, ________ you can arrive there on time.

① or ② and ③ so ④ but ⑤ as

Point 101

04 다음 대화의 빈칸에 들어갈 말로 알맞은 것은?

> A: Mr. Kim is a great teacher. He's kind and funny. He always smiles.
> B: ______________________________!

① How wonderful teacher he is!
② What wonderful teacher he is!
③ What wonderful the teacher is!
④ How a wonderful teacher he is!
⑤ What a wonderful teacher he is!

Point 104

05 다음 주어진 문장을 명령문으로 바르게 바꾼 것은?

> You should not eat sweets just before a meal.

① Eat sweets just before a meal.
② Don't eat sweets just before a meal.
③ Never eats sweets just before a meal.
④ Please eat sweets just before a meal.
⑤ Do not eating sweets just before a meal.

Point 103

06 다음 빈칸에 공통으로 들어갈 말로 알맞은 것은?

> • ________ quiet in the museum.
> • ________ careful when you cross the street.

① Be ② Do ③ Have
④ Take ⑤ Don't

Point 101, 104

07 다음 중 어법상 틀린 것을 모두 고르면?

> (a) How wise the old lady is!
> (b) Be nice to your little sister.
> (c) Don't turning off the light.
> (d) What an expensive gloves they are!
> (e) Why don't we order some Chinese food?

① (a), (b) ② (a), (b), (c) ③ (b), (c), (d)
④ (c), (d) ⑤ (c), (d), (e)

Point 105

08 다음 두 문장이 같은 뜻이 되도록 할 때, 빈칸에 들어갈 말이 순서대로 짝지어진 것은?

> ________ you don't eat breakfast, you will get hungry soon.
> = Eat breakfast, ________ you will get hungry soon.

① If – or ② If – and
③ If – so ④ Unless – and
⑤ Unless – or

Answer p.83

09 Point 102
다음 주어진 문장을 감탄문으로 바꿀 때, 빈칸에 들어갈 말로 알맞은 것은?

The house was very huge.
→ ________ huge the house was!

① So ② How ③ Very
④ What ⑤ Which

10 Point 106
다음 중 어법상 틀린 것은?

① Shall we taking the subway?
② Let's learn how to play the violin.
③ Why don't we rest for a moment?
④ What about taking a taekwondo class?
⑤ How about meeting for dinner at 7 p.m.?

11 Point 103, 106
다음 중 어법상 옳은 문장의 개수는?

• Don't touches strange plants.
• Please take off your shoes.
• What fantastic a concert!
• How great is the song!
• Let's buy some ice cream.

① 1개 ② 2개 ③ 3개 ④ 4개 ⑤ 5개

12 Point 105
다음 보기 와 의미가 같은 것은?

보기 Take an umbrella, or you will get wet.

① If you take an umbrella, you will get wet.
② If you don't take an umbrella, you will get wet.
③ Unless you take an umbrella, you won't get wet.
④ If you don't take an umbrella, you won't get wet.
⑤ Unless you don't take an umbrella, you will get wet.

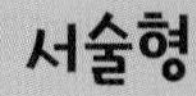

고난도
13 Point 104, 106
다음은 환경보호 캠페인 문구이다. 다음 문장에서 어법상 틀린 부분을 찾아 바르게 고쳐 쓰시오.

(1) Let's not driving a car every day.
(2) Carry your own cup or water bottle.
(3) Not throw away trash on the ground.

( ) ________ → ________
( ) ________ → ________

14 Point 101, 102
다음 주어진 문장을 괄호 안의 말을 이용하여 감탄문으로 바꿔 쓰시오.

(1) She is a very intelligent girl. (what)
→ ________
(2) The weather is very nice. (how)
→ ________

15 Point 106
다음 우리말과 일치하도록 괄호 안의 말을 바르게 배열하시오.

우리 집에 잠시 들러서 커피 한 잔 마시자.
(my place, drink, stop by, let's, a cup of, and, coffee)

→ ________

16 Point 103, 104
다음 우리말과 일치하도록 괄호 안의 말을 이용하여 빈칸에 알맞은 말을 쓰시오.

건강을 위해 패스트푸드를 너무 자주 먹지 마라. 대신 매일 과일과 채소를 먹어라. (eat)

→ For your health, ________ ________ ________ ________ too often. Instead, ________ ________ ________ ________ every day.

Grammar Review 핵심 정리

1 What 감탄문

Point

What a beautiful day it is! 101

☞ 감탄문은 기쁨, 놀라움, 슬픔 등의 감정을 표현할 때 쓴다.
☞ What으로 시작하는 감탄문: 「What+a/an+형용사+단수 명사(+주어+동사)!」 또는 「What+형용사+복수 명사(+주어+동사)!」

2 How 감탄문

How wonderful the world is! 102

☞ How로 시작하는 감탄문: 「How+형용사/부사(+주어+동사)!」

3 긍정 명령문

Turn off your cell phone during class. 103

☞ 명령문은 상대에게 어떤 행동을 하라고 시키거나 요구할 때 쓰며, 긍정 명령문은 주어(You)를 생략하고 동사원형으로 시작한다.

4 부정 명령문

Don't make noise in the library. 104

☞ 부정 명령문: 「Don't/Never+동사원형~」

5 명령문, and/or ~

Follow me, and I will show you the way. 105

☞ 「명령문, and~」: '…해라, 그러면 ~할 것이다' (=「If you+동사…」)
☞ 「명령문, or~」: '…해라, 그렇지 않으면 ~할 것이다' (=「If you don't+동사원형…」, 「Unless you+동사…」)

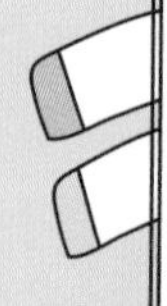

6 권유의 명령문 Let's ~

Let's go to a movie tonight. 106

☞ 「Let's+동사원형~」: '(우리) ~하자' (=「Shall we+동사원형~?」, 「Why don't we+동사원형~?」, 「How/What about+v-ing~?」)
☞ 「Let's not+동사원형~」: '(우리) ~하지 말자'

LESSON 15

전치사

Point 107 수미는 아침 7시에 일어난다.

Sumi gets up at 7 in the morning.

- 전치사는 명사나 대명사 앞에서 시간, 장소, 방향, 수단 등을 나타낸다.
- in은 연도, 월, 계절, 아침, 점심, 저녁 등 비교적 긴 시간을 나타낸다.
  in 2017, **in** March, **in** (the) winter, **in** the morning[afternoon, evening]
- on은 날짜, 요일, 특정한 날을 나타낸다.
  on January 1, **on** Sunday, **on** Christmas Day
- at은 구체적인 시간이나 특정한 시점을 나타낸다.
  at 2 o'clock, **at** noon, **at** night, **at** lunchtime

STEP 1 다음 괄호 안에서 알맞은 말을 고르시오.

1 School begins (at, in) 9 o'clock.
2 I entered middle school (on, in) 2017.
3 Mina goes to church (at, on) Sundays.
4 Why don't we meet (at, on) noon?
5 My family goes to the beach (in, on) (the) summer.

□ begin 시작하다
□ enter 입학하다
□ Why don't we ~? ~하는 게 어때?
□ noon 정오, 낮 12시
□ beach 해변

STEP 2 다음 빈칸에 들어갈 말로 알맞은 것을 보기에서 골라 쓰시오. (중복 사용 가능)

보기 in on at

1 He was a famous model ________ his youth.
2 I usually wake up late ________ Sundays.
3 Many people gain weight ________ (the) fall.
4 Koreans eat songpyeon ________ Chuseok.
5 Sumi was born ________ July 7, 2003.

□ wake up 일어나다
□ gain weight 체중이 늘다

STEP 3 다음 빈칸에 들어갈 말이 나머지 넷과 다른 것은? 내신

① We are living ________ the twenty-first century.
② A lot of beautiful flowers bloom ________ spring.
③ I went back home ________ midnight yesterday.
④ Jisu has an after-school class ________ the afternoon.
⑤ Korean pop music was very popular ________ the 1990s.

□ century 세기
□ bloom (꽃이) 피다
□ midnight 자정, 한밤중
□ pop music 대중음악
□ popular 인기 있는

Answer p.85

Point 108 나는 오늘부터 열심히 공부할 것이다.

I will study hard from today.

- from은 '~부터'의 뜻으로 때나 순서 따위의 시작점을 나타내며, 완료형 이외의 시제와 함께 쓰인다.
  He will work here **from** tomorrow.
- since는 '~ 이래로 (계속하다)'라는 뜻으로 이전부터 현재까지의 동작이나 상태의 계속을 나타내며, 완료형과 함께 사용된다.
  They have known each other **since** 2015.

TIP 「**from** ~ **to** …」는 '~부터 …까지'의 뜻이다. I go to school **from** Monday **to** Friday.

STEP 1 다음 괄호 안에서 알맞은 말을 고르시오.

1 The movie will start (from, since) 3 o'clock.
2 Tom took a nap (from, since) noon to 1 o'clock.
3 I have played tennis (from, since) last month.
4 Mom has been busy cleaning the house (from, since) this morning.
5 They have lived in the town (from, since) 1998.

□ take a nap 낮잠 자다
□ busy ~ing ~하느라 바쁘다
□ clean 청소하다

STEP 2 다음 우리말과 일치하도록 괄호 안의 단어를 바르게 배열하시오.

1 Ben은 4월부터 수영 수업을 들었다.
(Ben, the, swimming, lesson, from, took, April)

____

2 그날 이후로 계속 나는 그녀를 만나지 못했다. (that, day, I, met, her, since, haven't)

____

3 그 가게는 월요일부터 토요일까지 연다.
(to, Monday, the, store, Saturday, is, open, from)

____

4 어제부터 비가 내리고 있다. (yesterday, it, been, has, raining, since)

____

□ lesson 수업, 강습
□ store 가게

STEP 3 다음 밑줄 친 부분 중 의미가 나머지 넷과 다른 것은? 내신

① I will go on a diet from tomorrow.
② The festival runs from June 1 to 7.
③ The exam will start a week from today.
④ Susan will stay in London from August.
⑤ Did you get the report card from your teacher?

□ go on a diet 다이어트를 하다
□ festival 축제
□ run (얼마의 시간동안) 계속되다
□ stay 머물다
□ report card 성적표

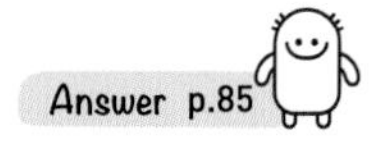
Answer p.85

Point 109 8시까지 집에 돌아와라.

Come back home by 8 o'clock.

- by는 '~까지'라는 뜻으로 행동이나 상태가 특정 시점에서 완료됨을 나타낸다.
  I will finish my homework **by** noon.
- until[till]은 '~까지'라는 뜻으로 행동이나 상태가 어느 시점까지 계속됨을 나타낸다.
  I waited for her **until** 2 o'clock.

TIP by는 leave, arrive, finish 등 순간적인 동작을 나타내는 동사와 함께 쓰이는 반면, until[till]은 wait, stay, remain 등 지속적인 의미가 있는 동사와 함께 쓰인다.

STEP 1 다음 괄호 안에서 알맞은 말을 고르시오.

1 Cinderella had to arrive home (by, until) midnight.
2 Minsu waited for his friend (by, until) late at night.
3 Can I stay here (by, until) next week?
4 The show will be open (by, until) next Saturday.
5 Can you finish repairing the bicycle (by, until) Friday?

□ midnight 자정, 밤 12시
□ repair 수리하다

STEP 2 다음 우리말과 일치하도록 괄호 안의 단어를 바르게 배열하시오.

1 나는 어제 밤 12시까지 공부했다. (yesterday, studied, till, midnight)
I ______________________________.

2 우리는 내일까지 프로젝트를 끝내야 한다. (by, the, project, finish, tomorrow)
We have to ______________________________.

3 너는 이 책을 도서관에 금요일까지 반납해야 한다.
(this, book, Friday, return, by, to, the, library)
You should ______________________________.

4 버스는 11시까지 종점에 도착할 것이다. (by, the, final, stop, 11 o'clock, arrive, at)
The bus will ______________________________.

STEP 3 다음 빈칸에 들어갈 말이 나머지 넷과 다른 것은? 내신

① Kate didn't show up ________ next morning.
② Never put off your work ________ tomorrow.
③ The rain will continue ________ this weekend.
④ You won't be able to see me ________ next month.
⑤ I can pay you back the money ________ the day after tomorrow.

□ show up 나타나다
□ put off 미루다
□ continue 계속되다
□ pay back (돈을) 갚다
□ the day after tomorrow 모레

Answer p.86

Point 110 나는 보통 6시 전에 저녁을 먹는다.

I usually have dinner before 6 o'clock.

- before는 '~ 전에'라는 뜻이다.
  I go to sleep **before** midnight.
- after는 '~ 후에'라는 뜻이다.
  Mina puts on her clothes **after** breakfast.

TIP before나 after 뒤에 동사가 바로 올 때에는 동명사 형태로 쓴다.

STEP 1 다음 문장을 밑줄 친 부분에 유의하여 우리말로 해석하시오.

1 Before lunch, I washed my hands.
2 We watched TV after dinner.
3 After the class, they took a rest.
4 Susan always goes to bed after taking a shower.
5 Don't forget to turn off the lights before leaving the room.

□ take a rest 휴식을 취하다
□ take a shower 샤워를 하다
□ forget 잊다
□ turn off (전기, 수도 등을) 끄다
□ light 전등

STEP 2 다음 우리말과 일치하도록 괄호 안의 말을 바르게 배열하시오.

1 Minsu는 방과 후에 농구를 한다. (after, plays, school, basketball)
Minsu ____________________.

2 시험 전에, 그 과를 복습해라. (before, review, the, test)
____________________ the lessons.

3 나는 동아리에 가입하기 전에 신청서를 작성했다.
(the, form, joining, filled, out, before, the, club)
I ____________________.

4 등산을 한 후에, 우리는 호수에서 수영을 즐겼다.
(we, hiking, enjoyed, After, swimming)
____________________ in the lake.

□ review 복습하다
□ fill in a form 서식을 작성하다

STEP 3 다음 중 어법상 틀린 것은? 내신

① After the rain, it got colder.
② Brush your teeth after meals.
③ Haven't we met somewhere before?
④ The night is darker just before dawn.
⑤ I write in my diary before go to bed every day.

□ brush one's teeth 이를 닦다
□ meal 식사
□ dawn 새벽, 동이 틀 무렵
□ keep a diary 일기를 쓰다

Point 111 아기는 열 시간동안 잤다.

The baby slept for ten hours.

- for는 '~ 동안'이라는 뜻으로 three hours[days, weeks, years], a long time 등과 같이 지속 기간을 나타내는 말과 함께 쓰인다.
  We stayed in HongKong **for** five days.
- during은 '~ 동안 (줄곧)'이라는 뜻으로 the holiday, the vacation, the festival 등과 같이 특정 기간을 나타내는 말과 함께 쓰인다.
  I will visit my grandparents **during** the holidays.

STEP 1 다음 괄호 안에서 알맞은 말을 고르시오.

1 I will stay in Seoul (for, during) a week.
2 Minho played basketball (for, during) three hours.
3 The traffic will be heavy (for, during) the festival.
4 I fell asleep (for, during) the class.
5 My father went on a business trip (for, during) a week.

□ traffic 교통, 차량(들)
□ heavy (차가) 막히는
□ fall asleep 잠이 들다
□ business trip 출장

STEP 2 다음 우리말과 일치하도록 괄호 안의 말을 이용하여 빈칸에 알맞은 말을 쓰시오.

1 태환은 10년간 수영 강습을 받았다. (ten years)
Taehwan took swimming lessons ______________________.

2 나는 이번 학기에 장학금을 받을 것이다. (this semester)
I'll get a scholarship ______________________.

3 잠시만 당신과 이야기할 수 있을까요? (a minute)
Can I talk to you ______________________?

4 나는 종종 친구들과 앉아서 몇 시간씩 수다를 떤다. (hours)
I often sit and chat with my friends ______________________.

5 곰은 에너지를 아끼기 위해 겨울에 몇 달 동안 잠을 잔다. (several months)
Bears sleep ______________________ in (the) winter to save energy.

□ scholarship 장학금
□ chat 수다 떨다
□ several 몇몇의
□ save 아끼다
□ energy 에너지

STEP 3 다음 빈칸에 공통으로 들어갈 말로 알맞은 것은? 내신

- Many foreigners will visit Korea ________ the PyeongChang Winter Olympic Games.
- Turn off your cell phone ________ the movie.

① during ② at ③ on ④ since ⑤ by

□ foreigner 외국인

Answer p.87

Point 112 버스 정류장에서 만나자.

Let's meet at the bus stop.

- at은 '~에'라는 뜻으로 구체적인 장소나 비교적 좁은 장소를 나타낼 때 사용한다.
  at the bus stop, **at** home, **at** the airport
- in은 '~(안)에'라는 뜻으로 도시, 국가와 같이 비교적 넓은 장소나, 어떤 장소의 안에 있을 때 사용한다.
  in the world, **in** Korea, **in** the building
- on은 '~(위)에'라는 뜻으로 선이나 면과 같은 곳에 접촉해 있을 때 사용한다.
  on the ground, **on** the ice, **on** the table

TIP 장소와 시간이 같이 나올 때는, 일반적으로 장소를 먼저 쓰고 시간을 나중에 쓴다.

STEP 1 다음 밑줄 친 부분을 바르게 고치시오.

1 I work on a bank.
2 Two dogs are laying in the grass.
3 What are you going to do on the classroom?
4 Did you put the book in the table?
5 There are more than 100 shops on the building.

□ lie 눕다, 누워 있다
□ grass 잔디
□ more than ~이상

STEP 2 다음 우리말과 일치하도록 괄호 안의 말을 바르게 배열하시오.

1 고양이가 땅에 누워 있다. (on, is, the, laying, ground)
The cat ________________________.

2 나의 동아리 멤버들은 벽에 그림들을 걸었다. (pictures, the, wall, hung, on)
My club members ________________________.

3 한국에는 관광명소가 많이 있다. (in, many, Korea, tourist, attractions)
There are ________________________.

4 다음 신호등에서 좌회전을 해주시겠습니까? (turn, at, next, left, the, traffic light)
Could you ________________________?

□ tourist attraction 관광명소

STEP 3 다음 빈칸에 들어갈 말이 나머지 넷과 다른 것은? 내신

① Nobody lives ________ the island.
② There is someone ________ the door.
③ I stayed ________ home because it rained.
④ Some celebrities were ________ the wedding.
⑤ I met my favorite singer ________ the airport.

□ island 섬
□ celebrity 유명인사
□ airport 공항

Answer p.87

Point 113 태양이 지평선 위로 떠올랐다.

The sun rose above the horizon.

- above는 '~보다 위에'라는 뜻으로 기준점이나 넓은 범위의 위에 있을 때 쓴다.
  We were flying **above** the clouds.
- below는 '~보다 아래에'라는 뜻으로 기준점이나 넓은 범위의 아래일 때 쓴다.
  The temperature is **below** zero.
- over은 '(표면에 접촉하지 않고) ~ 위에'라는 뜻으로 일직선상으로 바로 위에 있을 때 쓴다.
  Tom kicked the ball **over** the fence.
- under은 '(표면에 접촉하지 않고) ~ 아래에'라는 뜻으로 일직선상으로 바로 아래일 때 쓴다.
  The cat is **under** the bed.

TIP 표면에 접촉한 상태에서 아래는 '~ 아래[밑]에'라는 뜻의 **beneath**를 쓴다.

STEP 1 다음 문장을 밑줄 친 부분에 유의하여 우리말로 해석하시오.

1 Raise your arms above your head.
2 My English grade is below the average.
3 A boat is passing under the bridge.
4 Please write your name below this line.
5 There is a rainbow over the valleys.

□ raise 들어 올리다
□ arm 팔
□ grade 성적
□ average 평균
□ boat 배
□ pass 지나가다
□ bridge 다리
□ valley 계곡

STEP 2 다음 우리말과 일치하도록 괄호 안의 말을 바르게 배열하시오.

1 비행기가 바다 위를 날고 있다. (over, is, the, sea, flying)
An airplane ______________________.

2 오늘의 기온은 영하 12도였다. (zero, 12, degrees, below)
Today's temperature was ______________________.

3 의자 아래에 있는 저 공은 내 것이다. (under, the, chair, the, ball)
______________________ is mine.

4 6살 이상의 어린이들은 롤러코스터를 탈 수 있다. (6, years, old, children, above)
______________________ can ride on the roller coaster.

□ temperature 기온
□ degree 도

STEP 3 다음 빈칸에 공통으로 들어갈 말로 알맞은 것은? 내신

- Ben jumped ________ the wall.
- The player hit the ball ________ the net.

① on ② over ③ below ④ under ⑤ at

□ net 그물, 네트

Answer p.87

My father carefully went up the ladder.

- up은 '~ 위로'라는 뜻으로 기준점에서 위로 움직이거나 위에 위치할 때 쓴다.
  I climbed **up** the mountain.
- down은 '~ 아래로'라는 뜻으로 기준점에서 아래로 움직이거나 아래에 위치할 때 쓴다.
  He went **down** the hill.
- into는 '~ 안으로'라는 뜻으로 사람이나 사물이 특정 공간 안으로 움직일 때 쓴다.
  A butterfly came **into** the classroom.
- out of는 '~ 밖으로'라는 뜻으로 사람이나 사물이 특정 공간 밖으로 움직일 때 쓴다.
  Many people ran **out of** the building.

STEP 1 다음 문장을 밑줄 친 부분에 유의하여 우리말로 해석하시오.

1 Minho is lifting up the box.
2 He was driving down the road.
3 I poured some water into the cup.
4 Take your hands out of your pockets.
5 A rock fell down the mountain.

□ lift 들다
□ pour 붓다
□ pocket 주머니
□ rock 바위

STEP 2 우리말과 같은 뜻이 되도록 주어진 단어를 바르게 배열하시오.

1 나는 계단으로 뛰어서 5층까지 올라갔다. (the, stairs, up, ran)
I ______________________ to the fifth floor.

2 공원이 보일 때까지 길을 따라 걸어 내려가세요. (walk, the, street, down)
______________________ until you find a park.

3 창문을 통해 새 한 마리가 방으로 날아 들어왔다. (into, flew, the, room)
A bird ______________________ through the window.

4 그 노인은 개를 집 밖으로 쫓아냈다. (the, dog, out, of, drove, the, house)
The old man ______________________.

□ stair 계단
□ floor 층
□ drive 쫓아내다

STEP 3 다음 빈칸에 들어갈 말이 순서대로 짝지어진 것은? 내신

- Tears rolled ________ my cheeks.
- Gas is leaking ________ the pipes.

① down – out of ② down – into ③ up – out of
④ up – into ⑤ up – down

□ tear 눈물
□ roll 구르다
□ cheek 뺨
□ leak 새다

Answer p.87

Point 115 그녀는 길을 따라 차를 운전했다. across, along, through, around

She drove the car **along** the road.

- across는 '~를 가로질러'의 뜻으로 어떤 공간이나 사물을 일직선으로 가로질러 위치하거나 움직일 때 쓴다.
  People are walking **across** the crosswalk.
- along은 '~을 따라서'의 뜻으로 어떤 공간이나 사물을 따라서 위치해 있거나 움직일 때 쓴다.
  We walked **along** the street.
- through는 '~을 통해서, 통과해서'의 뜻으로 어떤 공간이나 사물을 관통하여 있거나 움직일 때 쓴다.
  The river flows **through** the city.
- around는 '~ 주변[주위]에'의 뜻으로 어떤 공간이나 사물 주위에 있거나 움직일 때 쓴다.
  The earth goes **around** the sun.

STEP 1 다음 괄호 안에서 알맞은 말을 고르시오.

1 I want to travel all (across, around) the world.
2 There are trees (along, through) the road.
3 The fire stations is (across, through) the street.
4 The train is passing (along, through) the tunnel.
5 Santa Claus came in (around, through) the chimney.

□ road 길
□ fire station 소방서
□ pass 통과하다
□ tunnel 터널

STEP 2 다음 우리말과 일치하도록 빈칸에 알맞은 전치사를 쓰시오.

1 Tom은 매일 저녁 호수를 따라 산책한다.
Tom takes a walk ____________ the lake every evening.

2 시는 강을 가로질러 다리를 하나 지을 예정이다.
The city will build a new bridge ____________ the river.

3 그 길은 숲은 관통한다.
The road runs ____________ the forest.

4 우리는 모닥불 주위에 앉아서 노래를 불렀다.
We sat ____________ the campfire and sang songs.

□ take a walk 산책하다
□ bridge 다리
□ forest 숲

STEP 3 다음 밑줄 친 부분이 의미상 어색한 것은? 내신

① A bike is going through the park.
② A dog is swimming across the river.
③ The tourists walked around the city all day.
④ Don't go along the road when the crosswalk light in red.
⑤ Many couples walk along the Han River in the evening.

□ tourist 관광객
□ all day 하루 종일

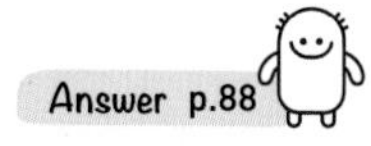
Answer p.88

Point 116 내 앞에 뱀이 한 마리 있었다.

There was a snake in front of me.

- by는 '~ 옆에'라는 뜻으로 나란히 위치한 사물이나 사람을 가리킬 때 쓴다.
  A wild pig was **by** the rock.
- in front of는 '~ 앞에'라는 뜻으로 어떤 사물이나 사람의 앞에 위치한 것을 가리킬 때 쓴다.
  The famous actor was right **in front of** me.
- behind는 '~ 뒤에'라는 뜻으로 어떤 사물이나 사람의 뒤에 위치한 것을 가리킬 때 쓴다.
  A cat hid **behind** the tree.

TIP beside와 next to도 by와 거의 같은 뜻으로 별 구분 없이 쓰인다.

STEP 1 다음 문장을 밑줄 친 부분에 유의하여 우리말로 해석하시오.

1 Mina is sitting in front of Jisu.
2 We had tea by the fireplace.
3 The child is behind the car.
4 The girl next to Yumin is my cousin.
5 There is a stream beside the summer-house.

□ fireplace 벽난로
□ cousin 사촌
□ stream 개울, 시내
□ summer-house 여름 별장

STEP 2 다음 우리말과 일치하도록 빈칸에 알맞은 전치사를 쓰시오.

1 주차장은 건물 뒤에 있다.
The parking lot is ____________ the building.

2 식당 앞에 서점이 하나 있다.
There is a bookstore ____________ the restaurant.

3 김 선생님 옆에 서 있는 남자는 나의 수학 선생님이다.
The man standing ____________ Ms. Kim is my math teacher.

4 내 차 앞에 있는 차가 갑자기 멈췄다.
The car ____________ my car suddenly stopped.

5 버스 운전사들이 버스 뒤에서 커피를 마시고 있다.
The bus drivers are drinking coffee ____________ the buses.

□ parking lot 주차장
□ suddenly 갑자기

STEP 3 다음 빈칸에 공통으로 들어갈 말로 알맞은 것은? 내신

- Don't speak ill of others ____________ their backs.
- The sun disappeared ____________ the clouds.

① by ② next to ③ in front of
④ behind ⑤ through

□ speak ill of ~를 험담하다
□ disappear 사라지다

Answer p.88

Point 117 그녀는 돌 무더기 사이에서 다이아몬드를 찾았다.

She found the diamonds among a pile of stones.

- between는 '~ 사이에'라는 뜻으로 두 개의 사물 또는 두 명의 사람 사이를 나타낸다.
  The teacher is walking **between** two students.
- among은 '~ 사이에'라는 뜻으로 셋 이상의 사물 또는 사람 사이를 나타낸다.
  Suji is popular **among** her classmates.

TIP (1) 「**between A and B**」는 'A와 B 사이에'의 뜻이다. The library is **between** the park **and** the mall.
(2) 최상급은 셋 이상일 때 사용하므로 최상급 표현은 among과 함께 쓰인다. I like English the best **among** the subjects.

STEP 1 다음 괄호 안에서 알맞은 말을 고르시오.

1 There was a long silence (between, among) him and me.
2 I saw my friend (between, among) the crowd.
3 C comes (between, among) B and D in the English alphabet.
4 Singapore is (between, among) the 20 smallest countries in the world.
5 Can you tell the difference (between, among) the twins?

□ silence 침묵
□ crowd 군중
□ tell the difference 차이를 구별하다
□ twin 쌍둥이

STEP 2 다음 우리말과 일치하도록 괄호 안의 말을 바르게 배열하시오.

1 너와 나 사이에는 비슷한 점이 없다.
(me, between, no, is, you, and, there, similarity)
____

2 모든 꽃들 중에서 나는 장미를 가장 좋아한다.
(Among, roses, my, all, flowers, are, favorites)
____

3 너는 2시부터 3시 사이에 우리 집에 오면 된다.
(my, house, two, can, to, you, and, three, come, between)
____

□ similarity 유사점
□ favorite 가장 좋아하는 (것)

STEP 3 다음 빈칸에 들어갈 말이 순서대로 짝지어진 것은? 내신

- It's a secret ________ mom and me.
- Ben is the funniest ________ my friends.

① among – among ② among – between ③ between – behind
④ between – among ⑤ between – between

□ secret 비밀
□ funny 웃긴, 재미있는

Point 118 나는 작년에 중국에 갔다.

I went to China last year.

- to는 '(목적지) ~로, ~까지'의 의미로 명확한 도착 지점을 나타낸다.
  Is this the right train **to** Busan?
- for는 '(목적지) ~를 향해'의 의미로 목적지나 행선지를 나타낸다.
  The train left **for** Busan.

TIP to와 for 뒤에 사람이 올 때 「**to** + 사람」은 '~에게', 「**for** + 사람」은 '~을 위해'의 의미가 된다.

STEP 1 다음 문장을 밑줄 친 부분에 유의하여 우리말로 해석하시오.

1 Susan left Seoul for New York yesterday.
2 It takes 10 minutes from my house to school.
3 I'm going to the supermarket to buy some milk.
4 I made some cookies for my friends.
5 Please send the package to me.

□ take (시간이) 걸리다
□ supermarket 슈퍼마켓
□ send 보내다
□ package 소포

STEP 2 다음 우리말과 일치하도록 괄호 안의 말을 바르게 배열하시오.

1 여기에서 역까지 시간이 얼마나 걸리나요? (here, it, the, station, from, take, to)
How long does ______________________________?

2 비행기는 파리를 향해 가고 있다. (for, heading, is, Paris)
The plane ______________________________.

3 나의 가족은 휴가 동안 제주도에 갈 예정이다.
(Jejudo, go, to, the, vacation, during, to)
My family is going ______________________________.

4 나는 그에게 답장한 것을 잊었다. (back, him, writing, to)
I forgot ______________________________.

□ station 역
□ head 가다, 향하다
□ forget -ing ~한 것을 잊다
□ write back 답장하다

STEP 3 다음 빈칸에 공통으로 들어갈 말로 알맞은 것은? 내신

- Her lawyer spoke ________ her.
- What can I do ________ you?
- The train ________ Gargnam is now approaching.

① to ② of ③ for ④ by ⑤ on

□ lawyer 변호사

Answer p.89

Point 119 한국인들은 젓가락으로 먹는다.

Koreans eat with chopsticks.

- with는 '~로', '~을[를] 가지고', '~와 함께'의 의미로 도구, 수단, 동반을 나타낸다.
  I made jam **with** strawberries.
- without은 '~ 없이'의 의미이다. People can't live **without** water.
- by는 '~로', '~을 타고'의 의미고 주로 교통수단을 나타낸다. I went to Daegu **by** train.
- of는 '~의', '~에 대한'의 의미로 소유나 주제를 나타낸다. He is a good friend **of** mine.
- about은 '~에 관한'의 의미로 주제를 나타낸다. This book is **about** friendship.

TIP 일반적으로 교통수단은 by로 나타내지만 '걸어서'는 on foot이다. I go to school **on foot**.

STEP 1 다음 괄호 안에서 알맞은 말을 고르시오.

1 I went shopping (of, with) my sister.
2 Let's talk (about, by) the topic.
3 You can't buy the goods (for, without) money.
4 We went on the picnic (about, by) bus.
5 This is a picture (of, with) my family.

□ topic 주제
□ goods 상품, 제품

STEP 2 다음 우리말과 일치하도록 빈칸에 알맞은 전치사를 쓰시오.

1 우리는 Minsu 없이는 경기에 이길 수 없다.
We can't win the game ____________ Minsu.

2 그 학생들은 배를 타고 울릉도에 갔다.
The students went to Ulleungdo ____________ ship.

3 너는 한 소년의 모험에 관한 그 영화를 봤니?
Did you see the movie ____________ a boy's adventure?

4 그 책의 제목은 무엇이니?
What is the title ____________ the book?

□ adventure 모험
□ title 제목

STEP 3 다음 밑줄 친 부분 중 어법상 틀린 것은? 내신

① I came here by taxi.
② The tourists left for Jejudo.
③ The workers worked all day without rest.
④ We took a tour of the small town by foot.
⑤ I'm writing a report about global warming.

□ tourist 관광객
□ rest 휴식
□ take a tour of ~를 둘러보다, 관광하다
□ report 보고서
□ global warming 지구 온난화

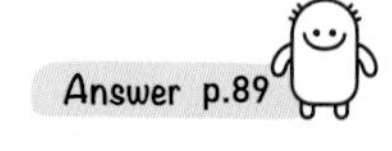

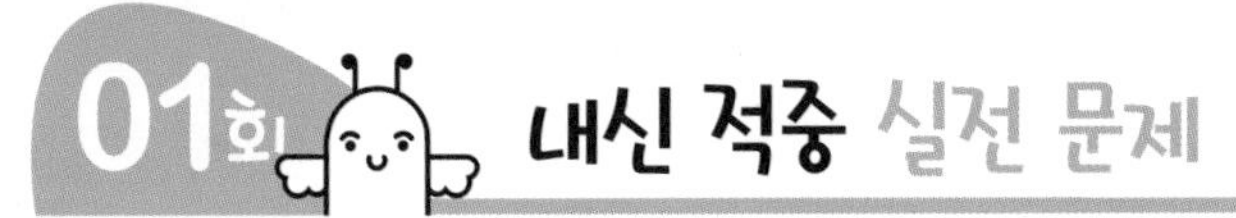

중요

Point 107

01 다음 중 어법상 틀린 것은?

① Shall we meet at 4 o'clock?
② This flower blooms in spring.
③ Minho was born in New Year's Day.
④ La Tomatina festival is held in August.
⑤ I do volunteer work at nursing homes on Saturdays.

Point 112

02 다음 밑줄 친 부분의 쓰임이 나머지 넷과 다른 것은?

① I heard a strange noise at midnight.
② We are supposed to meet at noon, right?
③ What were you doing at this time yesterday?
④ My father often meets his clients at lunchtime.
⑤ Sujin came across her old friend at the bus stop.

[03~06] 다음 빈칸에 공통으로 들어갈 말로 알맞은 것을 고르시오.

Point 108

03

• I exercise _________ seven to eight.
• You cannot eat or drink _________ now on.

① in ② on
③ at ④ from
⑤ since

Point 107, 112

04

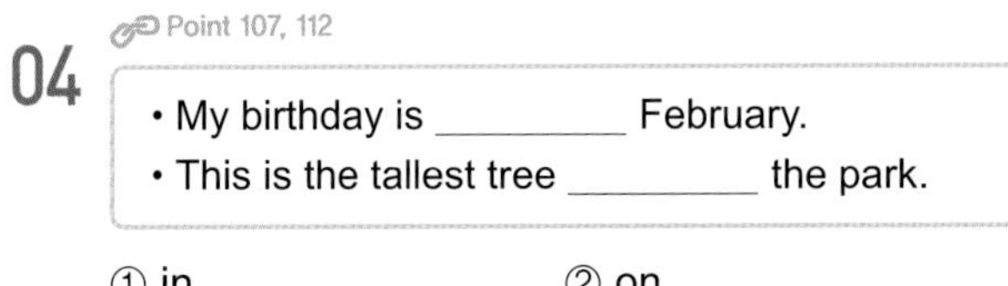

• My birthday is _________ February.
• This is the tallest tree _________ the park.

① in ② on
③ at ④ among
⑤ since

Point 111, 118

05

• The train is _________ Gwangju.
• They sat on the bench _________ an hour.

① to ② for ③ at
④ during ⑤ up

Point 108, 118

06

• My father works from 8 a.m. _________ 7 p.m.
• Why don't you write a letter _________ your mom on Mother's Day?

① to ② at ③ in
④ for ⑤ till

Point 110

07 다음 두 문장이 같은 뜻이 되도록 할 때, 빈칸에 들어갈 말로 알맞은 것은?

Ben swam in the pool. And then, he had breakfast.
= _________ breakfast, Ben swam in the pool.

① After ② Before
③ During ④ Until
⑤ From

Point 119

08 다음 중 어법상 틀린 것은?

On(①) Saturday, Minsu will go to(②) Busan for(③) train with(④) his family to(⑤) see his grandparents.

[09~10] 다음 빈칸에 들어갈 말로 알맞은 것을 고르시오.

Point 107

09

My parents got married ________ December 29, 1998.

① at ② with ③ on
④ for ⑤ by

Point 111

10

Ashley traveled around Europe ________ the summer vacation.

① for ② since ③ at
④ from ⑤ during

고난도

Point 114

11 다음 밑줄 친 부분의 해석이 틀린 것은?

① There is an apple tree in front of my house. (~ 앞에)
② The child was standing behind his mother. (~ 뒤에)
③ I sat by a handsome man in the theater. (~에 의해)
④ You can find the Christmas gift under the tree. (~ 아래에)
⑤ The department store is between the bank and the library. (~ 사이에)

Point 116

12 밑줄 친 부분 중 어법상 틀린 것은?

① The stream flows under the bridge.
② The car went fast below the tunnel.
③ Will you walk along the river with me?
④ The players are running around the track.
⑤ When the bell rings, students get into the classroom.

서술형

[13~14] 다음 우리말과 일치하도록 괄호 안의 말을 바르게 배열하시오.

Point 116

13

그 카페는 우리 집 바로 앞에 있다.
(in, the, front, cafe, of, is, house, my, right)

→ ________________________________

Point 117

14

Chris는 그의 친구들 사이에서 가장 키가 크다.
(is, Chris, friends, tallest, his, the, among)

→ ________________________________

[15~16] 유나의 이번 주 평일 계획표를 보고, 조건에 맞게 각 물음에 완전한 문장으로 답하시오.

	Mon.	Tue.	Wed.	Thur.	Fri.
9:00 – 3:00	Take classes at school				
4:00 – 5:00	Play tennis	Read books	Play tennis	Watch TV	Read books
5:00 – 6:00	Do homework				

Point 107

15

조건 1 on을 사용할 것
조건 2 총 7단어로 쓸 것

On what day does Yuna play tennis?

→ ________________________________

Point 108

16

조건 1 from, to를 사용할 것
조건 2 총 8단어로 쓸 것

When does Yuna do her homework?

→ ________________________________

Point 107

01 다음 빈칸에 들어갈 말이 같은 것끼리 짝지어진 것은?

ⓐ I have lunch ________ 12:30.
ⓑ Yujin was born ________ the winter.
ⓒ The Seoul Olympic Games took place ________ 1988.
ⓓ Americans eat turkey ________ Thanksgiving Day.

① ⓐ, ⓑ ② ⓐ, ⓒ ③ ⓑ, ⓒ
④ ⓑ, ⓓ ⑤ ⓒ, ⓓ

[02~03] 다음 밑줄 친 부분 중 어법상 틀린 것을 고르시오.

중요

Point 112

02

① I left your sunglasses in the table.
② The train will not stop at the next stop.
③ The elevator went up to the tenth floor.
④ We moved down to the foot of the mountain.
⑤ My father washes his car on Sunday mornings.

Point 113

03

① I was flying above the clouds.
② Look at the kite flying high over us.
③ Mina is thin. Her weight is below the average.
④ Today's lowest temperature was twelve at zero.
⑤ The emergency bell is ringing. Let's get out of the building.

[04~05] 다음 빈칸에 들어갈 말이 순서대로 짝지어진 것을 고르시오.

Point 114, 115, 116

04

• A group of fans gathered ________ the singer.
• We got ________ the river in a small boat.
• Anna is looking out ________ the window.

① around – of – along
② around – across – of
③ of – around – along
④ along – across – above
⑤ across – along – around

Point 118

05

• There is a fountain ________ the two buildings.
• Who is the youngest ________ your family members?

① among – out of ② among – among
③ among – between ④ between – among
④ between – between

Point 107

06 다음 빈칸에 들어갈 말로 알맞지 않은 것은?

I read many books in ________.

① 2016 ② my room ③ September
④ night ⑤ the library

Point 109

07 다음 대화의 빈칸에 들어갈 말로 알맞은 것은?

A: When do I have to hand in the report?
B: You should hand it in ________ this Friday.

① for ② by ③ into
④ during ⑤ at

[08~09] 다음 빈칸에 들어갈 말로 알맞은 것을 고르시오.

Point 119

08

Did you hear the news ________ the forest fire?

① down ② since ③ about
④ above ⑤ without

09 Point 109

It will be rainy ________ tomorrow morning.

① during ② for ③ under
④ until ⑤ over

[10~11] 다음 두 문장이 같은 뜻이 되도록 할 때, 빈칸에 들어갈 말로 알맞은 것을 고르시오.

10 Point 111

I take a violin lesson from 4 to 6.
= I take a violin lesson ________ two hours.

① for ② at ③ since
④ in ⑤ until

11 Point 119

Sujin and Juho finished the science project together.
= Sujin finished the science project ________ Juho.

① with ② for ③ to
④ along ⑤ by

12 Point 111 다음 중 어법상 틀린 것은?

① Come back home by 7.
② The plane takes off at 1:30 p.m.
③ Minho fell asleep for the class.
④ They enjoyed themselves at the party.
⑤ There is a convenience store at the corner.

서술형

[13~14] 다음 문장을 조건에 맞게 바꿔 쓰시오.

13 Point 116

조건 1 Mike를 주어로 사용할 것
조건 2 총 7단어로 쓸 것

Jane is running behind Mike.

→ ________________

14 Point 109

조건 1 '~까지'의 뜻을 가진 전치사를 사용할 것
조건 2 총 6단어로 쓸 것

The meeting went on, and finished at midnight.

→ ________________

15 Point 111, 112 다음 우리말과 일치하도록 괄호 안의 말을 바르게 배열하시오.

Serena는 일본에서 3년간 살았다.
(for, lived, Serena, in, three, years, Japan)

→ ________________

16 Point 107 다음 문장에서 틀린 부분을 찾아 바르게 고치시오.

The winter vacation starts on January.

________ → ________

Grammar Review 핵심 정리

1 시간 전치사

Point

Sumi gets up at 7 in the morning. 107

☞ in: 연도, 월, 계절, 아침 등 비교적 긴 시간 / on: 날짜, 요일, 특정한 날 / at: 구체적인 시간이나 특정한 시점

I will study hard from today. 108

☞ from: '~부터' 완료형 이외의 시제와 함께 쓴다. / since: '~ 이래로' 완료형과 함께 쓴다.

Come back home by 8 o'clock. 109

☞ by: '~까지' 어느 시점까지 완료됨을 나타낸다. / until[till]: '~까지' 어느 시점까지 계속됨을 나타낸다.

I usually have dinner before 6 o'clock. 110

☞ before: '~ 전에' / after: '~ 후에'

The baby slept for ten hours. 111

☞ for: '~ 동안' 지속 기간을 나타낸다. / during: '~ 동안(줄곧)' 특정한 기간을 나타낸다.

2 장소 전치사

Let's meet at the bus stop. 112

☞ at: '~에' 한 지점이나 비교적 좁은 장소 / in: '~(안)에' 비교적 넓은 장소, 내부 / on: '~(위)에'

The sun rose above the horizon. 113

☞ above: '~보다 위에' / below: '~보다 아래에' / over: '~ 위에' / under: '~ 아래에'

My father carefully went up the ladder. 114

☞ up: '~ 위로' / down: '~ 아래로' / into: '~ 안으로' / out of: '~ 밖으로'

She drove the car along the road. 115

☞ across: '~를 가로질러' / along: '~을 따라서' / through: '~을 통해서, 통과해서' / around: '~ 주변[주위]에'

There was a snake in front of me. 116

☞ by: '~ 옆에' / in front of: '~ 앞에' / behind: '~ 뒤에'

She found the diamonds among a pile of stones. 117

☞ between: 두 개의 사물 또는 두 명의 사람 '~ 사이에' / among: 셋 이상의 사물 또는 사람 '~ 사이에'

I went to China last year. 118

☞ to: '(목적지) ~로, ~까지' 명확한 도착 지점 / for: '(목적지) ~를 향해' 목적지나 행선지

3 그 밖의 전치사

Koreans eat with chopsticks. 119

☞ with: '~로, ~을[를] 가지고' / without: '~ 없이' / by: '~로, ~을 타고' / of: '~에 대한' / about: '~에 관한'

숨마 주니어® 중학 영문법 매뉴얼 119

FINISH

10 minutes

마무리 10분 TEST

Lesson 01 인칭대명사와 be동사

[01~05] 다음 문장에서 틀린 부분을 바르게 고치시오.

01 Jane is you sister.

02 These books are us.

03 Is this yours diary?

04 Alex plays with my.

[05~08] 다음 우리말과 일치하도록 빈칸에 알맞은 말을 쓰시오.

05 이 공은 그녀의 것이 아니다.
This ball ________________.

06 그의 코는 길다.
________________ long.

07 그의 부모님은 어제 밤에 집에 계시지 않았다.
His parents ________________ at home last night.

08 너의 삼촌은 조종사이시니?
________________ a pilot?

[09~13] 다음 괄호 안의 단어를 빈칸에 알맞은 형태로 쓰시오.

09 I teach ________ math. (he)

10 ________ price is 30 dollars. (it)

11 ________ name is Andy. (the boy)

12 This pretty doll is ________. (she)

13 Jerry likes ________ very much. (they)

[14~17] 다음 밑줄 친 부분을 대신할 수 있는 인칭대명사를 쓰시오.

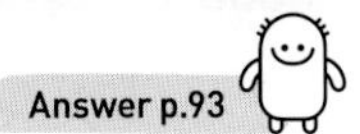

14 My friend and I like the movie.

15 This is my sister's computer.

16 These CDs are Amy's.

17 You and your brothers run very fast.

[18~21] 다음 주어진 문장을 지시에 맞게 바꿔 쓰시오.

18 Ben is a movie star. (의문문으로)

→ ______________________________

19 There are many slides in the park. (의문문으로)

→ ______________________________

20 The cats were under the desk. (부정문으로)

→ ______________________________

21 Her mother is good at cooking. (과거형 의문문으로)

→ ______________________________

[22~25] 인칭대명사와 be동사를 이용하여 다음 대화를 완성하시오.

22 A: Are you tired?
B: Yes, ______________________.

23 A: Was Julie at the party last night?
B: No, ______________________.

24 A: Are your sisters fat?
B: No, ______________________.

25 A: Were Mike and Ted soccer players?
B: No, ______________________.

Lesson 02 일반동사

[01~04] 다음 밑줄 친 부분을 바르게 고치시오. (단, 시제는 유지할 것)

01 I <u>has</u> lunch at 12:30 p.m.

02 Did you <u>finished</u> your homework?

03 My brother <u>don't</u> do any housework.

04 He <u>chated</u> on the phone with his friend.

[05~08] 다음 우리말과 일치하도록 빈칸에 알맞은 말을 쓰시오.

05 나는 버섯을 좋아하지 않는다.
I ________ ________ mushrooms.

06 너는 매일 운동을 하니?
________ you ________ every day?

07 Mike와 John은 함께 농구를 한다.
Mike and John ________ ________ together.

08 Lucy는 밤에 라면을 먹지 않는다.
Lucy ________ ________ ramyeon at night.

[09~12] 다음 주어진 문장을 조건에 맞게 바꿔 쓰시오.

09 I watch the news. (She를 주어로)
→ ____________________

10 The house has a big pool. (의문문으로)
→ ____________________

11 Tom finishes a book each week. (부정문으로)
→ ____________________

12 We bought candy at the store. (부정문으로)
→ ____________________

[13~16] 다음 문장에서 틀린 부분을 바르게 고치시오. (단, 시제는 유지할 것)

13 We didn't enjoyed the movie.

14 Do Jake like computer games?

15 Did the Korean soccer team lost the match?

16 Sumi searchs for information on the Internet.

[17~20] 다음 우리말과 일치하도록 괄호 안의 말을 바르게 배열하시오.

17 Ben은 축구를 잘하지 못한다. (soccer, well, play, doesn't)
Ben ______________________.

18 나는 저녁에 우리 강아지를 산책시킨다. (walk, in, dog, the evening, my)
I ______________________.

19 우리는 작년에는 서로를 알지 못했다. (didn't, last year, each other, know)
We ______________________.

20 그는 일요일마다 아버지와 낚시를 간다. (every Sunday, with, fishing, his father, goes)
He ______________________.

[21~25] 다음 우리말과 일치하도록 괄호 안의 말을 이용하여 빈칸에 알맞은 말을 쓰시오.

21 너희 어머니는 요리를 잘하시니? (cook)
______________________ well?

22 Jane은 보통 오전 7시에 일어난다. (usually get up)
Jane ______________________.

23 그 차는 벽에 부딪히지 않았다. (hit, wall)
The car ______________________.

24 기차는 10분 전에 떠났다. (leave, ago)
The train ______________________.

25 그는 오늘 아침에 그 편지를 읽었다. (read, letter)
He ______________________.

Lesson 03 시제

[01~04] 다음 밑줄 친 부분을 바르게 고치시오.

01 I always will drink water every morning.

02 John takes many pictures at the zoo yesterday.

03 Mr. Robinson is counting the number of students at that time.

04 You are having two pens in your pencil case.

[05~08] 다음 우리말과 일치하도록 괄호 안의 말을 이용하여 빈칸에 알맞은 말을 쓰시오.

05 Tom은 매일 저녁 10시에 잠자리에 든다. (go)
Tom ___________ to bed at 10 pm every day.

06 Brown 씨는 지난달 두 대의 자동차를 팔았다. (sell)
Mr. Brown ___________ two cars last month.

07 그는 지금 신문을 읽고 있다. (read)
He ___________ the newspaper now.

08 우리는 어제 오후 1시에 칠판을 지우고 있었다. (erase)
We ___________ the blackboard at 1:00 pm yesterday.

[09~12] 다음 우리말과 일치하도록 빈칸에 알맞은 말을 쓰시오.

09 John은 지난 일요일에 자전거를 탔다.
John ___________ a bicycle last Sunday.

10 지금 그녀는 자신의 방에서 잠을 자고 있다.
She ___________ in her room now.

11 내가 그를 보았을 때 그는 울고 있었다.
He ___________ when I saw him.

12 물은 섭씨 0도에서 언다.
Water ___________ at 0 ℃.

Answer p.93

[13~16] 다음 문장을 밑줄 친 부분에 유의하여 우리말로 해석하시오.

13 I went to the museum last Saturday.

14 Jane is going to help her mother tonight.

15 They are not looking at the man on the stage.

16 Was he watching TV at that time?

[17~20] 다음 주어진 문장을 지시에 맞게 바꿔 쓰시오.

17 Kate pulls the lever. (과거시제로)

→ ______________________________

18 My sister is taking a shower. (과거진행 시제 의문문으로)

→ ______________________________

19 Joe was listening to the lecture. (부정문으로)

→ ______________________________

20 John will never come back. (be going to를 사용한 부정문으로)

→ ______________________________

[21~25] 다음 우리말과 일치하도록 괄호 안의 말을 바르게 배열하시오.

21 Steve는 아침에 항상 신문을 읽는다. (the newspaper, reads, in the morning, always)

Steve ______________________________.

22 나는 지난주에 내 친구와 함께 말을 탔다. (last week, with, a horse, rode, my friend)

I ______________________________.

23 Susan은 지금 호수 위에서 스케이트를 타고 있다. (the lake, skating, now, on, is)

Susan ______________________________.

24 나는 오늘 밤 몇 개의 쿠키를 구울 것이다. (tonight, cookies, bake, will, some)

I ______________________________.

25 Judy가 다음 달 일본을 방문할 예정입니까? (next month, Judy, Japan, going, visit, is, to)

______________________________?

Lesson 04 조동사

[01~05] 다음 질문에 대한 알맞은 응답을 찾아 연결하시오.

01 May I eat these cookies? •

02 You must be very sad. •

03 Can you ride a bicycle well? •

04 Do I need my laptop tonight? •

05 It is snowing very hard now. •

• ⓐ Of course. You may have some cookies!

• ⓑ Yes. It was Mrs. Lee's last class. I will miss her.

• ⓒ Yes, I can.

• ⓓ You shouldn't take your car in this weather.

• ⓔ No, you don't have to bring it.

[06~09] 다음 우리말과 일치하도록 빈칸에 들어갈 말을 보기에서 골라 알맞은 형태로 쓰시오.

보기	may	must	be able to	don't have to

06 John은 내년에 Jane과 결혼할 수 있을 것이다.
John ______________________ marry Jane next year.

07 Mary는 곧 그 제안을 받아들일 지도 모른다.
Mary ______________________ accept the proposal soon.

08 나는 그 모임에서 많은 사진을 찍어야 한다.
I ______________________ take many pictures in the meeting.

09 우리는 이제 더 이상 Tom을 걱정할 필요가 없다.
We ______________________ worry about Tom any more.

[10~13] 다음 밑줄 친 부분을 바르게 고치시오.

10 The school bookstore <u>not must sell</u> comic books.

11 They <u>rent may</u> a small house in our village.

12 Tom <u>doesn't to have</u> send the e-mail to Mrs. Jones.

13 <u>Shouldn't order I</u> pizza on my birthday?

[14~17] 다음 문장을 밑줄 친 부분에 유의하여 우리말로 해석하시오.

14 You will be able to fly a kite tomorrow.

15 She may not be ready for the concert yet.

16 Mr. Robinson must be very sorry for his mistakes.

17 Mary and John don't have to prepare for the performance tonight.

[18~21] 다음 주어진 문장을 지시에 따라 바꿔 쓰시오.

18 John may sell his father's car. (부정문으로)

→ ______________________________

19 They cannot be in Washington D.C. now. (확실한 추측의 긍정문으로)

→ ______________________________

20 Mr. Jones has to bring an umbrella. (부정형 과거시제로)

→ ______________________________

21 We should leave the park. (의문문으로)

→ ______________________________

[22~25] 다음 우리말과 일치하도록 괄호 안의 말을 바르게 배열하시오.

22 Tom은 신발을 신은 채로 들어와도 좋다. (Tom, with, come, in, his, shoes, on, may)

____

23 나는 그 모임에 가입할 수 없었다. (I, the, group, able, not, to, was, join)

____

24 George는 그 영화에 관심이 있을지도 모른다. (be, George, the, movie, interested, may, in)

____

25 당신은 그 남자를 따라가서는 안 된다. (not, you, follow, must, the, man)

____

Lesson 05 문장의 형태

[01~04] 다음 괄호 안에서 알맞은 말을 고르시오.

01 James runs (quick, quickly).

02 Susan became (strong, strongly).

03 Her room is very (large, largely).

04 This apple tastes (sweet, sweetly).

[05~08] 다음 우리말과 일치하도록 빈칸에 알맞은 말을 쓰시오.

05 아빠는 내가 영어 공부를 하게 하셨다.
Dad made me ___________ English.

06 Mike는 Jane이 파티에서 춤추는 것을 보았다.
Mike saw Jane ___________ at the party.

07 나는 그에게 문을 닫아 달라고 말했다.
I told him ___________ ___________ the door.

08 그녀는 어젯밤에 Tom이 외출하도록 허락했다.
She allowed Tom ___________ ___________ out last night.

[09~12] 다음 주어진 문장을 3형식 문장으로 바꿔 쓰시오.

09 Can you get me a toothbrush?
→ ____

10 My little son asks me a lot of questions.
→ ____

11 Joy bought her an expensive necklace.
→ ____

12 Our neighbor often brings us tasty snacks.
→ ____

[13~16] 다음 밑줄 친 부분을 바르게 고치시오.

13 Will you teach to me math?

14 She didn't tell anything in them.

15 Mom made pancakes to the kids.

16 Can you lend your phone for me?

[17~20] 다음 우리말과 일치하도록 괄호 안에서 필요한 말을 골라 빈칸에 알맞은 말을 쓰시오.

17 Andy는 수영을 잘한다. (well, good)
Andy ______________.

18 그 인형은 귀여워 보인다. (cutely, cute)
The doll ______________.

19 그의 거짓말은 나를 화나게 만들었다. (angry, angrily)
His lie ______________.

20 그의 요리는 맛있는 냄새가 난다. (deliciously, delicious)
His dish ______________.

[21~25] 다음 우리말과 일치하도록 괄호 안의 말을 바르게 배열하시오.

21 그는 자신의 아들을 훌륭한 지도자로 만들었다. (made, great, he, a, his son, leader)

____

22 그녀는 그 영화가 흥미진진하다는 것을 알게 되었다. (exciting, the movie, she, found)

____

23 우리 할머니는 내가 화장실 청소를 하게 하셨다. (had, clean, my grandma, the bathroom, me)

____

24 그들은 운동장에서 축구를 했다. (soccer, the playground, played, they, on)

____

25 선생님은 학생들에게 자리에 앉으라고 지시했다. (the teacher, the students, ordered, sit down, to)

____

Lesson **06** 명사와 관사

[01~05] 다음 밑줄 친 부분을 바르게 고치시오.

01 My little brother has a lot of toyes.

02 A little people are swimming in the pool.

03 A moon is shining in the sky.

04 Jane is from canada.

05 This year, we have many snow.

[06~09] 다음 우리말과 일치하도록 빈칸에 알맞은 말을 쓰시오.

06 나는 하루에 우유 한 잔을 마신다.

I drink a __________ of milk __________ day.

07 나의 영어 선생님은 머리가 금발이다.

My English teacher has blonde __________.

08 나는 어젯밤 12시에 잠자리에 들었다.

I went __________ __________ at midnight yesterday.

09 미나는 무대 위에서 피아노를 연주하고 있다.

Mina is playing __________ __________ on the stage.

[10~13] 다음 밑줄 친 부분을 복수형으로 바꿔서 문장을 다시 쓰시오.

10 There is a photo on the wall.

→ ______________________________

11 A horse is running on the track.

→ ______________________________

12 I saw a beautiful lady at the party.

→ ______________________________

13 Chris has a unique watch.

→ ______________________________

[14~17] 다음 문장에서 틀린 부분을 바르게 고치시오.

Answer p.94

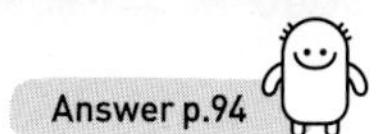

14 Do you need a pair of scissor?

15 I have two bowls of rice for the dinner.

16 There are many deers in the forest.

17 A wisdom comes with age.

[18~21] 다음 우리말과 일치하도록 괄호 안의 말을 바르게 배열하시오.

18 물 두 잔 주세요. (me, of, two, glasses, give, water)

____

19 식탁 위에 약간의 쿠키가 있다. (a few, on, are, the, table, there, cookies)

____

20 John은 청바지 한 벌을 입고 있다. (is, John, a, of, jeans, pair, wearing)

____

21 무소식이 희소식이다. (news, is, no, good, news)

____

[22~25] 다음 우리말과 일치하도록 괄호 안의 말을 이용하여 빈칸에 알맞은 말을 쓰시오.

22 나는 친구가 많지 않다. (few)
I have ______________________.

23 양동이 안에 물이 거의 없다. (little)
______________________ in the bucket.

24 내가 너에게 커피 한 잔을 만들어줄게. (cup)
I will make ______________________ for you.

25 나는 어제 운동화 한 켤레를 샀다. (sneakers)
I bought ______________________ yesterday.

Lesson 07 형용사와 부사

[01~04] 다음 밑줄 친 부분을 바르게 고치시오.

01 I bought expensive something last month.

02 Mr. Jones spent too many money already.

03 Emily washes usually the dishes in the evening.

04 We know hardly each other.

[05~08] 다음 우리말과 일치하도록 괄호 안의 말을 이용하여 빈칸에 알맞은 말을 쓰시오.

05 John은 Bill 만큼 친절하다. (kind)
John is ______________________ Bill.

06 나는 그보다 더 빨리 그 요리를 만들 수 있다. (fast)
I can cook the food ______________________ he can.

07 Mr. Kim은 그의 회사에서 가장 중요한 사람들 중 하나이다. (important)
Mr. Kim is one of ______________________ people in his company.

08 이 침대는 기대했던 것보다 훨씬 더 편안하다. (comfortable)
This bed is much ______________________ I expected.

[09~13] 다음 우리말과 일치하도록 빈칸에 알맞은 말을 쓰시오.

09 남은 돈이 거의 없다.
There is __________ money left.

10 몇몇 사람들이 엄청난 관심을 보였다.
__________ people showed huge interest.

11 나는 가끔 저녁에 산책을 한다.
I __________ take a walk in the evening.

12 당신이 그 시험을 통과하기 위해 오늘밤 열심히 공부해야 한다.
You have to study __________ to pass the exam tonight.

13 이 문제는 애플파이만큼 쉽다.(그 문제는 식은 죽 먹기다.)
This problem is __________ easy __________ apple pie.

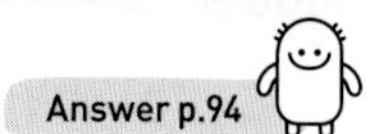

[14~17] 다음 문장을 우리말로 해석하시오

14 You are always my true friend.

15 It is not so simple as you think.

16 You can have as much as you want.

17 Prof. Kim is one of the most popular professors in this college.

[18~21] 다음 문장을 지시에 따라 바꿔 쓰시오.

18 John is a famous soccer player on his team. (최상급을 사용하여)

→ ______________________________

19 Emily is more diligent than anyone in her class. (비교급에 far를 추가하여)

→ ______________________________

20 Mr. Jones is as honest as Mrs. Jones. (부정문으로)

→ ______________________________

21 The musical is not so funny as the movie. (긍정문으로)

→ ______________________________

[22~25] 다음 우리말과 일치하도록 괄호 안의 말을 바르게 배열하시오.

22 당신은 항상 많은 물을 마셔야 한다. (always, you, water, should, lots, drink, of)

____

23 John은 결코 그의 부모님의 충고를 따르지 않을 것이다. (never, John, will, his, parents', follow, advice)

____

24 Jones 부인은 그 마을 최고의 요리사들 중 하나이다.
(best, the, Mrs. Jones, of, is, in, the, one, cooks, village)

____

25 그들은 그 배우들만큼 인기가 있지는 않다. (so, they, the, popular, as, are, not, actors)

____

Lesson 08

to부정사

[01~05] 다음 문장에서 밑줄 친 부분의 역할을 고르시오.

01 It's not easy to make kimchi. (주어, 목적어, 보어)

02 To visit South Africa will be exciting. (주어, 목적어, 보어)

03 What do you want to eat for lunch? (주어, 목적어, 보어)

04 You need to wash the dishes after dinner. (주어, 목적어, 보어)

05 My volunteer work is to help kids with their homework. (주어, 목적어, 보어)

[06~09] 다음 빈칸에 들어갈 말을 보기에서 골라 알맞은 형태로 쓰시오.

보기 eat get be find

06 He grew up ____________ a great figure skater.

07 I raised my hand ____________ the waiter's attention.

08 Would you please give me something delicious ____________?

09 It's very difficult ____________ out the answer to the question.

[10~13] 다음 우리말과 일치하도록 괄호 안의 말을 이용하여 빈칸에 알맞은 말을 쓰시오.

10 나는 가지고 놀 장난감을 많이 가지고 있다. (have, a lot of toys, play)
I ________________________________ with.

11 우리는 가난한 사람들을 도와주기로 결정했다. (decide, help)
We ________________________________ the poor.

12 그는 집에 가서 불이 켜져 있는 것을 발견했다. (get home, find)
He ________________________________ the lights on.

13 나는 수영을 즐기러 해변에 갈 거야. (go, the beach, enjoy)
I will ________________________________ swimming.

[14~17] 다음 밑줄 친 부분을 바르게 고치시오.

14 I have important something to tell you.

15 It's very dangerous to crossing the street here.

16 My husband and I are planning arriving around 3 p.m.

17 My second piece of advice is make friends from different countries.

[18~21] 다음 보기와 같이 두 문장을 to부정사를 이용하여 한 문장으로 바꿔 쓰시오.

> **보기** Mom and Dad saw my school report card. They were surprised.
> → Mom and Dad were surprised to see my school report card.

18 He went to the party. He wanted to meet new people.
→ He ______________________ new people.

19 The students saw the picture. They were shocked.
→ The students ______________________ the picture.

20 Michael called me. He wanted to ask about the science homework.
→ Michael ______________________ about the science homework.

21 She saw the homeless people in the street. She felt deeply sad.
→ She ______________________ the homeless people in the street.

[22~25] 다음 우리말과 일치하도록 괄호 안의 말을 바르게 배열하시오.

22 그녀는 내년에 키가 더 크기를 바란다. (she, taller, grow, next year, to, hopes)

____

23 나는 커피 값을 치르려고 신용카드를 사용했다. (my credit card, pay for, used, to, the coffee, I)

____

24 비가 오는 날에 연을 날리는 것은 위험하다. (it, a kite, on, is, dangerous, a rainy day, fly, to)

____

25 그는 창문을 열었고 밖에 개구리 한 마리가 있는 것을 발견했다.
(he, outside, find, opened, the window, to, a frog)

____

Lesson 09

동명사

[01~04] 다음 밑줄 친 부분을 바르게 고치시오.

01 Sora is good at dance.

02 We decided going camping this Sunday.

03 His job is write novels.

04 They are planning going on a trip during the vacation.

[05~08] 다음 우리말과 일치하도록 빈칸에 알맞은 말을 쓰시오.

05 영화를 보는 것은 재미있다.

_______ a movie is interesting.

06 유나는 새로운 언어를 배우는 데 관심이 있다.

Yuna is interested in _______ a new language.

07 나의 목표는 대학교에 들어가는 것이다.

My goal is _______ university.

08 나는 엄마에게 거짓말을 한 것을 후회한다.

I regret _______ a lie to my mom.

[09~13] 다음 두 문장을 보기와 같이 동명사로 시작하는 한 문장으로 바꿔 쓰시오.

보기 Don't smoke. It's harmful. → Smoking is harmful.

09 Take a rest. It will make you feel good.

→ _______________

10 Eat regular meals. It keeps you healthy.

→ _______________

11 I play the guitar. It is my favorite activity.

→ _______________

12 You get up late in the morning. It is your problem.

→ _______________

13 I like listening to classical music. It makes me feel peaceful.

→ _______________

[14~17] 다음 문장에서 틀린 부분을 바르게 고치시오.

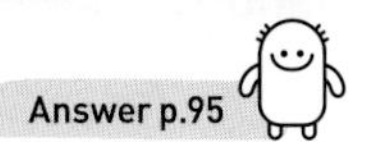

14 Taking pictures are my hobby.

15 I don't mind stay alone.

16 Riding a bike are not difficult at all.

17 I hope seeing you soon.

[18~21] 다음 우리말과 일치하도록 괄호 안의 말을 바르게 배열하시오.

18 탄산음료 마시는 것을 피하도록 노력해라. (soda, to, avoid, drinking, try)

____

19 친절하다는 것은 남의 말을 들어주는 것을 의미한다. (means, listening, kind, others, to, being)

____

20 그들의 계획은 함께 그 프로젝트를 끝내는 것이다. (is, the, project, their, finishing, plan, together)

____

21 그 나라는 오랜 역사를 가진 것으로 유명하다. (for, a, long, history, the, country, famous, is, having)

____

[22~25] 다음 우리말과 일치하도록 괄호 안의 말을 이용하여 빈칸에 알맞은 말을 쓰시오.

22 그는 그 컴퓨터를 수리하는 것을 포기했다. (fix)

He gave up ______________________________.

23 나는 그 편지를 보내야 할 것을 완전히 잊어버렸다. (send)

I totally forgot ______________________________.

24 농구선수가 되는 것이 그의 꿈이다. (be)

______________________________ is his dream.

25 당신을 도와줄 수 없다고 말하게 돼서 유감입니다. (say)

I regret ______________________________.

Lesson 10

대명사

[01~05] 다음 문장을 밑줄 친 부분에 유의하여 우리말로 해석하시오.

01 It is not far from here to the station.

02 It's a very hot drink.

03 What date is it today?

04 It's already ten thirty.

05 It is on the table.

[06~09] 다음 우리말과 일치하도록 괄호 안의 말을 바르게 배열하시오.

06 Amy는 지난밤에 몇 개의 쿠키를 먹었다. (Amy, night, had, some, last, cookies)

____

07 물을 좀 더 원하세요? (do, water, you, more, want, some)

____

08 그 선반 위에 약간의 책들이 있나요? (there, are, the, any, books, on, shelf)

____

09 당신이 약간의 음식을 원한다면, 당신은 그것을 위해 일해야 할 것이다.
(if, work, it, you, any, want, you, food, will, for)

____

[10~13] 다음 우리말과 일치하도록 빈칸에 알맞은 말을 쓰시오.

10 너 자신이 거기에 가야 한다.
You __________ should go there.

11 그녀 자신이 어제 그 일을 끝냈니?
Did she __________ finish the work yesterday?

12 제가 여러분께 제 소개를 할게요.
Let me introduce __________ to you.

13 그녀는 젊었을 때 그녀 자신을 그리고 싶었다.
She wanted to draw __________ when she was young.

[14~17] 다음 밑줄 친 부분을 바르게 고치시오.

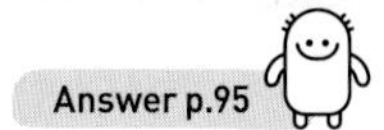

14 My watch is so old. I need a new it.

15 Mike didn't have some money in his wallet.

16 How far is one from here to the station?

17 What day is one?

[18~21] 다음 문장에서 생략 가능한 재귀대명사에 밑줄을 그으시오. (생략할 수 없으면 × 표시)

18 The singer star herself wrote the song.

19 I hurt myself in an accident.

20 You must do the homework yourself.

21 Mom cleaned the whole house by herself.

[22~25] 다음 우리말과 일치하도록 괄호 안의 말을 이용하여 빈칸에 알맞은 말을 쓰시오.

22 그들은 콘서트에서 즐거운 시간을 보냈다. (enjoy)
They ______________________ at the concert.

23 나는 혼자 여행가고 싶지 않다. (by)
I don't want to travel ______________________.

24 Steve, 편하게 있으렴. (make)
Steve, ______________________.

25 과일을 마음껏 먹으렴. (help)
______________________ to some fruit.

Lesson 11 접속사

[01~05] 다음 문장을 밑줄 친 부분에 유의하여 우리말로 해석하시오.

01 Mom washed the dishes before she had breakfast.

02 When John was a little boy, he was very shy.

03 Amy was absent from school because she was sick.

04 Did you hear that Tom won first prize in the speaking contest?

05 She believes that you are an honest person.

[06~09] 다음 우리말과 일치하도록 빈칸에 들어갈 말을 보기에서 골라 쓰시오.

보기	and	or	if	because

06 나는 화가 났기 때문에, 그녀에게 말을 하지 않았다.
_______ I was upset, I didn't talk to her.

07 만일 당신이 도움이 필요하다면, 내게 알려주세요.
Please let me know _______ you need any help.

08 당신은 우체국에 걸어갈 수도 있고, 혹은 그곳에 도착하기 위해 버스를 탈 수도 있다.
You can walk to the post office, _______ you can take a bus to get there.

09 그녀가 나를 보고 환하게 웃었다.
She saw me _______ she smiled brightly.

[10~13] 다음 우리말과 일치하도록 빈칸에 알맞은 접속사를 쓰시오.

10 그녀는 쉬고 싶지만 자유 시간이 없다.
She wants to take a rest _______ she doesn't have any free time.

11 제 방에 들어오기 전에 노크를 해주세요.
Please knock on the door _______ you come into my room.

12 내가 아침 일찍 일어났을 때, 작은 새들이 노래하고 있었다.
_______ I woke up early in the morning, little birds were singing.

13 만약 당신이 그를 고용한다면, 후회하게 될 것이다.
_______ you hire him, you will regret it.

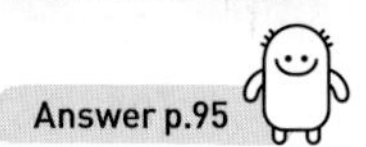

[14~17] 다음 밑줄 친 부분을 바르게 고치시오.

14 They were happy <u>but</u> excited.

15 The restaurant looked nice <u>and</u> the food tasted awful.

16 Either I <u>and</u> my co-worker is going to attend the meeting.

17 Both she and I <u>is</u> going to go to Paris this summer.

[18~21] 다음 주어진 문장을 지시에 맞게 바꿔 쓰시오.

18 Good music helps you calm down. It is true. (명사절 접속사 that을 사용한 문장으로)
→ ______________________________

19 The weather will be fine tomorrow. It is certain. (명사절 접속사 that을 사용한 문장으로)
→ ______________________________

20 If you don't hurry up, you will be late for the party. (unless를 사용한 문장으로)
→ ______________________________

21 I was very pleased to hear the news. (부사절 접속사 when을 사용한 문장으로)
→ ______________________________

[22~25] 다음 우리말과 일치하도록 괄호 안의 말을 바르게 배열하시오.

22 그녀는 독감에 걸렸지만 그녀는 학교에 왔다. (she, to, school, came, but)
She had a bad flu, ____________________.

23 엄마가 집에 도착했을 때, 아빠는 설거지를 하고 계셨다. (when, got, Mom, home)
____________________, Dad was washing the dishes.

24 당신의 옛날 암호와 새로운 암호를 입력해 주세요. (enter, new, passwords, and, your, old)
Please ______________________________.

25 시험이 시작되기 전, 그는 음악을 들었다. (before, started, to, music, test, the, he, listened)
______________________________.

Lesson 12

의문문 I (의문사 의문문)

[01~04] 다음 괄호 안에서 알맞은 말을 고르시오.

01 (How, What) is David like?

02 (What, Why) are you so angry?

03 (When, Which) will the train leave?

04 (How, What) do you like your new house?

[05~08] 다음 대화의 흐름에 맞도록 빈칸에 알맞은 의문사를 쓰시오.

05 A: __________ do you usually have dinner? B: At home.

06 A: __________ will she finish the work? B: In 2 hours.

07 A: __________ are you so sad? B: Because I failed the test.

08 A: __________ one is yours, the red one or the blue one? B: The red one is mine.

[09~12] 다음 대화의 흐름에 맞도록 괄호 안의 말을 바르게 배열하시오.

09 A: ______________________________________

(much, that, how, is, bag)

B: It's 100 dollars.

10 A: ______________________________________

(is, old, building, how, this)

B: It's 15 years old.

11 A: ______________________________________

(dogs, do, have, how, many, you)

B: I have two dogs.

12 A: ______________________________________

(often, does, she, how, go, church, to)

B: Twice a week.

[13~16] 다음 대화의 A의 말에서 틀린 부분을 바르게 고치시오.

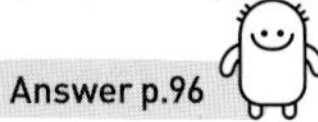
Answer p.96

13 A: How old is it from home? B: It's 40 miles.

14 A: How many are these shoes? B: They are 59 dollars.

15 A: How tall is the bridge over there? B: It is 12 kilometers long.

16 A: How much bicycles do you have? B: I have two.

[17~20] 다음 우리말과 일치하도록 괄호 안의 말을 이용하여 빈칸에 알맞은 말을 쓰시오.

17 누가 이 케이크를 만들었니? (make)

____

18 너는 무슨 종류의 가방을 원하니? (kind)

____

19 콘서트는 몇 시에 시작하니? (begin)

____

20 너는 왜 그녀를 싫어하니? (hate)

____

[21~25] 다음 대화의 흐름에 맞도록 빈칸에 알맞은 말을 쓰시오.

21 A: __________ is this necklace?
B: It's Ann's.

22 A: __________ __________ you now?
B: I'm in my room.

23 A: __________ __________ James go to work?
B: By bike.

24 A: __________ __________ __________ does Mr. Pitt have?
B: He has more than 1,000 books.

25 A: __________ __________ you like more, bananas or blueberries?
B: I like blueberries more.

Lesson 13

의문문 Ⅱ

[01~04] 빈칸에 알맞은 부가 의문문을 쓰시오.

01 Fruits and vegetables are good for your health, ___________?

02 Turn off the light, ___________?

03 Let's just order a pizza and stay home, ___________?

04 You and your sister don't eat carrots, ___________?

[05~08] 다음 주어진 문장을 지시에 맞게 바꿔 쓰시오.

05 Your sister had dinner with her friends. (부가 의문문으로)

→ ____

06 Mark goes fishing on the weekend. (부정 의문문으로)

→ ____

07 You played basketball after school yesterday. (부정 의문문으로)

→ ____

08 Your parents don't allow you to go to concerts. (부가 의문문으로)

→ ____

[09~13] 다음 우리말과 일치하도록 빈칸에 알맞은 말을 쓰시오.

09 Mike는 요즘 피곤해 보인다, 그렇지 않니?

Mike looks tired, ___________ ___________?

10 엄마가 저녁 식사를 차리셨지, 그렇지 않니?

Mom set the table for dinner, ___________ ___________?

11 너는 김 선생님을 목요일에 만날 거 아니니?

___________ you going to meet Mr. Kim on Thursday?

12 가서 잠을 좀 자거라, 알겠지?

Go and get some sleep, ___________ ___________?

13 오렌지 주스와 녹차 중에 어느 것이 손님들에게 더 좋을까요?

___________ is better for the guests, orange juice ___________ green tea?

Answer p.96

[14~17] 다음 밑줄 친 부분을 바르게 고치시오.

14 She is a famous movie star, does she?

15 Aren't you read the newspaper every morning?

16 Your mom and dad are in China now, don't they?

17 Which do you like better, pork and beef?

[18~21] 다음 대화의 흐름에 맞도록 빈칸에 알맞은 대답을 쓰시오.

18 A: Look! Aren't they birds?
B: ____________, ____________ ____________. They are statues.

19 A: Don't you wash your hair every morning?
B: ____________, ____________ ____________. I do it in the evening.

20 A: Aren't you interested in British TV shows?
B: ____________, ____________ ____________. I don't enjoy them.

21 A: Aren't you and Jane in the same grade?
B: ____________, ____________ ____________. We are in the third grade.

[22~25] 다음 우리말과 일치하도록 괄호 안의 말을 바르게 배열하시오.

22 James는 재즈 음악을 좋아하지 않니? (James, like, doesn't, jazz music)

____

23 너는 자전거를 타고 학교에 다니지, 그렇지 않니? (go, you, don't, you, by bike, to school)

____

24 저 남자는 과학자가 아니죠, 그렇죠? (the man, isn't, is, he, a scientist)

____

25 당신은 어떤 색깔이 더 마음에 드세요, 분홍색 아니면 파랑색이요?
(you, prefer, or, pink, do, which, color, blue)

____

Lesson 14 감탄문과 명령문

[01~04] 다음 괄호 안에서 알맞은 말을 고르시오.

01 (What, How) deep the well is!

02 (What, How) a lucky chance we had!

03 (What, How) beautiful pictures these are!

04 (What, How) well the actress played her role!

[05~08] 다음 두 문장이 같은 뜻이 되도록 할 때, 빈칸에 알맞은 말을 쓰시오.

05 If you don't speak loudly, I can't hear you.
= Speak loudly, ___________ I can't hear you.

06 If you don't wear a mask, you will get a cold.
= Wear a mask, ___________ you won't get a cold.

07 Unless you walk more quickly, you will miss the bus.
= Walk more quickly, ___________ you will miss the bus.

08 If you take this medicine, your headache will go away.
= Take this medicine, ___________ your headache will go away.

[09~12] 다음 우리말과 일치하도록 괄호 안의 말을 이용하여 빈칸에 알맞은 말을 쓰시오.

09 물을 낭비하지 맙시다. (let's, waste)
___________ ___________ ___________ water.

10 방과 후에 배드민턴을 치자. (play, badminton)
___________ ___________ ___________ after school.

11 절대로 그에게 아침 일찍 전화하지 마세요. (never, call)
___________ ___________ ___________ early in the morning.

12 종이 울리면 여러분들의 연필을 내려놓으세요. (put down)
Please ___________ ___________ ___________ ___________ when the bell rings.

[13~16] 다음 밑줄 친 부분을 바르게 고치시오.

Answer p.96

13 Shall we going to the concert together?

14 Not take away my dish. I'm not finished.

15 Let's go to the store and getting some snacks.

16 Please to answer the questions with the given words.

[17~20] 다음 주어진 문장을 감탄문으로 바꿔 쓰시오.

17 It was a very touching story.

→ ______________________________

18 The village is very peaceful.

→ ______________________________

19 He listened very carefully to my speech.

→ ______________________________

20 They have a very exciting roller coaster.

→ ______________________________

[21~25] 다음 우리말과 일치하도록 괄호 안의 말을 바르게 배열하시오.

21 제게 물을 좀 갖다 주세요. (me, bring, some, please, water)

____

22 그들은 참 근면한 학생들이구나! (they, diligent, are, students, what)

____

23 내 심장이 얼마나 빠르게 뛰고 있는지! (how, is, beating, my heart, fast)

____

24 너는 정말 멋진 안경을 쓰고 있구나! (what, glasses, nice, are, you, wearing)

____

25 그녀가 그 농담을 듣고 얼마나 기분 좋게 웃었던가! (at the joke, she, how, laughed, cheerfully)

____

Lesson 15

전치사

[01~04] 다음 밑줄 친 부분을 바르게 고치시오.

01 The movie starts on 3 o'clock.

02 A lot of books are up the desk.

03 A butterfly was flying in front for me.

04 There are many differences among the twins.

[05~09] 다음 우리말과 일치하도록 빈칸에 알맞은 전치사를 쓰시오.

05 나는 일요일에는 수업이 없다.
I have no class ___________ Sunday.

06 우리는 점심을 먹은 후에 영화를 봤다.
We watched a movie ___________ lunch.

07 나의 가족은 휴가 동안 이탈리아를 방문했다.
My family visited Italy ___________ the vacation.

08 다람쥐 한 마리가 나무를 올라갔다.
A squirrel went ___________ the tree.

09 강을 건너는 데 한 시간이 걸렸다.
It took an hour to go ___________ the river.

[10~13] 다음 두 문장을 주어진 조건에 맞게 한 문장으로 바꿔 쓰시오.

10 I started playing the guitar last month. I still play the guitar. (현재완료 시제와 since를 사용)
→ ______________________________

11 Jake started exercising at 6. He finished exercising at 7. (from ~ to …를 사용)
→ ______________________________

12 The post office is next to the mall. The post office is next to the bank. (between을 사용)
→ ______________________________

13 Mina and Yura went to the concert together. (Mina를 주어로 하고 with를 사용)
→ ______________________________

[14~17] 다음 문장에서 틀린 부분을 바르게 고치시오.

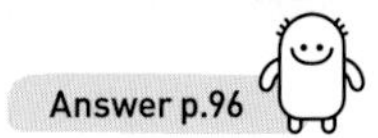

14 Sumi reads books since 7 to 8 in the evening.

15 After the class, I took a rest during ten minutes.

16 At that time, I was sleeping in home.

17 Do you know the title to the movie?

[18~21] 다음 우리말과 일치하도록 괄호 안의 말을 바르게 배열하시오.

18 현재 기온은 영상 2도이다. (two, degrees, zero, above)

It is ______________________________ now.

19 돼지는 벽돌로 집을 지었다. (built, house, a, bricks, with)

The pig ______________________________.

20 준호는 버스를 타고 도서관에 갔다. (by, the, library, to, went, bus)

Junho ______________________________.

21 그 면접 대상자는 어려움 없이 모든 질문에 답했다. (all, questions, without, the, difficulty)

The interviewee answered ______________________________.

[22~25] 다음 우리말과 일치하도록 빈칸에 알맞은 말을 쓰시오.

22 Ben은 운동장에서 30분 동안 Tom을 기다렸다.

Ben waited for Tom ______________________________.

23 문이 열리자 군중들이 건물 안으로 뛰어 들어왔다.

When the door opened, ______________________________.

24 우리는 호수 둘레를 산책했다.

We took a walk ______________________________.

25 이 비행기는 런던을 향하고 있다.

This airplane is heading ______________________________.

Memo

Memo

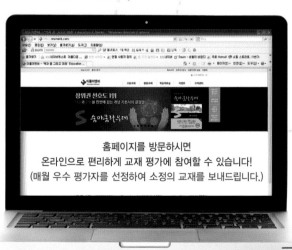

숨마 주니어®

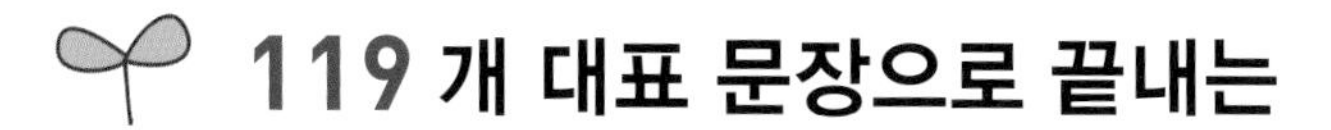

119 개 대표 문장으로 끝내는

중학 영문법 MANUAL

중학 1학년 영어 교과서 **핵심 문법 119개 30일 완성!!**

총 2,000여 개 문항 3단계 반복 학습으로 **기초 탄탄! 내신 만점!**

SUB NOTE 정답 및 해설

쎄마 주니어®

119 개 대표 문장으로 끝내는

중학 영문법 MANUAL 119

중학 1학년 영어 교과서 **핵심 문법** 119개 30일 **완성!!**

총 2,000여 개 문항 3단계 반복 학습으로 **기초 탄탄! 내신 만점!**

1

SUB NOTE 정답 및 해설

Lesson 01 | 인칭대명사와 be동사

Point 001 인칭대명사와 be동사의 현재형

본문 14쪽

STEP 1
1 am 2 are 3 is 4 are 5 are

STEP 2
1 is an actor 2 are basketball players
3 is on the desk 4 is a cute cat
5 are in the library

STEP 3 ④

STEP 1
1 나는 14살이다.
2 너는 매우 영리하다.
3 Alice는 이상한 나라에 있다.
4 너와 나는 가장 친한 친구이다.
5 그들은 식탁에 있다.

STEP 3
우리/그들/David와 Jerry/엄마와 아빠는(은) 배 위에 있다.
be동사가 복수형 are이므로 주어는 복수 형태가 와야 한다. Mike's sister는 단수이다.

Point 002 be동사의 과거형

본문 15쪽

STEP 1
1 was 2 was 3 was 4 were 5 were

STEP 2
1 You were on the stage
2 My family and I were in church
3 She was a very popular singer
4 They were my classmates
5 The dishes were on the table

STEP 3 ④

STEP 1
1 아빠는 젊었을 때 교사였다.
2 나는 지난해 중국에 있었다.
3 기름 가격이 3년 전에는 쌌다.
4 Tom과 Jerry는 학교에서 가까운 친구였다.
5 내 쌍둥이 여동생들은 어제 매우 아팠다.

STEP 2
1 너는 무대 위에 있다.
2 나의 가족과 나는 교회에 있다.
3 그녀는 매우 인기 있는 가수이다.
4 그들은 나의 반 친구들이다.
5 그 접시들은 탁자 위에 있다.

STEP 3
① 그는 매우 잘생겼다.
② Janet은 유명한 가수이다.
③ Mike는 박물관에 있었다.
④ 우리는 지난달에 로마에 있었다.
⑤ 그 새끼 고양이는 처음에는 매우 귀여웠다.
We는 1인칭 복수 주어로 복수 동사 형태를 취한다. last month라는 과거를 나타내는 부사구와 함께 쓰였으므로 was는 were로 고쳐야 한다.

Point 003 인칭대명사의 격 (주격)

본문 16쪽

STEP 1
1 It 2 We 3 He 4 She 5 They

STEP 2
1 He 2 She 3 You 4 We 5 They

STEP 3 ③

STEP 1
1 Henry의 바이올린은 매우 비싸다. 그것은 매우 좋다.
2 나의 가족과 나는 그 식당에 있었다. 우리는 매우 행복했다.
3 Mike는 영국에서 왔다. 그는 영국인이다.
4 Nancy는 패션모델이다. 그녀는 유명하다.
5 Tom과 Jake는 나의 친구들이었다. 그들은 축구를 잘했다.

STEP 2
1 나의 여동생의 남자친구는 키가 매우 크다.
2 Matt의 아내는 화가였다.
3 Jane과 너는 지난 토요일에 공연장에 있었다.
4 Julie와 나는 그 아이돌 스타를 좋아한다.
5 Mark와 Alice는 나의 팀의 선수들이었다.

STEP 3
너와 나는 공부를 더 열심히 해야 한다.
you and I는 '너와 나'로 나를 포함한 복수이므로 1인칭 복수형 we가 대신한다.

Point 004 인칭대명사의 격 (소유격)

본문 17쪽

STEP 1
1 Her 2 his 3 our 4 She 5 your

STEP 2
1 my 2 His, his 3 Alex's 4 Her 5 your

STEP 3 ④

STEP 1
1 그녀의 이름은 유나이다.
2 이것은 그의 가방이다.
3 저것은 우리의 개다.
4 그녀는 지금 매우 화가 나 있다.
5 그것은 너의 새 카메라이다.

STEP 3
나의 삼촌은 한국에 있다. 그가 가장 좋아하는 운동은 축구이다.
my uncle은 3인칭 단수이므로 be동사는 is를 쓰며 3인칭 단수 남성의 소유격은 his이다.

Point 005 인칭대명사의 격 (목적격)

본문 18쪽

STEP 1
1 I → me 2 his → him 3 their → them
4 we → us 5 its → it

STEP 2
1 her 2 Jerry 3 us 4 it 5 them

STEP 3 ④

TIP Brian은 사과를 좋아한다. 그녀는 Brian을 좋아한다.

STEP 1
1 Alice와 Andy는 나를 좋아한다.
2 엄마는 그에게 실망스러워하고 있다.
3 나는 그들을 매우 잘 안다.
4 그들은 우리에게 많은 사진들을 보여 준다.
5 지금 당장 그것을 보아라.

STEP 2
1 나는 그녀를 매우 많이 그리워한다.
2 Tom은 Jerry를 사랑한다.
3 그들은 우리와 같이 산다.
4 나는 그것을 매일 사용한다.
5 Albert는 그들과 함께 논다.

STEP 3
아빠가 부엌에서 나를/너를/그녀를/그들을 부른다.
빈칸은 동사 call의 목적어가 들어갈 자리이므로 목적격이 와야 한다. our는 소유격이므로 빈칸에 들어갈 수 없다.

Point 006 인칭대명사의 격 (소유대명사)

본문 19쪽

STEP 1
1 mine 2 his 3 ours 4 hers 5 theirs

STEP 2
1 That smartphone is yours.
2 This album is Judy's.
3 These toys are ours.
4 Those uniforms are theirs.

STEP 3 ③

STEP 1
1 그 파란 펜은 나의 것이다.
2 내 셔츠는 무늬가 없다. 그 줄무늬 셔츠는 그의 것이다.
3 12개의 크레용은 우리 것이다.
4 그것은 내 모자이다. 초록 모자가 그녀의 것이다.
5 저 차들은 그들의 것이다.

STEP 2
보기 이것은 나의 책이다. → 이 책은 나의 것이다.
1 저것은 너의 스마트폰이다.
2 이것은 Judy의 앨범이다.
3 이것들은 우리의 장난감들이다.
4 저것들은 그들의 유니폼이다.

STEP 3
그 청바지는 나의 것/우리의 것/Mike의 것/나의 엄마의 것이다.
뒤에 명사가 나오지 않으므로 '~의 것'이라는 소유대명사가 알맞다. her는 소유격이고 hers가 소유대명사이다.

Point 007 be동사의 부정문

본문 20쪽

STEP 1

1 I'm not 2 They're not 3 weren't
4 were not 5 are not

STEP 2

1 The poor dog isn't[The poor dog's not] wet.
2 We aren't[We're not] late for school.
3 They aren't[They're not] from Canada.
4 It isn't[It's not] an expensive car.
5 Her parents weren't at the department store.

STEP 3 ③

STEP 1

1 나는 음악가가 아니다.
2 그들은 지금 행복하지 않다.
3 Mike와 Miranda는 어제 거기에 없었다.
4 그 소녀들은 교실에 있지 않았다.
5 Jessie와 나는 발레리나가 아니다.

STEP 2

1 그 불쌍한 개가 젖어있다.
2 우리는 학교에 늦었다.
3 그들은 캐나다 출신이다.
4 그것은 비싼 차이다.
5 그녀의 부모님들은 백화점에 있었다.

STEP 3

엄마는 뚱뚱하지 않다. 그녀는 매우 날씬하다.

이어지는 날씬하다는 문장으로 보아 부정문이 와야 하고, 주어가 3인칭 단수이므로 isn't가 알맞다.

Point 008 be동사의 의문문

본문 21쪽

STEP 1

1 Am → Are
2 Is this is → Is this
3 Is → Are
4 Are → Is
5 No, she is → No, she isn't 또는 Yes, she is.

STEP 2

1 Was Janet a very clever girl?
2 Are Tom and Jake Ann's brothers?
3 Is Nora in England?
4 Is there a picture on the wall?

STEP 3 ③, ④

STEP 1

1 너는 가수니?
2 이것은 너의 카메라이니?
3 그 소년들이 너의 학생들이니?
4 그 영화는 재미있니?
5 A: Maggie는 경찰관이니?
B: 아니, 그녀는 아니야.[응, 그래]

STEP 2

1 Janet은 매우 영리한 소녀였다.
2 Tom과 Jake는 Ann의 남동생들이다.
3 Nora는 영국에 있다.
4 벽에 그림이 하나 있다.

STEP 3

A: 너의 아버지는 사업가이시니?
B: 아니, 그렇지 않아. 그는 소방관이셔.

B의 이어지는 응답으로 보아 아버지는 사업가가 아니므로 부정의 응답을 해야 한다.

01회 내신 적중 실전 문제

본문 22쪽

01 ③	02 ②	03 ④	04 ⑤	05 ②	06 ⑤
07 ④	08 ②	09 ④	10 ③	11 ⑤	12 ④

13 mine
14 I'm[I am], My, is
15 Her, is
16 Is, tall, No, he isn't

01

나의 남동생은 키가 작다. 나도 키가 작다.

이어지는 문장으로 보아 긍정문이 와야 하며 주어가 3인칭 단수이므로 be동사로 is가 알맞다.

02

Kevin은 캐나다인이다. 그의 집은 토론토에 있다.

명사 앞에서 소유 관계를 나타내므로 소유격이 쓰여야 한다. Kevin의 집이므로 3인칭 단수 he의 소유격 his가 와야 한다.

03

Susan은 어제 박물관에 있지 않았다. 그녀는 도서관에 있었다.

yesterday로 보아 과거시제이고, 이어지는 문장에서 '도서관에 있었다'고 했으므로 부정문이 알맞다. 따라서 3인칭 단수 과거 부정형인 wasn't가 와야 한다.

04

Amy와 Jack은 오늘 수업에 있지 않다.

'Amy and Jack'은 3인칭 복수이므로 they가 대신한다.

05

① 그의 차는 매우 좋니?
② 그 가방들은 그들의 것이 아니다.
③ Peter와 Sarah는 나의 사촌들이다.
④ 그녀는 십 년 전에 유명한 배우가 아니었다.
⑤ Ethan과 Charlie는 10분 전에 극장에 있었다.

② them을 '그들의 것'이라는 의미의 소유대명사 theirs로 고쳐야 한다.

Words cousin 사촌 theater 극장

06

Tommy와 Paul은 나의 가장 친한 친구들이다. 나는 그들을 사랑한다.

주어인 Tommy와 Paul은 복수이므로 be동사로 are가 오고, 동사 love의 목적어로는 목적격인 them이 알맞다.

07

① 이 연필은 싸다.
② 그들은 좋은 가수이다.
③ 저 소녀는 나의 딸이다.
④ 큰 공이 놀이터에 있다.
⑤ Janet과 Jack은 내 학급 친구들이다.

④의 is는 '(~에) 있다'라는 의미이고, 나머지는 모두 '~이다'의 뜻이다.

Words cheap (가격이) 싼

08

A: 너와 너의 여동생은 친하니?
B: 응, 그래.

'you and your sister'로 물었으므로 대답을 할 때는 we로 받아야 한다. 긍정일 때는 "Yes, we are." 부정일 때는 "No, we aren't."로 답해야 한다.

09

① 이것은 나의 모자이다. 그것은 내가 가장 좋아하는 것이다.
② Judy는 간호사가 아니다. 그녀는 의사이다.
③ 저것들은 그의 작품들이다. 그것들은 매우 비싸다.
④ Gary와 나는 목이 마르지 않았다. 그들은 물을 마시고 있었다.
⑤ Alice와 토끼는 친구들이다. 그들은 이상한 나라에 같이 있었다.

Gary and I에서 1인칭이 있으므로 They가 아닌 we로 대신해야 한다.

Words work 작품 expensive 비싼 together 함께

10

① 이 개는 그녀의 것이다.
② 저 펜은 Tom의 것이다.
③ 그 빨간 반지는 너의 것이다.
④ 그 카메라는 Mike의 것이다.
⑤ 저 우산은 나의 것이다.

③에는 '너의 것'이라는 소유대명사가 알맞으므로 yours가 와야 한다.

11

시제가 과거이고 주어는 복수이므로 be동사로 were가 와야 한다. be동사의 부정문은 be동사 뒤에 not이 온다.

12

① 나는 그의 시를 좋아한다.
② Susie는 그의 선생님이 아니다.
③ 그의 책이 책상 위에 있다.
④ 문 옆에 있는 자전거는 그의 것이다.
⑤ 소파 위에 그의 시계가 있다.

①②③⑤의 his는 소유격으로 쓰였으며, ④의 his는 '그의 것'이라는 소유대명사로 쓰였다.

Words poem 시 gate 문

13

저것들은 나의 신발이 아니다.
= 저 신발들은 나의 것이 아니다.

「소유격+명사」는 소유대명사로 바꿀 수 있다.

14

나는 Jake야. 나는 수줍음이 많아. 나의 가장 좋아하는 운동은

테니스야.

15

A: Jenny가 가장 좋아하는 운동은 무엇이니?

B: 그녀가 가장 좋아하는 운동은 축구야.

16

A: Paul은 키가 크니?

B: 아니, 크지 않아. 그는 매우 작아.

그러나 그는 농구를 잘 해.

be동사 의문문으로 주어 앞에 be동사가 오고, 이어지는 B의 말로 보아 부정의 응답이 알맞다.

02회 내신 적중 실전 문제

본문 24쪽

01 ③	02 ④	03 ②	04 ②	05 ⑤	06 ⑤
07 ④	08 ①	09 ②	10 ④	11 ④	12 ④

13 They are

14 We are

15 Are your dog and cat healthy?

16 There were beautiful flowers in a vase.

01

• 이것은 그의 지갑이다.

• 바닥에 있는 휴대폰은 그의 것이다.

첫 번째 빈칸은 명사 앞에 쓰여 소유 관계를 나타내는 소유격이 알맞다. 두 번째 빈칸은 「소유격+명사」를 대신 받는 소유대명사가 들어갈 자리이다. 따라서 소유격과 소유대명사의 형태가 같은 his가 공통으로 들어갈 말로 알맞다.

02

James는 4년 전에 매우 활발한 소년이었다.

4 years ago는 '4년 전에'로 과거를 나타내는 부사구이므로 3인칭 단수에 알맞은 be동사 형태는 was이다.

Words active 활발한, 적극적인

03

① 그녀는 매우 총명한 학생이다.

② 나는 너와 동갑이 아니다.

③ 너와 나는 열심히 공부를 하고 있지 않았다.

④ Ted는 모임에 늦지 않았다.

⑤ 그들은 밖에서 노는 것을 좋아하지 않았다.

am not은 줄여 쓰지 못한다.

04

나의/그의/그녀의/그들의 장난감 가게는 서울에 있다.

빈칸에는 명사 앞에 쓰여 소유 관계를 나타내는 소유격이 알맞다. 2인칭 you의 소유격은 your이다.

05

그녀는 우리/Andrew/그들/John과 Maggie에게 수학을 가르친다.

빈칸은 동사 teach의 간접목적어 자리로 목적격이 와야 한다. 명사의 목적격은 형태 변화 없이 목적어로 쓰인다. my brothers'는 소유격이다.

06

저 선글라스들은 그의 것/나의 것/그녀의 것/Mike의 것이다.

명사가 없으므로 '~의 것'이라는 소유대명사가 와야 한다. 명사의 소유격, 소유대명사는 's를 붙이고 -s로 끝날 때는 '만 붙인다. 따라서 ⑤는 her husband's가 알맞다.

07

① 나는 그녀를 보기를 원한다.

② 우리는 그녀를 매우 많이 좋아한다.

③ Jane은 그녀의 사진을 찍었다.

④ 서랍에 그녀의 반지가 있다.

⑤ 창문 옆의 남자가 그녀를 칭찬했다.

④의 her는 소유격으로 쓰였으며, ①②③⑤의 her는 목적격으로 쓰였다.

Words drawer 서랍 praise 칭찬하다

08

be동사의 의문문은 「be동사+주어~?」의 형태로 만든다. 제시된 문장의 시제가 현재이고, 주어가 3인칭 단수이므로 be동사는 is를 쓴다.

09

① A: 이것은 너의 스카프이니?
   B: 응. 그것은 내가 가장 좋아하는 거야.

② A: 그의 수업은 재미있니?
   B: 응, 그래.

③ A: Brown 씨가 너의 선생님이니?
   B: 응, 맞아.

④ A: 그는 영국에서 왔니?
   B: 응, 맞아. 그는 런던 출신이야.

⑤ A: 너는 너의 선물에 만족하니?
   B: 물론이야. 나는 마음에 들어.

② his class는 it으로 받아서 답변한다.

10

A: James와 Sally는 남매니?

B: 아니, 그렇지 않아. 그들은 좋은 친구들이야.

이어지는 B의 말로 보아 남매가 아니므로 부정의 응답이 알맞다. James와 Sally는 3인칭 복수이므로 they로 받는다.

11

① Mary는 그녀의 여동생들과 있니?

② 너의 지갑에 동전이 하나 있니?

③ 나의 부모님의 집은 부산에 있다.

④ John과 Jack은 경기장에 있다.

⑤ 나의 할아버지는 70세가 넘으셨다.

④는 주어가 3인칭 복수이므로 be동사로 are가 오며, 나머지는 be동사로 is가 온다.

Words stadium 경기장

12

① 그녀는 그것을 매일 사용한다.

② 나는 Jenny를 매우 많이 사랑한다.

③ Janet은 그녀의 부모님들과 함께 산다.

④ Bob은 그들을 파티에 초대한다.

⑤ 아빠가 나에게 용돈을 좀 주었다.

동사나 전치사의 목적어로 쓰이는 목적격은 인칭대명사의 경우 변화하고, 명사는 형태 변화가 없다. ④ their는 소유격으로 목적격인 them으로 고쳐야 한다.

Words pocket money 용돈

13

그는 한국인이다. 그녀도 한국인이다. → 그들은 한국인이다.

3인칭 복수형 인칭대명사는 they, be동사는 are이다.

14

나는 2학년이다. 너도 2학년이다. → 우리는 2학년이다.

I and you는 1인칭 복수이므로 인칭대명사는 we, be동사는 are가 온다.

15

be동사 의문문은 「be동사+주어~?」의 형태이므로 be동사인 are를 먼저 쓰고 주어를 만든다.

16

「there is[are]~」는 명사가 be동사 뒤에 와서 '~이 있다'의 뜻이다.

Lesson 02 | 일반동사

Point 009 일반동사의 현재형 (1 · 2인칭 주어)

본문 28쪽

STEP 1

1 나는 저녁에 가족과 함께 TV를 시청한다.
2 너는 그 블라우스를 입으니 근사해 보이는구나.
3 우리는 음악실에서 음악 수업을 듣는다.
4 내 남동생과 나는 방을 함께 쓴다.
5 너희들은 아주 열심히 일하는구나.

STEP 2

1 I go hiking every Sunday.
2 We live in the same apartment.
3 You have a great sense of fashion.
4 You look tired now.
5 My friends and I spend a lot of time together.

STEP 3 ⑤

• 나는 음악을 좋아한다.
• 우리는 방과 후에 축구를 한다.
• 너는 노래를 매우 잘한다.
• 여러분들에게는 꿈과 목표가 필요합니다.

STEP 3

________ 영어를 아주 잘 한다.

① 나는
② 너는[너희들은]
③ 우리들은
④ 우리 언니와 나는
⑤ Susan은

문장이 현재시제인 경우 주어가 1 · 2인칭이거나 3인칭 복수일 때 일반동사를 원형 그대로 쓴다. 주어가 3인칭 단수일 때는 일반동사의 끝에 -(e)s를 붙여야 한다.

Point 010 일반동사의 현재형 (3인칭 주어)

본문 29쪽

STEP 1

1 works 2 knows 3 plant 4 turn 5 play

STEP 2

1 like 2 reads 3 grow 4 closes

STEP 3 ④

• 그는 농담을 아주 잘한다.
• 그녀는 설거지를 한다.
• 그것은 바다에서 산다.
• 그것들은 단맛이 난다.

STEP 1
1 우리 아버지는 박물관에서 일하신다.
2 Jenny는 유명한 가수들을 많이 알고 있다.
3 우리는 4월 5일에 나무를 심는다.
4 나뭇잎은 가을에 빨갛고 노랗게 변한다.
5 주호와 민수는 매주 토요일에 배드민턴을 친다.

STEP 3
① 학교는 오전 9시에 시작한다.
② 치타는 매우 빨리 달린다.
③ 여름에는 비가 많이 내린다.
④ 우리 엄마는 밤늦게 드라마를 보신다.
⑤ Ben과 Mike는 서로 자주 싸운다.
④ 주어 my mom은 3인칭 단수이고 문장이 현재시제이므로, watch에 -es를 붙여야 한다.

Point 011 일반동사의 3인칭 단수 만드는 방법

본문 30쪽

STEP 1
1 listens 2 says 3 hurries 4 has 5 catches

STEP 2
1 brushes his teeth 2 dries her hair
3 keeps a diary 4 Time passes
5 buys a newspaper

STEP 3 ③

STEP 1
1 Chris는 보통 클래식 음악을 듣는다.
2 우리 엄마는 내가 착한 아이라고 말씀하신다.
3 Luke는 매일 아침 학교에 서둘러 간다.
4 유진이는 이번 방학에 특별한 계획이 있다.
5 일찍 일어나는 새가 벌레를 잡는다.

STEP 3
① Tom은 모든 종류의 운동을 즐긴다.
② 그 감미로운 선율이 나의 긴장을 풀어 준다.
③ 수지는 항상 노인분들을 도와드린다.
④ 우리 아버지는 오후 8시에 뉴스를 보신다.
⑤ 그는 때때로 학교 도서관에서 공부한다.
①~⑤ 모두 주어가 3인칭 단수이고 현재시제이다. ① enjoy → enjoys ② relaxs → relaxes ④ watchs → watches ⑤ studyes → studies

Point 012 일반동사의 과거형 (규칙 변화)

본문 31쪽

STEP 1
1 helped 2 studied 3 cried
4 played 5 planned

STEP 2
1 smiled at me 2 dropped a glass
3 stayed there 4 tried to finish

STEP 3 ①

STEP 1
1 나는 맹인이 길을 건너가는 것을 도와주었다.
2 미라는 어제 밤새 공부했다.
3 아기는 한 시간 동안 울었다.
4 그들은 우리 결혼식에서 재즈를 연주했다.
5 나는 일정을 미리 계획했다.

STEP 3
① 그녀는 과일을 사려고 시장에서 장을 보았다.
② 그는 과거에 간호사로 일했다.
③ 그들은 오랫동안 그 장면을 보았다.
④ 그의 가족은 그의 건강을 걱정했다.
⑤ 로미오와 줄리엣은 서로를 아주 많이 사랑했다.
① shop은 「단모음+단자음」으로 끝나는 동사이므로 과거형을 만들 때 맨 끝의 자음을 한 번 더 쓰고 -ed를 붙인다. 이에 따라 shop을 shopped로 고쳐야 한다.

Point 013 일반동사의 과거형 (불규칙 변화 I)

본문 32쪽

STEP 1
1 took, went 2 made 3 met
4 sent 5 bought

STEP 2

1 saw 2 told 3 knew 4 found

STEP 3 ⑤

STEP 1

1 그녀는 샤워를 하고 학교에 갔다.
2 나는 어제 말하기 대회에서 실수를 했다.
3 그들은 5년 전에 처음으로 만났다.
4 Theo는 Vincent에게 매달 돈을 보냈다.
5 우리는 식료품점에서 과일과 채소를 샀다.

STEP 3

① 이틀 동안 비가 계속 내렸다.
② 나는 그것에 대해 여러 번 생각했다.
③ 한 여자가 길에서 넘어졌다.
④ 우리는 아프리카의 역사에 관해 많은 것을 배웠다.
⑤ 당신은 이 식당에 가방을 두고 가셨어요.

⑤ 문장이 과거시제일 때 leave는 불규칙 변화하는 동사이므로, leaved를 left로 고쳐야 한다.

Point 014 일반동사의 과거형 (불규칙 변화 Ⅱ)

본문 33쪽

STEP 1

1 set 2 showed 3 let
4 put 5 visited

STEP 2

1 cut her finger 2 hit each other
3 set four chairs 4 hurt his[her] back
5 read the fairy tale

STEP 3 ②

STEP 1

1 그들은 강가에 텐트를 쳤다.
2 그 여행 가이드는 우리에게 길을 알려 주었다.
3 우리 선생님께서는 어제 내가 집에 일찍 가게 해 주셨다.
4 나는 양파를 바구니에 넣었다.
5 나는 프랑스의 오르세미술관을 방문했다.

STEP 3

나는 전에 그것을 ________.
① 배웠다 ② 읽었다 ③ 물어보았다 ④ 보았다 ⑤ 확인했다

② read의 과거형은 readed가 아니라 read이므로, read는 빈칸에 들어갈 말로 알맞지 않다.

Point 015 일반동사의 부정문 (don't)

본문 34쪽

STEP 1

1 우리들은 토요일에는 학교에 가지 않는다.
2 너는 네 자신에 관해 말을 많이 하지 않는구나.
3 내 친구와 나는 그 배우를 좋아하지 않는다.
4 나는 밤에는 커피를 마시지 않는다.
5 그들은 서로를 알지 못한다.

STEP 2

1 I don't feel well.
2 They don't live in this town.
3 You don't have a good sense of humor.
4 Tom and his brother don't get along with each other.

STEP 3 ④

STEP 3

주어가 1인칭이고 현재시제인 경우, 일반동사 앞에 don't를 써서 부정문을 만든다.

Point 016 일반동사의 부정문 (doesn't)

본문 35쪽

STEP 1

1 doesn't 2 doesn't eat 3 don't
4 work 5 don't

STEP 2

1 doesn't drink alcohol
2 doesn't look delicious
3 don't work
4 doesn't rain a lot
5 don't serve spaghetti

STEP 3 ⑤

STEP 1

1 우리 안의 사자는 사나워 보이지 않는다.
2 Jake는 날 생선을 전혀 먹지 않는다.
3 벽장 속의 옷은 나에게 맞지 않는다.
4 책상 위의 컴퓨터는 작동하지 않는다.

5 그 작가의 새 책은 잘 팔리지 않는다.

STEP 3

① 그녀는 쇼핑에 돈을 많이 쓰지 않는다.
② 우리 강아지는 낯선 사람들에게 짖어대지 않는다.
③ 그 버스는 시청에 가지 않는다.
④ 그는 내 의견에 동의하지 않는다.
⑤ 동물원의 동물들은 행복해 보이지 않는다.

⑤ 주어 The animals는 3인칭 복수이고 문장이 현재시제이므로, doesn't가 아닌 don't를 써서 부정문을 만들어야 한다.

Point 017 일반동사의 부정문 (didn't)

본문 36쪽

STEP 1

1 didn't eat 2 have 3 did not
4 don't 5 didn't

STEP 2

1 didn't keep the promise
2 didn't answer my phone
3 didn't snow a lot this winter
4 didn't do the homework, so our math teacher was very upset

STEP 3 ②

STEP 1

1 그들은 종교적인 이유로 돼지고기를 먹지 않았다.
2 1980년대에 사람들은 휴대 전화를 갖고 있지 않았다.
3 나는 다이어트 중이어서 과식하지 않았다.
4 고래는 알을 낳지 않는다. 그것들은 포유동물이다.
5 그는 어제 회의에 나타나지 않았다.

STEP 3

• 나는 요즘 자정 전까지는 잠들지 않는다.
• 나는 어제 과학 시험을 잘 보지 못했다.

주어가 1인칭일 때 현재시제 부정문은 don't를 이용해 만들고, 과거시제 부정문은 주어의 인칭과 수에 관계없이 didn't를 이용해 만든다.

Point 018 일반동사의 의문문 (do)

본문 37쪽

STEP 1

1 내가 피곤해 보이니?
2 너는 죽음 이후의 삶이 있다고 믿니?
3 그들은 집에서 식물을 기르니?
4 우리가 지금 주문할 필요가 있나요?
5 중국인들은 젓가락을 사용하나요?

STEP 2

1 Do you know her email address?
2 Do fish close their eyes during sleep?
3 Do Koreans bow to each other?
4 Do you go to school by bus or by bike?

STEP 3 ①

STEP 3

A: 도움이 필요하신가요?
B: 네, 그렇습니다. 이 상자를 옮기는 것 좀 도와주세요.

조동사 do를 사용해서 물어본 경우 대답 역시 do를 사용해서 한다. you로 물어봤으므로 대답은 I나 we를 사용해서 해야 한다.

Point 019 일반동사의 의문문 (does)

본문 38쪽

STEP 1

1 Does 2 drive 3 Do 4 doesn't 5 Do

STEP 2

1 Does Andy prepare dinner for himself?
2 Does an octopus have a backbone?
3 Do you want some more dessert?
4 Does the girl like ice cream?
5 Do you and your sister look alike?

STEP 3 ③

STEP 1

1 그녀는 정말로 영화배우처럼 보이니?
2 너희 아버지는 차를 운전하시니?
3 우리는 서둘러야 하니?
4 A: 그는 여전히 그곳에서 일하나요? B: 아뇨, 하지 않아요.
5 당신의 남편과 아이들은 서로 의사소통을 자주 하나요?

STEP 3

__________ 시간이 더 필요하니?

① 너는[너희들은] ② 우리는 ③ 유미는
④ 그들은 ⑤ 미나와 수빈이는

③은 3인칭 단수이므로 현재시제 의문문을 만들 때 Do가 아닌 Does를 사용해야 한다.

Point 020 일반동사의 의문문 (did)

본문 39쪽

STEP 1
1 Did 2 Do 3 Did 4 go 5 did

STEP 2
1 Did you receive my email?
2 Did we buy eggs at the supermarket?
3 Do they know the game rules?
4 Did he water the flowers yesterday?

STEP 3 ⑤

STEP 1

1 너는 어제 축구 경기를 봤니?
2 너는 내일 오후에 시간이 있니?
3 그녀는 작년 여행 중에 호텔에 묵었니?
4 그는 강에 낚시를 하러 갔니?
5 A: 그들은 지난봄에 결혼했나요? B: 네, 했어요.

STEP 3

① 어젯밤에 비가 아주 많이 내렸니?
② 당신은 오늘 아침에 걸어서 출근하셨나요?
③ Tom은 숙제를 제출했니?
④ 그들은 공항에 제시간에 도착했니?
⑤ 그 고양이가 식탁 위의 치즈를 먹었니?

⑤ 과거시제 의문문은 「Did+주어+동사원형~?」의 형태이므로, ate를 eat로 고쳐야 한다.

01회 내신 적중 실전 문제

본문 40쪽

01 ① 02 ③ 03 ② 04 ④ 05 ⑤ 06 ②
07 ④ 08 ① 09 ② 10 ④ 11 ② 12 ⑤
13 Do you have a pet?
14 Brian hurt his leg in the soccer game.
15 She[Yuna] took a violin lesson (last Monday).
16 She[Yuna] finished the science project (last Wednesday).

01

① 모든 개에게도 자기만의 날이 있다. (쥐구멍에도 볕들 날 있다.)
② Susan은 일 년에 한 번 한국을 방문한다.
③ 엄마는 식사 후에 설거지를 하신다.
④ 남자아이들은 운동장에서 축구를 한다.
⑤ 나는 이번 주말에 중요한 약속이 있다.

① 현재시제 문장이며 주어 Every dog는 3인칭 단수이므로 일반동사에 -(e)s가 붙어야 한다. 이 문장의 동사는 불규칙 변화 동사인 have이므로 has로 고쳐야 한다.

Words meal 식사 playground 운동장 important 중요한 appointment 약속

02

• 나는 그녀의 주소를 알지 못한다.
• Jake는 무서운 영화를 좋아하지 않는다.
• 우리 가족 구성원들은 초밥을 즐겨 먹지 않는다.

현재시제 부정문을 만들 때 주어가 1 · 2인칭이거나 3인칭 복수인 경우 don't를 사용하고, 주어가 3인칭 단수인 경우 doesn't를 사용한다.

Words address 주소 scary 무서운 sushi 초밥

03

A: 그는 바이올린을 연주하니?
B: 아니, 연주하지 않아. 그렇지만 그는 피아노를 연주해.

주어가 3인칭 단수일 때 현재시제 의문문은 「Does+주어+동사원형~?」의 형태이므로, 첫 번째 빈칸에는 play가 알맞다. 주어가 3인칭 단수이고 현재시제인 경우, 일반동사의 끝에 -(e)s를 붙여야 하므로, 두 번째 빈칸에는 plays가 알맞다.

04

A: 너 홍수에 관한 소식 들었니?
B: 응, 들었어. 나는 정말 놀랐어.

B가 과거시제를 이용해 답한 것으로 보아, 주어진 대화문이 과거시제임을 알 수 있다. 일반동사의 과거시제 의문문과 이에 대한 대답은 did를 이용한다.

Words flood 홍수 surprised 놀란

05

나는 종종 자유 시간에 TV로 야구 경기를 보지만, 우리 형은 야구를 좋아하지 않는다.

⑤ 주어가 3인칭 단수이고 현재시제인 경우, 부정문의 형태는 「주어+doesn't+동사원형~」이다. 따라서 likes를 like로 고쳐야 한다.

06

① 우리는 우리의 미래를 알지 못한다.
② 나는 매일 숙제를 한다.
③ 너는 자주 영화를 보러 가니?
④ 남아프리카 공화국에서는 영어로 말하니?
⑤ 미국인들은 집에서 신발을 벗지 않는다.

②의 do는 '하다'라는 뜻을 가진 일반동사이다. 나머지는 모두 부정문이나 의문문을 만들 때 쓰는 조동사 do가 사용되었다.

Words future 미래 South Africa 남아프리카 공화국
take off ~를 벗다

07

우리 가족은 작년 여름에 대만에 갔다.

과거 시점을 나타내는 부사구 last summer로 보아 주어진 문장은 과거시제임을 알 수 있다. 불규칙 변화 동사인 go의 과거형은 went이다.

Words Taiwan 대만

08

당근은 땅에서 자라나요?

일반동사 grow가 포함된 문장이므로 조동사 do를 사용하는 의문문임을 알 수 있다. 그런데 주어 carrots는 3인칭 복수이므로 Do를 써서 의문문을 만든다.

Words carrot 당근 grow 자라다 ground 땅

09

____________ 가끔 숲으로 캠핑을 간다.

① 나는 ② 그는 ③ 우리들은 ④ 그들은 ⑤ 그녀의 부모님은

일반동사가 원형 그대로 사용되었으므로, 주어 자리에는 1·2인칭 명사 또는 3인칭 복수 명사가 와야 한다.

Words forest 숲

10

① 그녀는 찬물을 마셨다.
② 그들은 도쿄에서 처음 만났다.
③ Mike는 내게 충고를 많이 해 주었다.
④ 나는 어젯밤에 이상한 소리를 들었다.
⑤ 너는 같은 실수를 또 했다.

④ 불규칙 변화 동사인 hear의 과거형은 heared가 아니라 heard이다.

Words advice 충고, 조언 strange 이상한 mistake 실수

11

나는 운전면허 시험에 대비해 열심히 공부했다.

일반동사의 과거시제 부정문은 주어의 인칭과 수에 관계없이 didn't를 이용하며, 「주어+didn't+동사원형~」의 형태이다.

Words driving test 운전면허 시험

12

두바이에는 비가 전혀 오지 않는다.

부사 never를 사용한 첫 번째 문장을 조동사 do를 사용한 부정문으로 바꿀 수 있는데, 주어가 3인칭 단수이고 현재시제이므로 doesn't를 사용한다.

13

A: 너에게는 애완동물이 있니?
B: 응, 있어. 나는 이구아나를 키워.

B가 "Yes, I do."라고 대답한 것으로 보아 A는 "Do you ~?"로 물어보았음을 알 수 있다.

Words pet 애완동물 raise 키우다, 기르다 iguana 이구아나

14

불규칙 변화 동사인 hurt의 과거형은 hurt임에 유의해야 한다.

[15~16]

요일	일정
월요일	바이올린 수업 받기
화요일	Amy와 영화 보기
수요일	과학 프로젝트 끝내기

15

A: 유나는 지난 월요일에 무엇을 했는가?
B: 그녀는[유나는] (지난 월요일에) 바이올린 수업을 받았다.

이미 지나간 일에 관해 물어보았으므로 과거시제로 대답해야 한다. 불규칙 변화 동사 take의 과거형은 took임에 유의해야 한다.

Words lesson 수업

16

A: 유나는 지난 수요일에 무엇을 했는가?
B: 그녀는[유나는] (지난 수요일에) 과학 프로젝트를 끝냈다.

이미 지나간 일에 관해 물어보았으므로 과거시제로 대답해야 한다. 규칙 변화 동사 finish의 과거형은 finished이다.

Words project 프로젝트, 과제

02회 내신 적중 실전 문제

본문 42쪽

01 ② 02 ⑤ 03 ⑤ 04 ⑤ 05 ①
06 ①, ⑤ 07 ⑤ 08 ③ 09 ① 10 ②
11 ⑤ 12 ②
13 Does Jina have big eyes?
14 eated, ate
15 He[Minho] likes sports.
16 He[Minho] doesn't like insects.

01

• 너는 화가 나 보여. 무슨 일 있니?
• 지수는 토요일마다 자신의 여동생을 돌본다.

첫 번째 문장은 주어가 2인칭이므로 일반동사의 원형을 쓰고, 두 번째 문장은 주어가 3인칭 단수이므로 일반동사의 끝에 -(e)s를 붙인다.

Words upset 화가 난 matter 일, 문제
look after ~를 돌보다

02

보기 당신은 일을 잘 해냈어요.
① 우리는 그를 믿지 않았다.
② 누구 오늘 그녀를 본 사람이 있니?
③ 너는 네 방을 청소했니?
④ 그들은 경기에서 이기지 못했다.
⑤ 나는 어제 내 일을 다 했다.

보기 와 ⑤의 did는 '하다'의 뜻을 가진 일반동사 do의 과거형이다. 나머지는 모두 부정문이나 의문문을 만들 때 쓰는 조동사 do의 과거형인 did가 사용되었다.

Words believe 믿다 clean 청소하다 win 이기다

03

① A: 내가 졸려 보이니?
B: 응, 그렇게 보여.
② A: 그는 노래를 잘하니?
B: 응, 잘해.
③ A: 너는 차가 있니?
B: 아니, 없어.
④ A: Amy는 안경을 쓰니?
B: 응, 써.
⑤ A: 그들은 배낭을 메니?
B: 아니, 메지 않아.

"Do they~?"로 물었으므로 대답 역시 they를 사용해서 해야 한다.

Words sleepy 졸린 carry 메다, 들다 backpack 배낭

04

Kate는 ______________.
① 재미있지 않다 ② 머리카락이 길다 ③ 좋은 가수이다
④ 중국어를 잘한다 ⑤ 피아노를 치지 못한다

Kate는 3인칭 단수 주어이므로 현재시제 부정문은 don't가 아닌 doesn't를 이용해서 만든다.

Words Chinese 중국어

05

불규칙 변화 동사 put의 과거형은 put이다.

06

① 나무가 폭풍에 쓰러졌다.
② 아무도 잃어버린 반지를 찾지 못했다.
③ Lily는 어젯밤에 2시간 동안 잤다.
④ Michael은 어제 런던으로 떠났다.
⑤ 나는 친구들과 함께 놀이공원을 방문했다.

② 불규칙 변화 동사 find의 과거형은 found이다.
③ 불규칙 변화 동사 sleep의 과거형은 slept이다.
④ 불규칙 변화 동사 leave의 과거형은 left이다.

Words storm 폭풍 missing 잃어버린, 없어진
amusement park 놀이공원

07

그녀는 그 당시에 진실을 알지 못했다.

과거 시점을 나타내는 전치사구 at that time으로 보아, 문장의 시제가 과거임을 알 수 있다. 일반동사의 과거시제 부정문은 주어의 인칭과 수에 관계없이 didn't를 사용한다.

Words truth 진실, 사실

08

우리는 내일 수업이 없어. 소풍을 가는 게 어때?

현재시제이고 주어가 1인칭인 경우 부정문의 형태는 「주어+don't+동사원형~」이다.

09

A: 너는 지금 시간이 있니?

B: 응, 있어. 무슨 일이야?

A의 말에 부사 now가 사용된 것으로 보아, 현재시제로 묻고 답하는 대화이다. 주어가 1 · 2인칭일 때 일반동사의 현재시제 의문문과 이에 대한 대답은 do를 사용한다.

10

A: 미나는 지난주에 파티에 왔니?

B: 응, 왔어. 그녀는 즐거운 시간을 보냈어.

A의 말에 부사구 last week가 사용된 것으로 보아, 과거시제로 묻고 답하는 대화이다. 일반동사의 과거시제 의문문과 이에 대한 대답은 did를 사용한다.

Words enjoy oneself 즐거운 시간을 보내다

11

① 깃발이 바람이 나부낀다.

② Susan은 대학에서 경영을 공부한다.

③ 우리 할머니는 항상 나를 위해 기도하신다.

④ Tom은 정기적으로 패션 잡지를 읽는다.

⑤ Paul은 식사 직후에 양치질을 한다.

⑤ 현재시제 문장에서 주어가 3인칭 단수일 때 brush와 같이 -sh로 끝나는 동사에는 -es를 붙인다. 따라서 brushs를 brushes로 고쳐야 한다.

Words flag 깃발 wind 바람 business 경영, 사업 university 대학 pray 기도하다 magazine 잡지 regularly 정기적으로, 규칙적으로

12

① 북극곰들은 북극에 산다.

② 우리 아버지는 종종 내 자전거를 고쳐 주신다.

③ Chris와 나는 점심을 함께 먹는다.

④ 회의는 두 시에 시작한다.

⑤ John은 대개 자정이 넘어서 잠자리에 든다.

② 현재시제 문장에서 주어가 3인칭 단수일 때 fix와 같이 -x로 끝나는 동사에는 -es를 붙인다. 따라서 fix를 fixes로 고쳐야 한다.

Words polar bear 북극곰 the Arctic 북극 (지방) fix 고치다 begin 시작하다 midnight 자정, 밤 12시

13

지나는 눈이 크다

→ 지나는 눈이 크니?

주어가 3인칭 단수이고 현재시제인 경우 의문문의 형태는 「Does+주어+동사원형~?」이다.

14

나는 어제 핫도그를 두 개 먹었다.

불규칙 변화 동사 eat의 과거형은 ate이다.

[15~16]

이름	김민호
좋아하는 것	운동
싫어하는 것	곤충

15

A: 민호는 무엇을 좋아하는가?

B: 그는[민호는] 운동을 좋아한다.

조동사 does를 사용한 의문문에 대한 대답은 현재시제로 한다. 주어가 3인칭 단수이고 현재시제이므로, 동사 like에 -s를 붙인다.

16

A: 민호는 무엇을 좋아하지 않는가?

B: 그는[민호는] 곤충을 좋아하지 않는다.

주어가 3인칭 단수이고 현재시제인 경우 부정문의 형태는 「주어+doesn't+동사원형~」이다.

Words insect 곤충

Lesson 03 | 시제

Point 021 현재시제

본문 46쪽

STEP 1
1 lead 2 boils 3 is 4 is 5 goes

STEP 2
1 doesn't like 2 Do, play 3 is
4 moves 5 lies

STEP 3 ②

- Tom은 미국에 산다.
- 태양은 동쪽에서 뜬다.

STEP 1
1 모든 길은 로마로 통한다.
2 물은 섭씨 100도에서 끓는다.
3 하루는 24시간이다.
4 당신의 지갑은 지금 책상 위에 있다.
5 Brown 씨는 매주 토요일에 영화를 보러 간다.

STEP 3
- 나는 매일 아침 우유 한 잔을 마신다.
- 고래는 포유동물이다.

첫 번째 문장에서는 현재의 반복적인 동작이나 습관을, 두 번째 문장에서는 불변의 진리를 나타내므로 현재시제가 쓰여야 한다.

Point 022 과거시제

본문 47쪽

STEP 1
1 were 2 locked 3 was 4 was 5 fell

STEP 2
1 studied 2 had 3 was
4 invented 5 prepared

STEP 3 ③

- 나는 어제 기타 가게를 갔다.
- 한국 전쟁은 1953년에 끝났다.

STEP 1
1 우리는 2시간 전에 박물관에 있었다.
2 Wilson 부인은 어젯밤에 그 문을 잠갔다.
3 Paul은 어제 매우 아팠다.
4 경주는 8세기에 국제적인 도시였다.
5 그가 나를 세게 밀어서 나는 바닥에 넘어졌다.

STEP 3
Bill은 지난 주말 프랑스에 있는 한 친구로부터 엽서를 받았다.

전체 문장의 시제가 과거이며, 과거에 일어난 일에 대해 말하고 있으므로 과거시제가 쓰여야 한다.

Point 023 진행시제 만드는 법

본문 48쪽

STEP 1
1 eating 2 stopping 3 getting 4 writing
5 telling 6 swimming 7 tying 8 opening
9 having 10 saying

STEP 2
1 looking 2 hiding 3 running
4 lying 5 waiting

STEP 3 ①

STEP 2
1 그는 그림을 보고 있다.
2 한 소녀가 책상 아래에 숨고 있다.
3 도둑이 경찰로부터 도망가고 있다.
4 그 남자는 바닥에 누워있다.
5 많은 사람들이 버스를 기다리고 있다.

STEP 3
put은 「단모음+단자음」으로 끝나는 동사이므로 자음을 한 번 더 쓰고 -ing를 붙여서 putting으로 써야 한다.

Point 024 현재진행 시제

본문 49쪽

STEP 1
1 I am talking to Emily.
2 Jane is listening to jazz music.
3 It is raining too much.
4 Mary is making a doll.
5 Bill is cleaning the room.

STEP 2

1 is taking 2 are reading 3 am learning
4 is shaving 5 are having

STEP 3 ③

• 그 말은 언덕 위를 달리고 있다.

STEP 1

1 나는 Emily와 말한다.
2 Jane은 재즈 음악을 듣는다.
3 비가 너무 많이 온다.
4 Mary는 인형을 만든다.
5 Bill은 방을 청소한다.

STEP 3

① 그는 복사기를 사용하고 있다.
② 그 개는 잔디에서 놀고 있다.
③ 나는 내 남동생을 매우 많이 좋아한다.
④ 그녀는 요즘 피아노 수업을 듣고 있다.
⑤ 그들은 부엌에서 함께 설거지를 하고 있다.

like는 감정을 나타내는 동사이므로 진행형으로 쓰지 않는다.

Point 025 과거진행 시제

본문 50쪽

STEP 1

1 She was taking a shower.
2 John was doing his homework.
3 I was waiting for you yesterday afternoon.
4 They were preparing dinner two hours ago.
5 She was playing the guitar this morning.

STEP 2

1 was driving 2 was carrying 3 were drinking
4 was putting on 5 were swimming

STEP 3 ④

• 내가 그를 보았을 때, 그는 공원에서 자전거를 타고 있었다.

STEP 1

1 그녀는 샤워를 했다.
2 John은 그의 숙제를 했다.
3 나는 어제 오후에 당신을 기다렸다.
4 그들은 두 시간 전에 저녁 식사를 준비했다.
5 그녀는 오늘 아침 기타를 쳤다.

STEP 3

과거의 특정 시점에서 진행 중이던 행위는 과거진행형으로 나타내며 문장의 주어가 3인칭 단수(she)이므로 「was+v-ing」의 형태를 취해야 한다.

Point 026 진행시제의 부정문과 의문문

본문 51쪽

STEP 1

1 John is not going fishing with his father.
2 I'm not washing my car in the garage.
3 Are you fixing the computer?
4 Were they making pancakes this morning?

STEP 2

1 is not staying 2 Was she dancing
3 What are you reading 4 were not eating

STEP 3 ②

• 그는 그 회의에 참석하고 있지 않다.
A: 그들은 수업 중에 잠을 자고 있었니?
B: 응, 자고 있었어. / 아니, 자고 있지 않았어.

STEP 1

1 John은 그의 아버지와 낚시하러 가고 있다.
2 나는 차고에서 세차를 하고 있다.
3 너는 컴퓨터를 고치고 있다.
4 그들은 오늘 아침 팬케이크를 만들고 있었다.

STEP 3

진행시제의 부정문은 「be동사+not+v-ing」 형태로 표현한다.

Point 027 미래시제 (will)

본문 52쪽

STEP 1

1 be 2 not meet 3 go 4 have 5 visit

STEP 2

1 will see an opera at three o'clock
2 will not go to school
3 Will you leave for Paris next week
4 will be fine tomorrow
5 will not be the winner of this match

STEP 3 ④

• Bill의 팀은 오늘 밤 경기에서 이길 것이다.
• 나는 같은 실수를 다시 하지 않을 것이다.
A: 문을 닫을 건가요?
B: 네, 닫을 거예요. / 아니요, 닫지 않을 거예요.

STEP 1
1 나는 곧 돌아올 것이다.
2 이 선생님은 내일 그녀를 만나지 않을 것이다.
3 그녀는 이번 주말 쇼핑하러 가지 않을 것이다.
4 그들은 1시에 점심을 먹을 것이다.
5 John은 너의 집을 다음 주에 방문할 것이다.

STEP 3
① 우리는 곧 행복해질 것이다.
② 오늘 오후에 비가 오지 않을 것이다.
③ 그녀는 내일 새 신발을 살 것이다.
④ 그들은 오늘 밤 눈사람을 만들 건가요?
⑤ 그녀는 자신의 휴대전화를 이번 주에 사용하지 않을 것이다.
will이 사용된 미래시제 의문문은 「Will+주어+동사원형 ~?」의 형태를 취한다.

Point 028 미래시제 (be going to)

본문 53쪽

STEP 1
1 Jack is going to arrive in Rome today.
2 We are going to plant a tree on the hill.
3 Mom is going to bake cookies for us.
4 Are you going to take a bus to get there?
5 He is going to play basketball after school.

STEP 2
1 am going to join
2 Are you going to watch
3 are not going to lose
4 is going to start

STEP 3 ②

• 그들은 이 집을 팔지 않을 것이다.
A: 너는 다음 달에 도쿄를 방문할 예정이니?
B: 응, 그래. / 아니, 그렇지 않아.

STEP 1
1 Jack은 오늘 로마에 도착한다.
2 우리는 언덕 위에 나무를 심는다.
3 엄마는 우리를 위해 쿠키를 굽는다.
4 너는 그곳에 가기 위해 버스를 타니?
5 그는 방과 후에 농구를 한다.

STEP 3
(a) 나의 아버지는 다음 주에 새 차를 살 것이다.
(b) 그들은 내일 Jones 부인을 만나지 않을 것이다.
(c) 그는 조만간 은행에 예금할 예정이니?
be going to 다음에는 동사원형을 써야 한다.

01회 내신 적중 실전 문제

본문 54쪽

01 ①	02 ③	03 ③	04 ③	05 ②	06 ③
07 ⑤	08 ④	09 ⑤	10 ②	11 ⑤	12 ④

13 are
14 were writing a letter
15 swam in the lake
16 is going to meet Mr. Jones

01
A: 나 알래스카에서 이제 막 돌아왔어. 난 정말 집이 그리웠어.
B: 집 만한 곳이 없어.
A: 네 말이 맞아.
속담이나 격언은 현재시제를 사용한다.

02
A: 너는 어제 Emily와 무엇을 했니?
B: 우리는 놀이공원을 방문했어.
어제 한 일을 묻고 있으므로 과거시제로 답을 해야 한다.

03
A: 그녀는 무엇을 하고 있니?
B: 그녀는 지금 TV에서 하는 쇼를 보고 있어.
현재 진행 중인 일을 묻고 있으므로 현재진행 시제로 답을 해야 한다.

04
① 세종대왕은 1446년에 한글을 창제했다.
② 너는 그때 체육관에 가고 있었니?
③ 그 가게는 다음 주에 열 예정이다.

④ John은 내일 그 기계를 사용하지 않을 것이다.
⑤ 나는 보통 뒷마당에 내 차를 주차한다.

① 역사적 사실을 나타낼 때는 과거시제를 사용한다.
② 과거의 특정 시점에 진행 중인 일이므로 과거진행 시제 의문문인 「be동사의 과거형+주어+v-ing ~?」의 형태를 취해야 한다.
④ 미래시제 부정문은 「will not+동사원형」의 형태를 취한다.
⑤ 반복적인 동작이나 습관을 나타내고 있으므로 현재시제를 사용해야 한다. 현재시제는 usually 등의 빈도부사와 함께 자주 쓰인다.

Words create 창조하다 gym 체육관 backyard 뒷마당

05

A: 나는 지금 더워. 나에게 탄산음료를 한 잔 줘.
B: 물론이지. 그런데, 한 시간 전에 너는 어디에 있었니? 모든 사람들이 너를 찾고 있었어.

첫 번째 빈칸은 현재의 상태를 나타내므로, 현재시제를 써야 한다. 두 번째 빈칸은 과거의 사실이나 상태를 나타내므로 과거시제를 써야 한다.

Words soda 탄산음료 look for 찾다

06

Sue는 Green 부인의 라디오를 수리한다.

과거진행 시제는 「be동사의 과거형+v-ing」 형태로 쓰며, 주어가 3인칭 단수이므로 be동사의 과거형으로 was가 와야 한다.

Words repair 수리하다

07

Tom은 지금 장난감을 고치고/사고/옮기고/만들고 있다.

want와 같은 감정이나 상태를 나타내는 동사는 진행형으로 쓰지 않는다.

Words fix 고치다

08

Helen은 어젯밤 자신의 차를 운전하고 있었다.

과거를 나타내는 부사구인 last night과 함께 쓰이고 있으므로, 과거시제나 과거진행 시제를 써야 한다.

09

John은 내일 집에 있을 것이다.

미래를 나타내는 부사인 tomorrow가 있으므로, 미래시제를 써야 한다.

10

Mark는 매일 11시에 자러 간다.

반복적인 행동이나 습관을 나타낼 때는 현재시제를 쓴다.

11

① Tom은 노래를 매우 잘 부른다.
② 물은 0도에서 언다.
③ 습관은 두 번째 천성이다.
④ 나는 매일 일기를 쓴다.
⑤ 민호는 며칠 전 Brown 부인을 만났다.

a few days ago는 과거를 나타내는 시간 부사구이므로 과거시제와 함께 쓴다.

Words habit 습관 nature 본성, 천성 diary 일기

12

① 지금 눈이 많이 내리고 있다.
② 나는 그녀와 점심 식사를 하고 있다.
③ 그녀는 무대 위에서 춤을 추고 있었다.
④ 그녀는 많은 사람들을 알고 있다.
⑤ 그들은 함께 상자들을 옮기고 있었다.

④ know와 같이 감정이나 상태를 나타내는 동사는 진행형으로 쓰지 않는다.

Words carry 옮기다

13

- 축구선수들은 공원에서 달리고 있다.
- 우리는 Smith 씨를 내일 태우러 갈 것이다.

첫 번째 문장은 진행시제인 「be동사+v-ing」 형태이며, 두 번째 문장은 미래를 나타내는 be going to가 쓰여야 한다. 따라서 빈칸에는 be동사가 들어가야 하는데, 주어가 복수 형태이므로 are가 적절하다.

Words pick up ~를 (차에) 태우러 가다

14

과거진행 시제는 「be동사의 과거형+v-ing」 형태이다.

15

A: 어제 오후 2시에 Maria는 무엇을 했니?
B: 그녀는 호수에서 수영을 했어.

16

A: 내일 오후 4시에 Maria는 무엇을 할 예정이니?
B: 그녀는 Jones 씨를 만날 예정이야.

02회 내신 적중 실전 문제

본문 56쪽

01 ①	02 ④	03 ④	04 ④	05 ①	06 ④
07 ①	08 ④	09 ②	10 ①	11 ②	12 ④

13 was talking about the plan
14 Susan will not meet David next week.
15 is having, has
16 My brother is not exercising regularly.

01
Steve는 지난주에 잡지 한 권을 읽었다.

과거를 나타내는 시간 부사구인 last week와 함께 쓰이고 있으므로 과거시제를 써야 한다.

02
당신은 지금 나에게 사실을 말하고 있지 않다.

말하는 순간에 진행 중인 일을 나타낼 때 현재진행 시제를 쓰며, 진행시제의 부정문은 「be동사+not+v-ing」 형태이다.

03
내가 집에 도착했을 때, 내 여동생은 음악을 듣고 있었다.

과거의 특정 시점에 일어나고 있던 일을 나타낼 때는 과거진행 시제를 쓴다. 문장의 주어가 3인칭 단수이므로 was listening이 되어야 한다.

04
일기예보에 따르면 오늘은 비가 내릴 것이다.

근거를 바탕으로 미래를 예측하는 경우에 be going to를 쓰며, 문장의 주어가 It이므로 is going to가 되어야 한다.

Words weather forecast 일기예보

05
- Jane은 다음 달에 차를 빌릴 것이다.
- 김 선생님은 지난달 서점에서 일했다.
- 그녀는 예쁜 개를 가진다.

(A) next month로 보아, 미래시제를 나타내는 be going to를 써야 한다.
(B) last month라는 과거를 나타내는 부사구가 쓰였으므로 과거시제를 써야 한다.
(C) have가 소유를 의미할 때는 진행형으로 쓸 수 없다.

Words rent 렌트하다, 빌리다 bookstore 서점

06
A: White 씨, 당신은 어젯밤에 바닷가에서 배구를 하고 있었죠?
B: 아니오, 저는 하고 있지 않았어요.

첫 번째 빈칸은 last night이라는 과거를 나타내는 시간 부사구가 쓰였으므로 과거진행 시제가 되어야 한다. 두 번째 빈칸은 과거시제로 물은 질문에 대한 답변이므로 과거시제로 답해야 하며, No로 시작하고 있으므로 부정의 대답 형태를 취해야 한다.

07
-ie로 끝나는 동사의 v-ing 형태는 ie를 y로 바꾸고 -ing를 붙인다.

08
① Greg은 2주 전에 돌아왔다.
② 나는 작년에 시계를 구매했다.
③ Jane은 다음 달에 Toronto를 방문할 예정이다.
④ 그들은 요즈음 세금을 내지 않고 있다.
⑤ 너는 어제 오후 농구를 하고 있었다.

①, ② 과거를 나타내는 시간 부사(구)와 함께 쓰였으므로 과거시제를 써야 한다.
③ 미래를 나타내는 시간 부사구가 쓰였으므로 미래시제를 써야 한다.
⑤ 과거의 특정 시점에 일어나고 있던 일을 나타내므로 과거진행 시제를 써야 한다.

Words pay taxes 세금을 내다

09
A: Dave, 내가 너의 카메라를 빌릴 수 있을까?
B: 미안하지만, 난 이미 오늘 아침에 Linda에게 그것을 주었어.

this morning도 과거를 나타내는 부사구이므로 과거시제와 함께 쓰여야 한다.

10
A: 너는 노트북 컴퓨터를 구매할 거니?
B: 응, 그럴거야. 나는 내 새로운 일을 위해서 하나 필요해.

will의 의문문에 대한 대답은 긍정일 때는 「Yes, 주어+will」, 부정일 때는 「No, 주어+will not[won't]」으로 한다. 여기서는 문맥상 긍정의 대답이 와야 한다.

11
① A: 너는 오늘 밤 파티에 갈 거니?
B: 응, 갈 거야. Jane의 생일이잖아!
② A: 어젯밤에 너는 바이올린을 연습하고 있었니?
B: 응. 할 거야. 소음 때문에 미안해.
③ A: 너는 이번 주말에 하이킹을 하러 갈 거니?

B: 아니, 안 갈거야. 숙제가 너무 많아.
④ A: Tom이 지금 욕실을 사용하고 있니?
B: 아니. 그는 그의 방에서 잠을 자고 있어.
⑤ A: 너는 어제 불을 껐니?
B: 응. 나는 모든 불을 확인했어.
② 과거진행 시제로 묻고 있으므로 대답을 과거시제로 해야 한다. 따라서 Yes, I was가 되어야 한다.
Words practice 연습하다 go hiking 하이킹을 가다

12
주어가 3인칭 복수이고 과거진행 시제로 써야 하므로 「were+v-ing」 형태를 찾는다.

13
네가 그를 봤을 때, 그는 무엇을 하고 있었니?
→ 그는 그 계획에 대해 말하고 있었어.

14
will을 사용한 미래시제 부정문의 형태로 작성한다.

15
every day로 보아 반복적인 동작이나 습관을 나타내고 있으므로 현재시제를 써야 한다.

16
나의 남동생은 규칙적으로 운동을 한다.
현재진행 시제 부정문은 「be동사(am/is/are)+not+v-ing」 형태를 취한다.

Lesson 04 | 조동사

Point 029 can

본문 60쪽

STEP 1
1 나는 영어로 잘 말할 수 있다. (능력)
2 너는 지금 욕실을 사용해도 좋다. (허가)
3 Brown 씨는 아름다운 그림을 그릴 수 있다. (능력)
4 그녀는 10분 동안 쉬어도 좋다. (허가)
5 그들은 그 경기를 이길 수 있다. (가능)

STEP 2
1 can teach 2 can throw 3 can go
4 can't remember 5 Can, fix

STEP 3 ①

• 나는 그 시험을 통과할 수 있다.
• 너는 집에 가도 좋다.

STEP 3
① 당신은 집에 가도 좋다.
② 당신은 기타를 칠 수 있나요?
③ 나의 아이는 아직 걷지 못한다.
④ 그녀는 중국어를 할 수 있다.
⑤ 당신은 한국음식을 요리할 수 있나요?
①의 can은 '~해도 좋다'로 해석하며 허가를 나타내고, 나머지는 모두 '~할 수 있다'로 능력 · 가능을 나타낸다.

Point 030 can과 be able to

본문 61쪽

STEP 1
1 나는 그녀의 생일파티에 갈 수 없다.
2 너는 그 일에 지원할 수 있을 것이다.
3 Jones 씨는 그의 딸을 도울 수 있다.
4 당신은 오믈렛을 만들 수 있습니까?5 그들이 그 답을 쉽게 찾을 수 없습니까?

STEP 2
1 I am able to buy
2 You are not[aren't] able to hit
3 Mr. Brown was able to solve
4 Is she able to bring

5 Aren't they able to make

STEP 3 ③

- Rachel은 5개 국어를 할 수 있다.
- 이 여사님은 스페인어로 편지를 쓸 수 있었습니까?
- John은 상을 탈 수 있을 것이다.

STEP 2

1 나는 비싼 노트북 컴퓨터를 살 수 있다.
2 당신은 오늘 그 공을 칠 수 없다.
3 Brown 씨는 문제들을 매우 빨리 풀 수 있었다.
4 그녀가 Tom을 파티에 데리고 올 수 있나요?
5 그들이 더 이상 자동차를 만들 수 없나요?

STEP 3

① 너는 방망이를 휘두를 수 있다.
② 나는 자전거를 잘 탈 수 있다.
③ 너는 너의 여름 휴가를 즐길 수 있을 거야!
④ Tom이 곧 포르투갈어를 할 수 있을까요?
⑤ Emily는 부모님의 기대를 충족시킬 수 없었다.

미래의 능력 · 가능은 will be able to로 나타내므로 ③의 will can enjoy는 will be able to enjoy로 고쳐야 한다.

Point 031 may

본문 62쪽

STEP 1

1 당신이 원한다면 들어와도 좋다.
2 그녀는 프랑스 음식을 좋아할지도 모른다.
3 제가 여기에 앉아도 될까요?
4 그 이야기는 지루할지도 모른다.
5 제가 컴퓨터를 사용해도 될까요?

STEP 2

1 may play 2 may be 3 may like
4 may take 5 may eat

STEP 3 ②

- 제가 욕실을 이용해도 될까요?
- 그는 나의 친한 친구와 데이트하고 있을지도 모른다.
- 그는 오늘 행복하지 않을지도 모른다.

TIP 아마도 그녀는 학교에 늦을 것이다.

STEP 3

may의 부정형은 may not으로, 부정어 not은 조동사 뒤, 본동사 앞에 둔다.

Point 032 must

본문 63쪽

STEP 1

1 너는 너의 숙제를 제때에 제출해야 한다.
2 그녀는 7시까지 이 일을 끝내야 한다.
3 너는 나의 염려를 잘 알고 있음에 틀림없다.
4 너는 그 건물 앞에는 차를 주차하면 안 된다.
5 내가 당신과 함께 여기에 머물러야 하나요?

STEP 2

1 You must change your clothes.
2 Students must go to school this Saturday.
3 You must be angry because of your brother.
4 It must be dark by now.
5 You must not eat or drink on the subway.

STEP 3 ③

- 내일 너는 일찍 일어나야 한다.
- 그들은 그 선을 넘어서는 안 된다.
- 그 책은 재미있음에 틀림없다.

STEP 3

① 나는 차를 사야 한다.
② 나는 영어를 열심히 공부해야 한다.
③ 너는 매우 피곤함에 틀림없다.
④ 학생들은 교칙을 따라야 한다.
⑤ Emily는 오늘밤에 메시지를 보내야 한다.

③의 must는 '~임에 틀림없다'는 확실한 추측의 의미이고, 나머지는 모두 필요 · 의무의 의미로 사용되었다.

Point 033 have to

본문 64쪽

STEP 1

1 had to 2 have to
3 doesn't have to 4 Do I have to
5 will have to

STEP 2

1 You have to learn English.
2 We don't have to hurry.
3 I had to cancel my appointment.
4 Does John have to come here?

STEP 3 ②

• 너는 오늘밤 일찍 자야 한다.
• 제가 비행기를 갈아타야 하나요?
• 당신은 그녀를 만날 필요가 없다.

STEP 1

1 Mary는 어제 보고서를 써야 했다.
2 너는 Brown 씨의 댁을 방문해야 한다.
3 Tom은 그의 교복을 입을 필요가 없다.
4 정답을 한국어로 써야 하나요?
5 Jane은 다음 주에 야근을 해야 할 것이다.

STEP 3

필요 · 의무를 나타내는 조동사 have to의 과거형은 had to이다.

Point 034 should

본문 65쪽

STEP 1

1 ⓐ 2 ⓔ 3 ⓑ 4 ⓓ 5 ⓒ

STEP 2

1 shouldn't open 2 Should, bring
3 Should, wear 4 Shouldn't, read
5 should prepare

STEP 3 ②

• 나는 바닥을 청소해야 한다.
• 제가 사다리를 올라가야 하나요?
• 너는 그렇게 밤에 늦게까지 깨어있어서는 안 된다.

STEP 1

1 나는 살을 빼고 싶어.
ⓐ 너는 규칙적으로 운동을 하는 것이 좋아.
2 나는 엄마한테 거짓말을 했어.
ⓔ 너는 너의 어머니께 거짓말을 하면 안 돼.
3 나는 학교에 친구가 하나도 없어.
ⓑ 너는 학교 클럽에 가입해야 해.
4 나는 토요일에 산에 올라갈 예정이야.
ⓓ 너는 매우 조심해야 해.
5 나는 어젯밤 매우 늦게 잠을 자러 갔어.
ⓒ 너는 너무 늦게 잠을 자러 가면 안 돼.

STEP 3

(a) 너는 그 청구서를 지불하면 안 된다.
(b) 제가 점심을 준비해야 하나요?
(c) 우리는 교칙을 지켜야 한다.

should 뒤에는 동사원형이 와야 하므로 (c)의 should kept는 should keep이 되어야 한다.

01회 내신 적중 실전 문제

본문 66쪽

01 ⑤ 02 ⑤ 03 ③ 04 ③ 05 ④ 06 ②
07 ① 08 ⑤ 09 ② 10 ① 11 ② 12 ⑤
13 (1) John isn't able to ride the roller coaster.
(2) Is John able to ride the roller coaster?
14 Do I have to get on the bus today?
15 must not eat or drink
16 should not sleep

01

보기 보고서를 마치면 너는 교실을 나가도 좋다.
① Tom은 아주 쉽게 그림을 그릴 수 있다.
② 그 기계는 즉시 물을 얼릴 수 있다.
③ 나는 이 채소들로 김치를 만들 수 있다.
④ 그녀는 옷을 매우 빠르게 갈아 입을 수 있다.
⑤ 춥다면, 창문을 닫아도 좋다.

보기 의 문장은 '~해도 좋다'의 허가를 나타내고, 이와 같은 의미로 쓰인 것은 ⑤이다. 나머지는 모두 '~할 수 있다'로 해석되는 능력 · 가능의 can으로 쓰였다.

Words freeze 얼리다 instantly 즉시, 즉각
change one's clothes 옷을 갈아 입다

02

그 작은 소년은 그 큰 가방을 옮길 수 있다.

be able to는 can과 마찬가지로 능력이나 가능한 일을 나타낸다.

Words carry 옮기다, 나르다

03

A: 나는 이 상자를 옮길 수가 없습니다. 너무 무거워요.
B: 걱정 마세요. 제가 그것을 옮길 수 있어요. 그것이 저에게는 그렇게 무겁지 않아요.

be able to는 can과 마찬가지로 능력이나 가능한 일을 나타낸다. A는 상자가 너무 무겁다고 했으므로 can't가 들어가는 것이 알맞고, B는 그것이 B에게 그렇게 무겁지 않다고 했으므로 am able to가 들어가는 것이 알맞다.

04

① 나는 밤에 집에 머물러야 한다.
② 너는 병원에서 담배를 피우면 안 된다.
③ 그녀는 오늘밤에 홍콩에 도착할 지도 모른다.
④ Jones 씨는 버스 티켓을 살 필요가 없었다.
⑤ 그들은 그 어려운 문제에 답할 수 있다.

may는 '~일지도 모른다'의 불확실한 추측을 나타내고, 뒤에는 동사원형이 온다. 따라서 ③에는 arrives가 아니라 arrive가 와야 한다.

Words stay 머무르다 arrive 도착하다

05

(a) Bill은 내일 그의 휴대전화로 이메일을 보낼 수 있을 것이다.
(b) 그 소문은 사실일 리가 없다.
(c) 그들은 다음 주에 계단을 이용해야 할 것이다.

(a) 미래의 능력 · 가능을 나타낼 때는 「will be able to」의 형태를 사용해야 하므로 will able to는 will be able to로 고쳐야 한다.

Words rumor 소문

06

② must는 '~임에 틀림없다'라는 뜻으로 확실한 추측을 나타낸다.

Words famous 유명한 writer 작가

07

① may는 '~일지도 모른다'는 뜻으로 불확실한 추측을 나타낸다.

Words forget 잊다

08

⑤ have to의 부정형 don't have to는 '~할 필요가 없다'는 뜻으로 불필요를 나타낸다.

Words calendar 달력

09

수학 시험이 내일이기 때문에 너는 오늘밤에 수학을 공부하는 것이 좋다.

② should는 '~하는 것이 좋다'의 의미로 필요 · 의무를 나타낸다.

10

Mark는 매우 피곤함에 틀림없다. 그는 밤새 한숨도 못 잤다

must는 '~임에 틀림없다'라는 뜻으로 확실한 추측을 나타낸다.

11

• 당신은 언제라도 그곳에 가도 좋다.
• 김 선생님은 오늘 사무실에 안 올지도 모른다.

may는 '~해도 좋다'의 뜻으로 허가와 '~일지도 모른다'의 뜻으로 불확실한 추측을 나타낸다.

12

① Tom은 감기에 걸릴지도 모른다.
② 너는 다음에 운전면허 시험에 통과할 수 있다.
③ 너는 설탕이 든 음료들을 항상 피하는 것이 좋다.
④ 그들은 이 선생님에게 그 공연에 대해 물어보아야 한다.
⑤ 다음 달부터 너는 너의 자전거를 지하철에 가져올 수 있을 것이다.

⑤ 미래의 가능한 일을 나타내는 경우 will be able to를 사용한다.

Words catch a cold 감기에 걸리다
driving test 운전면허 시험 sugary 설탕이 든

13

John은 롤러코스터를 탈 수 있다.
(1) John은 롤러코스터를 탈 수 없다.
(2) John은 롤러코스터를 탈 수 있나요?

14

have to는 '~해야 한다'의 의미로 필요나 의무를 나타낸다.

15

must not[mustn't]은 '~해서는 안 된다'로 강한 금지를 나타낸다.

16

should not[shouldn't]은 '~해서는 안 된다'로 금지를 나타낸다.

02회 내신 적중 실전 문제

본문 68쪽

01 ① 02 ⑤ 03 ① 04 ③ 05 ⑤ 06 ③
07 ③ 08 ② 09 ④ 10 ② 11 ④ 12 ④
13 (1) Mrs. Walker doesn't have to choose the winner of the game.
(2) Mrs. Walker had to choose the winner of the game.
14 John is able to borrow the bike[bicycle].
15 should call Mr. Brown
16 must meet Mrs. Anderson

01
제가 Brown 씨를 파티에 초대해도 될까요?

may와 can은 둘 다 허가의 의미로 사용될 수 있다.

02
필요 · 의무를 나타내는 have to의 미래는 will have to를 사용한다.

Words throw 던지다

03
• 당신은 미래에 배우가 될 수 있을 것입니다.
• 보고서에 따르면, 그는 스파이임에 틀림없습니다.

미래에 가능한 일을 나타내기 위해서 will be able to를 사용할 수 있으며, must는 '~임에 틀림없다'라는 뜻으로 확실한 추측을 나타낸다. must 뒤에는 동사원형을 사용한다.

Words according to ~에 따르면

04
① A: 차를 마셔도 되나요?
B: 물론이죠. 여기 있습니다.
② A: 당신은 지금 집에 가야 하나요?
B: 네. 내일 시험이 있습니다.
③ A: 소금 좀 건네줄 수 있나요?
B: 죄송합니다만, 저는 점심을 준비할 수 없습니다.
④ A: John은 피아노를 잘 칠 수 있습니까?
B: 물론이죠. 그는 오랫동안 피아노 레슨을 받았습니다.
⑤ A: 내일 내 노트북 컴퓨터를 가져와야 하나요?
B: 네. 발표를 위해 그것을 사용할 것입니다.

③은 '~해 주겠습니까'로 해석되는 요청의 can을 사용하여 질문을 했는데, 그에 대한 응답은 능력 · 가능을 나타내는 can을 사용하여 엉뚱한 대답을 하고 있다.

Words presentation 발표

05
⑤ don't have to는 '~할 필요가 없다'로 불필요를 나타내므로, '~해서는 안 된다'로 강한 금지를 나타내는 must not이 쓰여야 한다.

Words without ~없이 take a walk 산책하다

06
(a) 그녀는 이번에는 놀라지 않을지도 모른다.
(b) Kevin은 캐나다에 있다! 그일 리가 없다.
(c) 그들은 그 상황을 극복할 수 있을까요?

(b) 강한 부정의 추측을 나타낼 때는 '~일 리가 없다'로 해석되는 cannot[can't] be를 사용해야한다. 따라서 can't is는 can't be가 되어야 한다.

Words situation 상황

07
A: 칠판이 수업을 하기 위해 준비되어 있지 않아.
B: Bill, 이번에 네 차례야. 네가 지워야 해.

③ should는 '~해야 한다'의 의미로 약한 의무를 나타낸다.

Words blackboard 칠판

08
A: 창문을 열어도 될까요? 방안이 너무 덥네요.
B: 물론이죠. 그렇게 하세요.

② can은 허가를 나타낼 수 있다.

09
④ must not은 '~해서는 안 된다'로 강한 금지를 나타낸다.

Words loudly 큰소리로

10
② can't는 능력을 나타내는 can의 부정형이다.

11
① 그들은 이번 학기에 클럽에 가입해야 한다.
② 나는 지금 그 줄을 자르면 안 된다.
③ 우리는 화장실 청소를 할 필요가 없었다.
④ 그는 발표 준비를 해야 할지도 모른다.
⑤ Mary는 이번에는 쇼에서 공연을 할 수 없을 것이다.

④ 조동사 may는 주어의 인칭에 영향을 받지 않으므로 mays는 may가 되어야 한다.

Words join 가입하다 prepare for ~을 준비하다
perform 수행하다

12

may not은 불확실한 추측을 나타낸다.

13

Walker 부인은 그 경기의 승자를 선택해야 한다.

(1) Mrs. Walker 부인은 그 경기의 승자를 선택할 필요가 없다.

(2) Mrs. Walker 부인은 그 경기의 승자를 선택해야 했다.

have to의 부정은 「don't/doesn't+have to」의 형태로 나타내며, 과거형은 had to이다.

14

can은 과거형이 없으므로 과거의 가능을 나타내기 위해서는 be able to를 사용해야 한다.

Words borrow 빌리다

15

A: Tom은 두 시에 무엇을 해야 하나요?

B: 그는 Brown 씨에게 전화를 해야 합니다.

16

A: Tom은 네 시에 무엇을 해야 하나요?

B: 그는 Anderson 부인을 만나야 합니다.

Lesson 05 | 문장의 형태

Point 035 1형식 문장

본문 72쪽

STEP 1

1 나뭇잎이 떨어졌다.
2 비행기가 하늘을 난다.
3 해는 서쪽으로 진다.
4 비가 하루 종일 그치지 않았다.
5 Ben은 지난 일요일에 수영장에 갔다.

STEP 2

1 jumped 2 dance 3 lay, slept
4 sing 5 came

STEP 3 ②, ④

• 나는 공원에서 느리게 걸었다.

STEP 3

해가 도시 위로 떠오른다. 그것은 밝게 빛난다. 또 하루가 시작된다.

세 문장 모두 1형식 문장이다. 부사구 over the city와 부사 brightly는 문장의 형식에 영향을 주지 않으므로 생략할 수 있다.

Point 036 2형식 문장

본문 73쪽

STEP 1

1 foolish, John은 어리석었다.
2 calm, 우리는 침착함을 유지했다.
3 a popular writer, Janet은 인기 있는 작가가 되었다.
4 bored, 학생들은 이내 지루해졌다.
5 famous, 그 카페는 치즈케이크로 유명하다.

STEP 2

1 I grew fat.
2 Smartphones are very useful.
3 My son became a pro baseball player.
4 The woman with red hair is my wife.
5 They are not rich.

STEP 3 ④

• 그들은 조용해졌다.
• 그녀의 얼굴이 빨개졌다.

STEP 3
① Jerry는 영리한 쥐이다.
② 그녀는 날로 쇠약해졌다.
③ 책이 누렇게 변했다.
④ 어젯밤에 눈이 아주 많이 내렸다.
⑤ Sam은 비행기 조종사가 되었다.
④는 1형식 문장이며 heavily는 부사이다. 나머지 문장은 모두 2형식 문장이며 밑줄 친 부분은 주격보어에 해당한다.

Point 037 감각동사+형용사

본문 74쪽

STEP 1
1 salty 2 good 3 sad 4 strange 5 perfect

STEP 2
1 felt tired
2 looked like a toy
3 tastes sour
4 sound like your mother
5 smells fresh and clean

STEP 3 ③

• 그녀는 예쁘게 보인다.
• 이 꽃에서 좋은 냄새가 난다.
• 꿀은 단맛이 난다.
• 노란색은 따뜻한 느낌이 든다.

STEP 1
1 그것은 짠맛이 난다.
2 커피는 좋은 냄새가 난다.
3 우리 엄마는 슬픔을 느끼셨다.
4 이 곤충은 이상하게 생겼다.
5 그게 딱 좋을 것 같네요.

STEP 3
그는 ________ 보였다.
① 잘생긴 ② 친절한 ③ 잘 ④ 영리한 ⑤ 멋진
감각동사 look의 보어 자리에는 형용사가 온다. 따라서 부사 well은 빈칸에 들어갈 수 없다.

Point 038 3형식 문장

본문 75쪽

STEP 1
1 S: We / V: finished / O: our homework
2 S: I / V: don't know / O: the answer
3 S: They / V: use / O: a lot of water
4 S: She / V: got / O: a call
5 S: My uncle / V: bought / O: some oranges

STEP 2
1 like chocolate
2 reads the newspaper
3 called my old friend
4 made a sand castle
5 see many spring flowers

STEP 3 ⑤

• 나는 그가 아주 많이 보고 싶다.

STEP 1
1 우리는 숙제를 끝냈다.
2 나는 해답을 알지 못한다.
3 그들은 물을 많이 사용한다.
4 그녀는 자정이 되기 직전에 전화를 받았다.
5 우리 삼촌은 가게에서 오렌지를 몇 개 사셨다.

STEP 3
① Michael은 재즈 음악을 좋아한다.
② 내 여동생은 여행서를 두 권 썼다.
③ Sally는 마당에서 채소를 기른다.
④ Jobs 씨는 가난한 아이들을 도와주었다.
⑤ 그의 곱슬머리는 우스꽝스러워 보였다.
⑤는 「주어+동사+주격보어」로 이루어진 2형식 문장인 반면, 나머지는 모두 「주어+동사+목적어」로 이루어진 3형식 문장이다.

Point 039 4형식 문장

본문 76쪽

STEP 1
1 내 미국인 친구는 나에게 질문을 했다.
2 Jessica는 그들에게 충격적인 소식을 들려주었다.
3 Mike는 그녀에게 나무 의자를 만들어 주었다.
4 제게 케첩을 좀 건네주실 수 있나요?
5 우리 부모님께서는 크리스마스 선물로 이 신발을 사 주셨다.

STEP 2
1 James showed me his photo.
2 She taught us history.
3 Dave cooked me dinner.
4 I brought him an umbrella.
5 He lent me a lot of money.

STEP 3 ⑤

• Ted가 내게 그 책을 빌려주었다.

STEP 3
나는 그녀에게 꽃다발을 ________.
① 보내 주었다 ② 주었다
③ 사 주었다 ④ 가져다주었다 ⑤ 놓았다
간접목적어와 직접목적어가 온 것으로 보아, 빈칸에는 수여동사가 들어가야 한다. put은 수여동사가 아니므로 빈칸에 들어갈 수 없다.

Point 040 4형식 문장 → 3형식 문장 전환 I (to)

본문 77쪽

STEP 1
1 to me 2 to us 3 to her
4 him 5 his passport

STEP 2
1 her laptop computer to us
2 a birthday present to her
3 a wet towel to me
4 science to us
5 a postcard to her aunt

STEP 3 ①

• Linda는 내게 웃긴 이야기를 해 주었다.

STEP 1
1 당신의 이메일 주소를 제게 써 주실 수 있나요?
2 그의 여동생은 컵 세 개를 우리에게 가져다주었다.
3 그들은 과일 바구니를 그녀에게 보내 주었다.
4 Emma는 그에게 빵 한 덩이를 주었다.
5 Kevin은 경찰관에게 자신의 여권을 건네주었다.

STEP 2
1 Rosa는 우리에게 자신의 노트북 컴퓨터를 빌려주지 않았다.
2 Jake는 그녀에게 생일 선물을 보여 주었다.
3 저에게 물수건을 갖다주시겠어요?
4 Smith 선생님께서는 학교에서 우리에게 과학을 가르쳐 주신다.
5 Alice는 자신의 고모에게 엽서를 써 보냈다.

STEP 3
Ray는 우리에게 자신의 새 스마트폰을 보여 주었다.
수여동사 show를 이용한 4형식 문장을 3형식 문장으로 바꿀 때는 전치사 to가 필요하다.

Point 041 4형식 문장 → 3형식 문장 전환 II (for)

본문 78쪽

STEP 1
1 for 2 to 3 of 4 for 5 for

STEP 2
1 get some more lemonade for me
2 made a paper plane for his son
3 asked many questions of me
4 cooked breakfast for his children
5 buy a hamburger for him

STEP 3 ③

• Alex는 우리에게 토마토를 사 주었다.

STEP 1
1 Olivia는 나에게 점심 식사를 요리해 주었다.
2 그녀는 자신의 손님들에게 커피를 주었다.
3 우리 선생님은 나에게 어려운 질문을 하셨다.
4 나는 우리 할머니께 새 세탁기를 사 드렸다.
5 냉장고에서 물 한 병을 꺼내서 제게 갖다주시겠어요?

STEP 3
• Joe는 자신의 친구들에게 피자를 만들어 주었다.
• 우리 할아버지는 나에게 빨간 모자를 사 주셨다.
동사 make와 buy가 사용된 3형식 문장이므로, 빈칸에는 전치사 for가 들어가야 한다.

Point 042 5형식 문장의 목적보어 I (명사, 형용사)

본문 79쪽

STEP 1
1 O: the exam / C: easy
2 O: their son / C: Brody
3 O: their children / C: quiet

4 O: white whales / C: "beluga"
5 O: him / C: kind

STEP 2

1 I think Amy a great singer.
2 We made the teacher sad.
3 You must keep your room clean.
4 He made his wife a teacher.
5 Jane found the box empty.

STEP 3 ③

• 그들은 자신들의 아이를 Johnny라고 부른다.

STEP 1

1 나는 시험이 쉽다고 생각했다.
2 그들은 아들의 이름을 Brody라고 지었다.
3 부모들은 사람들이 있는 데서는 아이들을 조용히 시켜야 한다.
4 사람들은 흰 고래를 '벨루가'라고 부른다.
5 그 마을의 모든 사람들은 그가 친절하다고 생각했다.

STEP 3

Andrew는 자신의 딸을 __________ 만들었다.
① 행복한 ② 변호사 ③ 신중하게
④ 골프선수 ⑤ 걱정하는

동사 make가 사용된 5형식 문장이므로, 목적보어 자리에는 명사나 형용사가 와야 하며 carefully와 같은 부사는 올 수 없다.

Point 043 5형식 문장의 목적보어 II (to부정사)

본문 80쪽

STEP 1

1 나는 내 꿈이 이루어지길 원한다.
2 Adam은 내게 박물관에 같이 가자고 말했다.
3 그녀는 우리에게 앉아서 조용히 하라고 지시했다.
4 의사는 그에게 규칙적으로 운동하라고 충고했다.
5 나는 오빠에게 돈을 좀 빌려 달라고 부탁했다.

STEP 2

1 to stop 2 to pay 3 to use
4 to go 5 to come

STEP 3 ④

• 나는 그녀가 나를 도와줄 것으로 기대했다.
• 그녀는 그가 흡연을 그만두도록 했다.
• 우리 아빠는 내가 오늘 저녁에 외출하는 것을 허락하셨다.

STEP 3

우리 엄마는 내가 저녁 식사 후에 설거지를 하라고[하기를] __________.
① 시키셨다 ② 기대하셨다
③ 말씀하셨다 ④ 보여 주셨다
⑤ 원하셨다

빈칸에는 목적보어로 to부정사를 취하는 동사가 들어가야 한다. 따라서 showed는 빈칸에 들어갈 수 없다.

Point 044 5형식 문장의 목적보어 III (원형부정사)

본문 81쪽

STEP 1

1 enter 2 laugh 3 rising
4 shouting 5 clean

STEP 2

1 I saw them dance in the streets.
2 My mother had me wipe the floor.
3 I felt someone touching my shoulder.
4 Andy helped me solve the difficult question.

STEP 3 ①

• 그는 아이들이 모래밭에서 놀게 해 주었다.
• 우리는 땅이 흔들리는 것을 느꼈다.

STEP 1

1 우리는 Mike가 그 건물에 들어가는 것을 보았다.
2 John은 나를 많이 웃게 한다.
3 나는 해가 언덕 너머로 떠오르는 것을 보았다.
4 너는 누군가가 고함치는 소리가 들리니?
5 우리 부모님은 일요일마다 내가 차고를 청소하게 하신다.

STEP 3

상사는 그에게 서류를 가져오게 했다.

사역동사 have의 목적보어로는 동사원형이 와야 한다.

01회 내신 적중 실전 문제

본문 82쪽

01 ②	02 ③	03 ②	04 ①	05 ②	06 ③
07 ③	08 ④	09 ④	10 ⑤	11 ⑤	12 ④

13 (1) to Mom and Dad, Mom and Dad
(2) happily, happy
14 (1) to ride, ride (2) staying, (to) stay
15 (1) feel hungry (2) some cookies for you
16 (1) look worried (2) gave my class

01

① 그녀는 아이를 향해 미소 지었다.
② 날이 추워졌다.
③ 그들은 밤낮으로 여행했다.
④ 강은 바다로 흐른다.
⑤ 이 기계는 잘 작동하지 않는다.

②는 「주어+동사+주격보어」로 이루어진 2형식 문장인 반면, 나머지는 모두 「주어+동사+부사(구)」로 이루어진 1형식 문장이다.

Words weather 날씨 travel 여행하다 flow 흐르다 machine 기계 work 작동하다

02

① 그 선수들은 흥분했다.
② 우리 아빠는 내게 화가 난 것처럼 보였다.
③ Jack은 유명 여배우와 결혼했다.
④ 저쪽에 있는 남자는 경찰관입니까?
⑤ Emily는 반장이 되지 못했다.

③은 3형식 문장이고 밑줄 친 부분은 목적어에 해당된다. 나머지는 모두 2형식 문장이고 밑줄 친 부분은 주격보어에 해당된다.

Words excited 흥분한 marry 결혼하다 actress 여배우 class president 반장

03

그녀는 아들에게 카레라이스를 ________.
① 사 주었다 ② 주었다
③ 만들어 주었다 ④ 요리해 주었다
⑤ 사 주었다

동사 give를 사용한 3형식 문장에서는 전치사 to를 사용해야 한다. 주어진 문장은 전치사 for를 사용했으므로, 빈칸에는 give가 들어갈 수 없다.

04

① 내 사촌이 이 모형 배를 만들었다.
② Janet은 항상 나를 웃게 해 준다.
③ 그는 내게 새 교복을 사 주었다.
④ 우리 가족은 매주 일요일마다 교회에 간다.
⑤ 그 수프는 근사해 보였고 맛있었다.

보기 와 ①은 「주어+동사+목적어」로 이루어진 3형식 문장이다. ②는 5형식, ③은 4형식, ④는 1형식, ⑤는 2형식 문장이다.

Words cousin 사촌 model 모형, 모델 all the time 항상 school uniform 교복 church 교회

05

내 친구들은 내게 생일 케이크를 사 주었고, 내게 많은 선물을 주었다. 그들은 나를 위해 생일 축하 노래도 불러 주었는데, 그것은 나를 감동하게 만들었다. 나는 대스타가 된 기분이었다!

첫 번째 문장에서 and 뒤에 이어지는 절은 「수여동사+간접목적어+직접목적어」 어순의 4형식 절이 되어야 하므로, ②의 to를 없애야 한다.

Words gift 선물 touch one's heart ~를 감동하게 만들다

06

너는 나에게 네 수학 교과서를 빌려줄 수 있니?

수여동사 lend를 사용한 4형식 문장을 3형식 문장으로 바꿀 때 전치사 to를 쓴다.

Words textbook 교과서

07

① Jay는 나에게 이 CD를 주었다.
② Ted는 그녀에게 이메일을 보내 주었다.
③ 나는 너에게 샌드위치를 사 줄 것이다.
④ 그녀는 우리 자녀들에게 요가를 가르쳐 주었다.
⑤ 나는 우리 아빠에게 리모컨을 갖다 드렸다.

4형식 문장을 3형식 문장으로 바꿀 때, 동사 buy는 전치사 for를 사용하지만, 동사 give, send, teach, bring은 전치사 to를 사용한다.

Words remote control 리모컨

08

모든 이들이 그녀를 상냥하다고 생각한다.

주어진 문장은 5형식이며, 목적보어로 명사나 형용사가 올 수 있다. 따라서 빈칸에는 형용사 friendly가 와야 한다. 나머지는 모두 부사이다.

Words bravely 용감하게 carefully 신중하게

friendly 상냥한, 친절한 honestly 정직하게

09

① Jim은 그녀가 자신과 함께 머물기를 원했다.
② 사람들은 그에게 체중을 줄이라고 충고했다.
③ 우리 엄마는 내가 상을 차리게 하셨다.
④ 나는 남동생에게 잠자리를 개라고 말했다.
⑤ 나의 상사는 내가 고객을 기다리는 것을 보았다.

①, ② 동사 want, advise가 사용된 5형식 문장이므로, 목적보어를 to부정사로 고쳐야 한다.
③ 사역동사 have가 사용된 5형식 문장이므로, 목적보어를 동사원형으로 고쳐야 한다.
⑤ 지각동사 see가 사용된 5형식 문장이므로, 목적보어를 동사원형이나 v-ing로 고쳐야 한다.

Words stay 머무르다 advise 충고하다
lose weight 체중을 줄이다 set the table 상을 차리다
make a bed 잠자리를 개다 boss 상사
wait for ~를 기다리다 customer 고객, 손님

10

① 나는 어제 그녀를 울렸다.
② 그녀는 새가 날아가버리는 것을 보았다.
③ 우리는 Bob이 거리를 청소하는 것을 도왔다.
④ 우리 할머니는 내가 식물에 물을 주게 하셨다.
⑤ Anna는 여왕이 큰 소리로 고함치는 것을 들었다.

⑤ 지각동사 hear가 사용된 5형식 문장이므로, 목적보어를 동사원형이나 v-ing로 고쳐야 한다.

Words street 거리 water 물을 주다 plant 식물
queen 여왕 loudly 큰 소리로

11

① 아기는 강아지처럼 보였다.
② 그녀는 자신의 고향으로 돌아갔다.
③ Michael은 Luke에게 공을 패스했다.
④ 그는 내게 우비를 챙기도록 시켰다.
⑤ 나는 그 의자가 매우 편안하다는 것을 알게 되었다.

⑤ 동사 find가 사용된 5형식 문장이므로, 목적보어로 명사나 형용사가 와야 한다. 따라서 부사 comfortably를 형용사 comfortable로 고쳐야 한다.

Words puppy 강아지 return 돌아가다 hometown 고향
pass 패스하다 pack 챙기다, 싸다 raincoat 우비
comfortably 편안하게

12

• 그는 내가 소파를 구석으로 옮기도록 도와주었다.
• 나는 그 남자에게 그의 차를 옮겨 달라고 요청했다.

help를 사용한 5형식 문장의 목적보어로는 동사원형과 to부정사가 둘 다 올 수 있다. 그런데 ask를 사용한 5형식 문장의 목적보어로는 to부정사만 올 수 있다.

Words corner 구석, 모퉁이

13

어제는 어버이날이었다. 나의 여동생인 Julie는 엄마와 아빠께 감사 카드를 써 드렸다. 나는 그들에게 카네이션을 사 드렸다. 그들은 행복해 보였다.

4형식 문장은 「주어+동사+간접목적어+직접목적어」의 어순이며, 간접목적어 앞에 전치사는 쓰지 않는다. 감각동사 look의 보어로 형용사가 와야 한다.

Words Parents' Day 어버이날 carnation 카네이션

14

오늘날 우리는 많은 사람들이 자전거를 타는 것을 볼 수 있다. 그렇게 하면 에너지를 아낄 수 있다. 또한 그렇게 하는 것은 사람들이 건강을 유지하도록 도울 것이다.

지각동사 see는 목적보어로 원형부정사나 v-ing를 쓴다. 동사 help는 목적보어로 동사원형이나 to부정사를 둘 다 쓸 수 있다.

Words ride a bike 자전거를 타다 save 절약하다
stay healthy 건강을 유지하다

15

A: 엄마, 저 집에 왔어요. 저는 지금 배가 고파요.
B: 알았어. 내가 너에게 쿠키를 좀 만들어 줄게.

첫 번째 빈칸에는 「감각동사+형용사」 순으로 쓴다. B의 두 번째 말은 make를 사용한 3형식 문장이므로, 두 번째 빈칸에는 「직접목적어+for+간접목적어」 순으로 쓴다.

Words hungry 배고픈

16

A: 너 걱정스러워 보여. 무슨 일 있니?
B: 선생님께서 우리 반에 좀 어려운 숙제를 내 주셨어.
A: 오, 그것 참 안 됐구나.

첫 번째 빈칸에는 「감각동사+형용사」 순으로 쓴다. B의 말은 수여동사 give를 사용한 4형식 문장이 되어야 하므로, 두 번째 빈칸에는 「수여동사+간접목적어」 순으로 쓴다.

Words worried 걱정하는 difficult 어려운

02회 내신 적중 실전 문제

○ 본문 84쪽

01 ④	02 ②	03 ①	04 ④	05 ⑤
06 ②	07 ③	08 ④	09 ①	10 ①, ③
11 ②	12 ③			

13 made sandwiches for me
14 practicing the violin
15 to me
16 to rest for a week

01

나는 버스 터미널까지 ________.
① 뛰었다 ② 갔다 ③ 걸어갔다
④ 방문했다 ⑤ 돌아갔다

주어진 문장에는 목적어가 없으며 장소를 나타내는 부사구만 있다. ④의 visit는 목적어를 필요로 하는 3형식 동사이므로 빈칸에 들어갈 수 없다.

02

A: 너 괜찮니? 너 몸이 안 좋아 보여!
B: 별로 안 좋아. 나는 어지러움을 느껴.

두 빈칸 뒤에는 각각 형용사가 나와 있다. 의미상 첫 번째 빈칸에는 감각동사 look이, 두 번째 빈칸에는 감각동사 feel이 들어가야 알맞다.

Words terrible (몸이) 안 좋은 dizzy 어지러운

03

• Sally는 내게 자신의 머리핀을 빌려주었다.
• 그는 자신의 아내에게 새 코트를 사 주었다.

두 문장은 각각 동사 lend와 buy를 사용한 3형식 문장이다. 따라서 빈칸에는 전치사 to와 for가 순서대로 들어가야 한다.

Words hairpin 머리핀 coat 코트, 외투

04

보기 우리는 그를 양철 인간이라고 불렀다.
① Bob은 찬물을 약간 마셨다.
② Brown 씨는 우리에게 수학을 가르쳐 주었다.
③ Teddy는 매우 훌륭한 선수였다.
④ 그녀는 우리에게 메뉴에서 음식을 고르게 해 주었다.
⑤ 우리 삼촌은 내게 자신의 농장에서 우유를 갖다주셨다.

보기 와 ④는 「주어+동사+목적어+목적보어」로 이루어진 5형식 문장이다. ①, ②는 3형식, ③은 2형식, ⑤는 4형식 문장이다.

Words let ~하게 해 주다 choose 고르다 dish 음식, 요리 farm 농장

05

① 나는 네가 나를 믿어 주기를 원한다.
② 이 망고는 맛이 달다.
③ 내 발에서 치즈 냄새가 난다.
④ 그의 어머니는 그에게 스웨터를 만들어 주셨다.
⑤ 그녀는 땀이 자신의 등 아래로 흘러내리는 것을 느꼈다.

⑤ 지각동사 feel이 사용된 5형식 문장이므로, 목적보어로 동사원형이나 v-ing가 와야 한다.

Words trust 믿다 foot 발 sweater 스웨터 sweat 땀 back 등

06

① 네게 멋진 이야기를 해 줄게.
② Tommy는 어머니를 걱정하게 만들었다.
③ 홍 선생님은 그들에게 영어를 가르쳐 주었다.
④ Jenny는 자신의 남동생에게 양말 한 켤레를 사 주었다.
⑤ 우리 조부모님은 내게 사과 한 상자를 보내 주셨다.

②는 「주어+동사+목적어+목적보어」로 이루어진 5형식 문장인 반면, 나머지는 모두 「주어+동사+간접목적어+직접목적어」로 이루어진 4형식 문장이다.

Words wonderful 멋진 pair 켤레, 쌍 sock 양말 grandparents 조부모

07

코치는 선수들에게 열심히 연습하도록 시켰다.

목적보어로 to부정사를 취할 수 있는 동사는 get밖에 없다.

Words coach 코치 player 선수 practice 연습하다

08

주어진 우리말을 3형식 문장으로 영작하면 「주어+동사+직접목적어+to+간접목적어」의 어순이 된다.

Words ID card(= identification card) 신분증

09

• 그녀는 그날 밤 우리에게 무서운 이야기를 들려주었다.
• Ted는 나에게 자신과 함께 그 동아리에 가입하자고 말했다.
② 써 주었다 ③ 보여 주었다
④ 가져다주었다 ⑤ 기대[예상]했다

첫 번째 문장은 4형식 문장이고 두 번째 문장은 5형식 문장이다. 제시된 동사 중 tell은 4형식 문장과 5형식 문장을 구성할 수 있는 유일한 동사이다.

Words scary 무서운 join 가입하다, 참가하다

10

선생님은 두 남자아이들이 복도에서 서로 싸우는 모습을 보았다.

지각동사 see가 사용된 5형식 문장이므로, 목적보어로 동사원형이나 v-ing를 써야 한다.

Words hallway 복도

11

우리는 오늘 새 반 친구를 맞아 들였다. 그는 처음에는 불안하게 보였다. 나는 그에게 그의 이름을 물어 보았다. 그의 이름은 Liam이다. 나는 그가 내 친구가 되길 원한다.

② 감각동사 look은 주격보어로 형용사를 취하므로, 부사 nervously를 형용사 nervous로 고쳐야 한다.

Words classmate 반 친구 nervously 불안하게

12

① 우리들은 오늘 오후에 공원에서 걸었다.
② 그 목도리는 네 목을 따뜻하게 유지시켜 줄 것이다.
③ 서로에 대한 그들의 사랑은 더 커졌다.
④ 전화상으로 들리는 그 목소리는 아주 좋았다.
⑤ Janet은 자신의 친구인 Ruby가 편지를 숨기는 모습을 보았다.

① 1형식 동사인 walk 뒤에는 목적어가 바로 올 수 없으므로, the park 앞에 전치사 in[at]을 붙여서 1형식 문장으로 고쳐야 한다.
② 동사 keep이 사용된 5형식 문장의 목적보어 자리에는 형용사가 와야 하므로, 부사 warmly를 형용사 warm으로 고쳐야 한다.
④ 감각동사 sound가 사용된 2형식 문장의 주격보어 자리에는 형용사가 와야 하므로, 부사 greatly를 형용사 great로 고쳐야 한다.
⑤ 지각동사 see가 사용된 5형식 문장의 목적보어 자리에는 동사원형이나 v-ing가 와야 하므로, to hide를 hide나 hiding으로 고쳐야 한다.

Words scarf 목도리, 스카프 neck 목 warmly 따뜻하게 strong 강한 voice 목소리 hide 숨기다 letter 편지

13

동사 make와 전치사 for를 사용하여, 「주어+동사+직접목적어+for+간접목적어」 어순의 3형식 문장을 만들어야 한다.

14

나는 어제 Olivia를 보았다. 그녀는 바이올린을 연습하고 있었다.
→ 나는 Olivia가 바이올린을 연습하고 있는 것을 보았다.

제시된 두 문장을 5형식 문장으로 바꾼다. 지각동사 see가 사용된 문장이므로 목적보어 자리에 동사원형이나 v-ing를 써야 함에 유의한다.

15

Mike는 나에게 장미 바구니를 보내 주었다.

수여동사 send가 사용된 4형식 문장을 3형식 문장으로 바꿔 쓸 때 전치사 to를 사용한다.

Words basket 바구니

16

그 의사는 "당신은 일주일 동안 쉬셔야 합니다."라고 말했다.
→ 그 의사는 나에게 일주일 동안 쉬라고 조언했다.

제시된 문장을 동사 advise를 이용한 5형식 문장으로 바꾼다. 이때 목적보어로 to부정사를 써야 함에 유의한다.

Words advise 조언하다, 충고하다

Lesson 06 | 명사와 관사

Point 045 셀 수 있는 명사 (규칙 변화)

본문 88쪽

STEP 1

1 maps 2 candies 3 knives 4 brushes
5 tomatoes 6 toys 7 photos 8 benches
9 wolves 10 safes 11 boxes 12 classes
13 mouths 14 flies

STEP 2

1 puppies 2 sandwiches 3 legs
4 wives 5 foxes

STEP 3 ①

STEP 2

1 나의 할아버지는 강아지 세 마리를 기르신다.
2 나는 점심으로 저 샌드위치들을 먹었다.
3 코끼리는 두 개의 큰 귀와 네 개의 다리를 가지고 있다.
4 요즈음에는 많은 아내들이 일을 하고 있다.
5 많은 여우들이 동물원에 있었다.

STEP 3

① 어떤 집들은 평평한 지붕을 가지고 있다.
② 나는 지난 주말에 감자를 심었다.
③ 식탁 위에 네 가지 음식이 있다.
④ 노란 셔츠를 입은 어린 소년들을 봐.
⑤ 세 가족이 우리 뒷마당에 모였다.

roof는 -f로 끝나는 단어지만 복수형을 만들 때 -ves가 아닌 단어 끝에 -s만 붙인다.

Words dish 요리, 음식

Point 046 셀 수 있는 명사 (불규칙 변화)

본문 89쪽

STEP 1

1 teeth 2 children 3 men 4 deer 5 mice

STEP 2

1 feet 2 Sheep 3 oxen 4 women 5 geese

STEP 3 ②

STEP 1

1 내 앞니 두 개가 어제 빠졌다.
2 여덟 명의 아이들은 운동장에서 축구를 했다.
3 두 남자가 악수를 하고 있다.
4 사냥꾼이 사슴 몇 마리를 죽였다.
5 고양이가 쥐들을 쫓고 있다.

STEP 2

1 나의 형은 발이 크다
2 양들은 사람들에게 털을 제공한다.
3 열 마리의 소들이 초원에서 풀을 뜯고 있다.
4 몇몇 여자들이 옷가게에서 옷을 고르고 있었다.
5 오리와 거위는 생김새가 비슷하다.

STEP 3

fisherman의 복수형은 fishermen이고, fish의 복수형은 그대로 fish이다.

Point 047 셀 수 없는 명사 I

본문 90쪽

STEP 1

1 sugar 2 knowledge 3 water
4 advice 5 Sunday

STEP 2

1 China 2 money 3 wood
4 pencils 5 gentlemen

STEP 3 ③

STEP 1

1 너는 커피에 설탕을 좀 넣기를 원하니?
2 아는 것이 힘이다.
3 목말라요. 물 좀 주세요.
4 네 어머니의 충고를 따르도록 노력해라.
5 나는 매주 일요일마다 아버지와 배드민턴을 친다.

STEP 2

1 중국은 매우 큰 나라이다.
2 나는 쇼핑하는 데 많은 돈을 썼다.
3 목수가 나무로 집을 짓고 있다.
4 나는 상점에서 연필 두 개를 샀다.
5 신사 숙녀 여러분, 연기자들에게 큰 박수를 부탁드립니다.

STEP 3

① 그것은 나에게 뉴스거리가 아니다. (내가 이미 알고 있는 사

실이다.)
② 행복은 네 마음속에 있다.
③ 나는 빵에 버터를 발랐다.
④ 그 노부인은 나에게 도움을 요청했다.
⑤ 너는 어떤 종류의 정보를 원하니?
③은 음식으로 물질명사에 속하는 반면 나머지는 구체적인 형태가 없는 개념이나 생각 등을 나타내는 추상명사이다.

Point 048 셀 수 없는 명사 Ⅱ (수량 표현)

본문 91쪽

STEP 1
1 four 2 cake 3 jeans 4 gallons 5 glass

STEP 2
1 bottle 2 cups 3 piece 4 sheets 5 pair

STEP 3 ③

STEP 1
1 너는 피자 네 조각을 먹을 수 있니?
2 엄마는 나에게 케이크 두 조각을 주셨다.
3 나는 쇼핑몰에서 청바지를 한 벌 샀다.
4 그 배는 백만 갤런의 기름을 나른다.
5 너 추워 보인다. 내가 따뜻한 우유 한 잔 가져다줄게.

STEP 2
1 나의 부모님은 토요일 저녁에 맥주 한 병을 드신다.
2 커피 두 잔 주세요.
3 나는 새 사무실에 둘 가구 한 점이 필요하다.
4 종이 두 장을 반으로 접어라.
5 나의 할머니는 나를 위해 장갑 한 켤레를 짜주셨다.

STEP 3
• 그 상담자는 나에게 충고를 하나 해주었다.
• 나는 아침으로 빵 한 조각을 먹었다.
advice와 bread에 모두 사용 가능한 단위 명사는 piece이다.

Point 049 셀 수 있는 명사 vs. 셀 수 없는 명사

본문 92쪽

STEP 1
1 hair 2 many 3 souvenirs
4 little 5 sandwiches

STEP 2
1 Many fans 2 are, swings
3 few mistakes 4 a little information
5 was much noise

STEP 3 ⑤

• John은 친구가 거의 없다.
• 저 좀 도와주실 수 있나요?

STEP 1
1 미나는 길고 곱슬곱슬한 머리카락을 갖고 있다.
2 나는 생일에 많은 선물을 받았다.
3 그녀는 친구들을 위해 기념품을 몇 개 샀다.
4 유리잔에 물이 거의 없어요. 물을 더 주세요.
5 도시락 안에 샌드위치가 있다.

STEP 3
① 나는 약간의 휴식이 필요하다.
② 우리는 인생에 몇 번의 기회가 있다.
③ 그는 사업에 많은 경험을 가지고 있다.
④ 며칠 전에 지진이 있었다.
⑤ 그녀의 사생활에 대해 많은 것을 아는 사람은 거의 없다.
people(사람들)은 셀 수 있는 명사이므로 little이 아닌 few의 수식을 받아야 한다.

Point 050 부정관사

본문 93쪽

STEP 1
1 나의 고모[이모, 숙모]는 승무원이다.
2 일 년은 열두 달이다.
3 나는 일주일에 두 번 체육관에 간다.
4 제가 어디에서 모자를 살 수 있나요?
5 하루에 사과 하나를 먹으면 의사가 필요 없다.

STEP 2
1 Take an umbrella.
2 I am[I'm] a middle school student.
3 a month ago 4 bought a novel
5 once a year

STEP 3 ⑤

• 이것은 사과 파이지, 딸기 파이가 아니다.
• 나는 햄버거 하나를 먹고 콜라 한 잔을 마셨다.

• 나는 하루에 10 킬로미터를 달린다.

STEP 3

① 그는 경찰관이다.
② Tom은 정직한 사람이다.
③ 그녀는 아름다운 옷을 입고 있다.
④ 이 스마트폰은 위대한 발명품이다.
⑤ 수미는 하루에 두 시간씩 피아노 연습을 한다.

⑤는 '~마다'의 뜻으로 per로 바꿔 쓸 수 있지만, 나머지는 막연한 하나를 나타낸다.

Point 051 정관사

본문 94쪽

STEP 1

1 the 2 The 3 a, The 4 the 5 a

STEP 2

1 the salt 2 the violin
3 The picture 4 The world

STEP 3 ⑤

• 나에게는 개가 한 마리 있다. 그 개는 푸들이다.
• 열쇠는 어디 있니?
• 의자 밑에 있는 공은 내 것이다.

STEP 1

1 나는 기타를 연주할 수 있다.
2 봐! 하늘이 어두워지고 있어.
3 엄마는 나에게 선물을 주셨다. 그 선물은 카메라였다.
4 너는 탁자 위의 초콜릿 케이크를 먹었니?
5 나는 한 달에 한 번 시골에 계신 조부모님을 방문한다.

STEP 3

지구(earth)와 태양(sun) 모두 유일한 것이므로 정관사 the가 앞에 있어야 한다.

Point 052 관사의 생략

본문 95쪽

STEP 1

1 × 2 the, × 3 × 4 a 5 ×

STEP 2

1 go to church
2 a delicious lunch
3 by bus or by subway
4 playing[to play] basketball
5 in front of the school

STEP 3 ⑤

• 나는 항상 아침식사를 한다.
cf. 나는 아침을 거하게 먹었다.
• 우리 축구하자.
• 나는 KTX를 타고 부산에 갔다.
• 나는 11시에 잠자리에 든다.

STEP 1

1 1 우리 가족은 주말마다 함께 저녁을 먹는다.
2 지수는 피아노를 치고 있고, 준호는 농구를 하고 있다.
3 우리는 비행기를 타고 제주도로 수학여행을 갔다.
4 아버지께서 생일 선물로 나에게 기타를 사주셨다.
5 나는 월요일부터 금요일까지 학교에 간다.

STEP 3

① 네 휴대폰은 침대 위에 있다.
② 유진은 바이올린을 잘 연주한다.
③ 나는 부모님을 위해 저녁을 준비할 것이다.
④ 그녀는 어젯밤 10시에 자러 갔다.
⑤ 그들은 자전거를 타고 경주에 여행을 갔다.

전치사 by로 교통수단을 나타낼 때 교통수단을 나타내는 명사 앞에는 정관사 the를 쓰지 않는다.

01회 내신 적중 실전 문제

본문 96쪽

01 ④ 02 ④ 03 ③ 04 ③ 05 ③ 06 ④
07 ③ 08 ① 09 ② 10 ② 11 ⑤ 12 ②
13 two cups of coffee
14 go to school
15 They[Sharks] eat many fish.
16 They[Dentists] treat our[people's] teeth.

01

photo는 -o로 끝나지만 복수형을 만들 때 -es가 아닌 -s가 붙는다.

02

• 저는 오렌지 주스 한 잔을 마실게요.

• 나는 보고서에 쓸 종이 한 장이 필요하다.

orange juice를 세는 데 쓰이는 단위 명사는 glass, bottle 등이 있고, paper를 세는 데 쓰이는 단위 명사에는 piece, sheet가 있다.

03

① 나는 어젯밤에 유령을 봤다.
② 그녀는 유명한 가수이다.
③ 그들은 그 파티에서 기금을 모았다.
④ 이 근처에 꽃가게가 있나요?
⑤ 그 실패는 나에게 좋은 경험이었다.

money는 셀 수 없는 명사이므로 앞에 부정관사 a나 an이 올 수 없다.

Words ghost 유령 raise money 돈을 모금하다, 기금을 마련하다 failure 실패 experience 경험

04

• 서랍 속의 선글라스는 엄마의 것이다.
• 태양이 지평선 위로 떠오르고 있다.

명사가 뒤에 있는 수식어의 꾸밈을 받을 때 앞에 정관사 the가 온다. 또 sun(태양)과 같이 유일한 것을 가리키는 명사 앞에도 the를 쓴다.

Words rise (해 · 달이) 뜨다 above ~위에
horizon 지평선, 수평선

05

나는 공원에서 그림을 그렸다. 그림 속에는, 많은 꽃과 나비들이 있다.

명사가 처음 언급될 때는 부정관사 a나 an을 쓰고, 뒤에서 그 명사를 다시 가리킬 때는 정관사 the를 쓴다.

Words butterfly 나비

06

① 너는 행복을 살 수 없다.
② 우리 가족은 어제 함께 저녁 식사를 했다.
③ 그 두 남자는 술집에서 맥주 세 병을 마셨다.
④ 인터넷 상에는 잘못된 정보가 많이 있다.
⑤ 우리 삼촌은 여러 국가에서 많은 우표를 모았다.

① happiness는 추상명사로 셀 수 없는 명사이므로 a나 an이 붙지 않는다.
② 식사명 앞에는 관사를 붙이지 않는다.
③ 셀 수 없는 명사는 단위 명사를 이용해 수량 표현을 하며 복수형은 단위 명사에 -(e)s를 붙여 표현한다. (three bottle of beers → three bottles of beer)
⑤ stamp는 셀 수 있는 명사이므로 복수형인 경우 뒤에 -s가 붙어야 한다.

Words pub 술집 false 잘못된, 거짓의 collect 모으다
stamp 우표

07

서두르자. 우리는 남은 시간이 거의 없다.

서두르자고 했으므로 내용상 '약간'이 아닌 '거의 없는'이 알맞다. 시간(time)은 셀 수 없는 명사이므로 few가 아닌 little의 수식을 받아야 한다.

Words hurry 서두르다

08

주호는 일주일에 세 번 수영장에 간다.

'~마다'의 뜻을 가진 것은 부정관사이며, week는 첫 발음이 자음이므로 a를 쓴다.

Words swimming pool 수영장

09

교실에 학생들이 거의 없다/세 명 있다/몇 명 있다/많이 있다.

little은 '거의 없는'의 뜻으로 셀 수 없는 명사를 수식하는 말이므로 students 앞에는 쓸 수 없다.

10

나는 저녁 9시에 쇼핑몰/극장/병원/식당에 갔다.

go to bed(잠자리에 들다)와 같이 건물이나 사물이 본래 목적으로 쓰이는 경우 명사 앞에 관사를 쓰지 않는다.

11

명사가 뒤에 있는 수식어의 꾸밈을 받을 때 앞에 정관사를 쓴다. 또, 문맥상 상자는 서로 알고 있는 것을 지칭하므로 상자 앞에도 정관사 the가 있어야 하며, 주어가 the chocolates로 복수이므로 복수 동사를 써야 한다.

12

많은 사람들이 콘서트를 즐기고 있었다.

a lot of와 같이 '많은'의 뜻을 가진 말은 many와 much이다. people과 같이 셀 수 있는 명사 앞에는 many가 온다.

13

coffee와 같이 셀 수 없는 명사는 단위 명사를 이용해서 복수형을 나타낸다. 따라서 해당 명사가 아닌 단위 명사에 -s를 붙인다.

14

학교에 등교하는 것과 같이 건물이나 사물이 본래 목적으로 사용될 때는 관사를 쓰지 않는다.

15

A: 상어는 무엇을 먹는가?
B: 그들은[상어들은] 많은 물고기를 먹는다.

fish(물고기)는 단수와 복수 형태가 같다.

16

A: 치과 의사들은 무엇을 하는가?
B: 그들은[치과 의사들은] 우리의[사람들의] 이를 치료한다.

tooth는 복수형을 만들 때 불규칙하게 변화하는 명사로 복수형이 teeth이다.

Words dentist 치과 의사 treat 치료하다

02회 내신 적중 실전 문제

본문 98쪽

01 ⑤ 02 ④ 03 ④ 04 ① 05 ③ 06 ③, ④
07 ① 08 ① 09 ③ 10 ① 11 ② 12 ①
13 There is some ice cream in the refrigerator.
14 Babysitters take care of children and babies.
15 She bought a bottle of milk and two pieces [slices] of pizza.
16 She is going to buy three pounds of meat and ten pieces[slices] of cheese.

01

- 너는 얼마나 자주 배드민턴을 치니?
- 나는 그 문제에 대해 몇 가지 질문이 있다.

badminton과 같은 운동경기 이름 앞에는 관사를 쓰지 않는다. 또, question과 같이 셀 수 있는 명사 앞에는 '약간의'의 뜻을 가진 말로 a little이 아닌 a few가 온다.

02

보기 나는 일주일에 두 번 중국어 수업을 듣는다.
① 너는 펜이 필요하니?
② 카메라를 가져와라.
③ 나는 참치 샌드위치를 하나 먹겠다.
④ 그 방은 하루에 100달러이다.
⑤ 캠핑지에서 손전등을 빌릴 수 있나요?

보기 와 같이 부정관사 a가 '~마다'의 뜻을 갖는 것은 ④이다. ①, ②, ⑤는 '막연한 하나'를 뜻하고, ③은 '하나(one)'를 뜻한다.

Words tuna 참치 cost 돈이 들다 borrow 빌리다 lantern 손전등 camp site 야영지

03

저에게 빵 한 조각을/ 치즈 한 조각을 / 충고 하나를 / 정보를 하나 주시겠어요?

juice는 액체이므로 piece(조각)와 함께 쓸 수 없다. piece와 함께 쓰이는 셀 수 없는 명사로는 위의 명사들 이외에도 paper, furniture 등이 있다.

04

① 코알라는 유칼립투스 잎을 먹는다.
② 우리 오빠는 고급 손목시계들을 갖고 있다.
③ 저쪽에 있는 상자들을 옮기는 것을 도와주시겠어요?
④ 엄마는 나에게 감자로 맛있는 샐러드를 만들어 주셨다.
⑤ 공기 오염은 많은 도시들에서 심각한 문제이다.

leaf와 같이 -f로 끝나는 명사는 복수형을 만들 때 -f를 v로 바꾸고 -es를 붙인다.

Words fancy 고급의, 값비싼 pollution 오염 serious 심각한

05

mouse(쥐)의 복수형은 mice이고, cheese는 셀 수 없는 명사이므로 단위 명사 loaf, slice, piece 등을 이용해서 복수형을 나타낸다. 단위 명사를 이용해서 복수형을 나타낼 때는 단위 명사에 -s를 붙이고, 셀 수 없는 명사에는 -s를 붙이지 않는다.

06

① 미모는 가죽 한 꺼풀일 뿐이다.
② 달은 지구 주위를 돈다.
③ 나의 아버지께서는 차로 출근하신다.
④ John은 방과 후에 농구를 한다.
⑤ 건강을 위해 아침을 거르지 마라.

① beauty는 추상명사로 셀 수 없는 명사이므로 부정관사를 쓸 수 없다.
② 달은 유일한 것이므로 정관사 the가 앞에 온다.
⑤ 식사를 나타내는 명사 앞에는 관사를 쓰지 않는다.

Words skip 거르다, 건너뛰다

07

나는 백화점에서 바지 한 벌을 샀다.

항상 복수형으로 쓰이는 명사의 수량 표현은 'a pair of(한 쌍[벌]의 ~)'로 한다.

Words department store 백화점

08

나는 어제 정말 재미있었다.

much의 수식을 받고 있으므로 셀 수 없는 명사가 들어가야 한다.

Words drink 음료 errand 심부름 trouble 문제, 어려움

09

A: 창문 좀 닫아주실래요? 추워요.

B: 문제없어요.

문맥이나 상황상 서로 알고 있는 것을 가리킬 때는 앞에 정관사 the를 쓴다.

10

A: 나에게 돈 좀 빌려줄 수 있니?

B: 유감이지만 안 돼. 돈이 거의 없어. 용돈을 거의 다 썼어.

용돈을 거의 다 써서 안 된다고 거절하고 있으므로 '거의 없는'의 뜻을 가진 말이 나와야 한다. 돈은 셀 수 없는 명사이므로 few가 아닌 little의 수식을 받는다.

Words lend 빌려주다 afraid 유감스러운 almost 거의 entire 전체의 allowance 용돈

11

① 선반에 있는 책은 내 것이다.

② 나는 보통 자전거를 타고 학교에 간다.

③ 은행이 어디에 있는지 아시나요?

④ 피아노를 연주하고 있는 소녀는 누구니?

⑤ 많은 아이들이 바다에서 수영을 하고 있다.

② 전치사 by로 교통수단을 나타낼 때 교통수단을 나타내는 명사 앞에는 정관사 the를 쓰지 않는다.

Words shelf 선반

12

① 나는 차에 설탕을 넣었다.

② 우리는 언론의 자유를 가지고 있다.

③ 많은 군인들이 평화를 위해 싸우고 있다.

④ 그 신사는 나에게 친절을 베풀었다.

⑤ 우정은 십 대들에게 매우 중요하다.

①은 음식으로 물질명사에 속하는 반면 나머지는 구체적인 형태가 없는 개념이나 생각 등을 나타내는 추상명사이다.

Words add 더하다, 첨가하다 soldier 군인 fight 싸우다 friendship 우정

13

「There is[are] ~.」는 '~이(가) 있다'는 뜻의 표현으로 주어가 물질명사와 같이 셀 수 없는 명사나 셀 수 있는 명사의 단수형일 때는 「There is ~」, 셀 수 있는 명사의 복수형일 때는 「There are ~」를 쓴다.

Words refrigerator 냉장고

14

베이비시터는 아이들과 아기들을 돌본다.

child는 복수형을 만들 때 불규칙하게 변하는 명사로 복수형이 children이고, baby는 복수형을 만들 때 규칙적으로 변하는 명사로 복수형이 babies이다. baby와 같이 「자음+-y」로 끝나는 단어는 y를 i로 바꾸고 -es를 붙인다.

Words babysitter 아기 보는 사람 take care of ~을[를] 돌보다

15

A: 미나는 무엇을 샀는가?

B: 그녀는 우유 한 병과 피자 두 조각을 샀다.

우유 한 병은 a bottle of milk, 피자 두 조각은 two pieces[slices] of pizza이다.

16

A: 미나는 무엇을 살 예정인가?

B: 그녀는 고기 3파운드와 치즈 10장을 살 예정이다.

고기 3파운드는 three pounds of meat, 치즈 10장은 ten pieces[slices] of cheese이다.

Lesson 07 | 형용사와 부사

Point 053 형용사의 역할

본문 102쪽

STEP 1
1 a beautiful girl
2 something delicious
3 the expensive car
4 somebody famous
5 the bright student

STEP 2
1 I need something fun.
2 The village is old and quiet.
3 John found the empty box.
4 They don't have anything special.

STEP 3 ③

• 따뜻하게 마실 것을 원하십니까?
• Jones 씨는 키가 크고 잘생겼다.
• 그 뉴스는 나를 기쁘게 만들었다.

STEP 1
1 그녀는 아름다운 소녀다.
2 Jane은 맛있는 것을 원했다.
3 Mark는 비싼 차를 살 수 없었다.
4 그 기자는 기사를 위해서 유명한 누군가를 인터뷰해야 했다.
5 Brown 씨는 그 똑똑한 학생에 대해서 들었다.

STEP 3
-thing으로 끝나는 대명사는 형용사가 뒤에서 꾸민다.

Point 054 수량 형용사

본문 103쪽

STEP 1
1 many 2 a few 3 a little 4 much 5 few

STEP 2
1 many 2 a few 3 little 4 few

STEP 3 ①

• 캔에 가스가 약간 있다.
• 그들은 그 지역에서 많은 금을 샀다.

STEP 1
1 그는 많은 신문을 팔았다.
2 이 선생님은 주말에 몇 편의 영화를 보았다.
3 나는 지갑에 약간의 남은 돈이 있다.
4 그들은 그 회사로부터 너무 많은 정보를 받았다.
5 나는 이 학교에 아는 학생들이 거의 없다.

STEP 3
① 단지 내가 원했던 건 약간의 빵이었다.
② John은 좋아하는 취미들이 많이 있다.
③ 그들은 언덕 위에 많은 나무를 심었다.
④ Green 씨는 몇몇 그룹을 담당하고 있다.
⑤ 광장에는 사람들이 거의 없다.
①의 bread는 불가산 명사이므로 a few가 아닌 a little을 사용해야 한다.

Point 055 부사의 형태

본문 104쪽

STEP 1
1 quietly 2 kindly 3 heavily
4 strongly 5 softly

STEP 2
1 slowly 2 beautifully 3 necessarily
4 happily 5 kindly

STEP 3 ②

• 나의 선생님은 명료하게 말씀하신다.

STEP 1
1 Jane은 조용히 말하고 있다.
2 그녀는 친절하게도 나에게 박물관으로 가는 길을 가르쳐 주었다.
3 지난밤에 비가 아주 많이 왔다.
4 그는 너의 의견에 강하게 동의하지 않는다.
5 엄마는 그녀의 아기에게 노래를 부드럽게 부르고 있었다.

STEP 3
① 시끄러운 – 큰 소리로, 소란하게 ② 사랑 – 사랑스러운
③ 특별한 – 특별하게 ④ 조심스러운 – 조심스럽게
⑤ 다른 – 다르게
②는 명사와 「명사+-ly」 형태의 형용사 관계이고, ①, ③, ④, ⑤는 형용사와 「형용사+-ly」 형태의 부사 관계이다.

Point 056 부사의 기능과 위치

본문 105쪽

STEP 1

1 short 2 behaved 3 much
4 I avoided the large truck
5 she will pass the exam

STEP 2

1 Amy's room was really messy.
2 Tom plays the piano poorly.
3 Britney never speaks loudly.

STEP 3 ③

- Rachel이 곧 도착할 것이다.
- 그녀는 꽤 느리게 달린다.
- 갑자기, 그 말이 도망가기 시작했다.

STEP 1

1 여름 방학은 너무 짧았다.
2 아이들이 모두 예의 바르게 행동했다.
3 도와주셔서 매우 많이 고맙습니다.
4 다행히도, 나는 그 큰 트럭을 피했다.
5 확실히, 그녀는 그 시험을 통과할 것이다.

STEP 3

부사가 여러 개일 때는 장소 → 방법 → 시간의 순서로 위치하며, 같은 종류의 부사가 겹칠 때에는 작은 단위 → 큰 단위 순서로 위치한다.

Point 057 빈도부사

본문 106쪽

STEP 1

1 always carries 2 never makes
3 are sometimes 4 seldom wins
5 often writes

STEP 2

1 usually 2 never 3 always
4 sometimes 5 often

STEP 3 ⑤

- Tom은 항상 밤에 집에 있다.
- 그들은 결코 너의 이름을 잊지 않을 것이다.

STEP 1

1 Jane은 항상 그 가죽 가방을 들고 다닌다.
2 그 컴퓨터는 결코 실수하지 않는다.
3 우리는 가끔 지구에 대해서 궁금하다.
4 Bill은 John과의 테니스 경기에서 거의 이기지 못한다.
5 그녀는 종종 너에게 이메일을 쓴다.

STEP 3

(a) 너는 가끔 너의 개를 산책시킬 수 있다.
(b) 그는 자주 일본 식당에 간다.
(c) Jones 부인은 좀처럼 지루해하거나 지치지 않는다.

빈도부사는 be동사나 조동사 뒤, 일반동사 앞에 위치한다.

Point 058 주의해야 할 형용사와 부사

본문 107쪽

STEP 1

1 부사, 거의 2 부사, 최근에 3 형용사, 어려운
4 형용사, 빠른 5 형용사, 비싼

STEP 2

1 hardly 2 nearly 3 fast
4 late 5 hard, high

STEP 3 ③

- 아이들을 돌보는 것은 어렵다.
- 그 시험을 통과하기 위해서 너는 공부를 열심히 해야한다.

STEP 1

1 나의 마지막 염색 이후로 거의 6개월이 되었다.
2 최근에 그를 본 적 있니?
3 가난은 모든 사회에서 어려운 문제이다.
4 그 스포츠카는 번개처럼 빠르다.
5 사람들은 그 비싼 가격 때문에 그것을 사지 않는다.

STEP 3

① 그의 습관은 고치기 어렵다.
② 나는 너를 가까운 시일 내에 만날 것이다.
③ 그는 매일 직장에 지각한다.
④ 그 궁전의 벽은 매우 높다.
⑤ 딱딱한 무엇인가가 그의 오른쪽 팔을 눌렀다.

③ lately는 '최근에'라는 의미의 부사이므로 '늦은'을 뜻하는 형용사 late로 써야한다.

Point 059 원급 비교

본문 108쪽

STEP 1
1 as 2 as 3 as 4 not so 5 as

STEP 2
1 as strong as
2 as high as
3 not as[so] simple as
4 not as[so] cold as

STEP 3 ④

• Tom은 나만큼 영어를 유창하게 말한다.
• Jane은 Mary만큼 키가 크지 않다.

STEP 1
1 너의 사무실은 수영장만큼 크다.
2 너는 네가 원하는 만큼 가질 수 있다.
3 내 시계는 깃털만큼 가볍다.
4 이 영화는 원작 저서만큼 흥미롭지 않다.
5 John은 James만큼 노래를 잘부를 수 있다.

STEP 3
원급 비교의 부정은 「not as[so]+형용사/부사의 원급+as」의 형태이다.

Point 060 비교급, 최상급 만드는 법

본문 109쪽

STEP 1
1 louder, loudest
2 busier, busiest
3 more beautiful, most beautiful
4 more careful, most careful
5 sadder, saddest

STEP 2
1 cheaper 2 more difficult 3 worst 4 tallest

STEP 3 ④

STEP 3
(a) 나는 스키 타는 것보다 더 흥미로운 것을 발견했다.
(b) 이 채소들은 고기보다 더 빨리 소화된다.
(c) 그녀는 이 나라에서 가장 유명한 배우이다.

(a) exciting은 -ing로 끝나는 단어이므로 more를 붙여서 비교급을 만들어야 하므로 more exciting이 들어가야 한다.

Point 061 비교급

본문 110쪽

STEP 1
1 much 2 far 3 a lot 4 even 5 still

STEP 2
1 This house is a lot older than I thought.
2 The young lion was much stronger than the tiger.
3 This problem is even more difficult than that problem.
4 The boy is still shorter than the girl.

STEP 3 ④

• Brown 씨는 나의 아버지보다 더 어리다.
• 프랑스어는 영어보다 배우기 훨씬 더 어렵다.

STEP 1
1 이 드레스는 저것보다 훨씬 더 낫다.
2 나의 개는 그의 개보다 훨씬 더 크다.
3 Jane의 자전거는 나의 것보다 훨씬 더 싸다.
4 이 영화는 다른 것보다 훨씬 더 길다.
5 올해 사과는 전년도 것보다 훨씬 더 나쁘다.

STEP 3
① John은 나보다 훨씬 더 똑똑하다.
② 그 타워는 언덕보다 훨씬 더 높다.
③ 그 배는 그 집보다 훨씬 더 크다.
④ 이 책은 저 책보다 훨씬 더 쉽다.
⑤ 이 만화는 그 영화보다 훨씬 더 흥미롭다.

비교급을 강조할 때는 '훨씬'의 의미로 much, even, far, a lot, still을 비교급 앞에 놓는다. ④의 lots는 비교급 강조로 사용하지 않는다.

Point 062 최상급

본문 111쪽

STEP 1
1 the youngest 2 the most 3 the best
4 the largest cities 5 healthiest

STEP 2
1 the best
2 one of the cheapest
3 the oldest
4 one of the most interesting
5 the most famous

STEP 3 ④

• 그 개는 나의 반려동물들 중에서 가장 빠르다.
• 그는 이 나라에서 최고의 가수 중 한 사람이다.

STEP 1
1 Bill은 그의 팀에서 가장 어린 선수이다.
2 지구는 우주에서 가장 아름다운 행성이다.
3 그것은 내가 읽은 책 중 최고의 책이다.
4 상하이는 세계에서 가장 큰 도시 중의 하나이다.
5 Jane은 이 학교에서 가장 건강한 학생들 중 한 명이다.

STEP 3
그녀는 우리 팀에서 가장 중요한 사람들 중의 한 명이다.
'가장 ~한 …중의 하나'의 의미를 나타내기 위해 「one of the+최상급+복수 명사」의 형태를 취해야 한다.

01회 내신 적중 실전 문제

본문 112쪽

01 ③	02 ⑤	03 ④	04 ⑤	05 ④	06 ③
07 ⑤	08 ③	09 ①	10 ③	11 ①	12 ⑤

13 bigger than
14 You look much more beautiful than your picture.
15 more expensive
16 the heaviest

01
① 보통 ② 쉽게 ③ 한 달에 한 번의 ④ 멋지게 ⑤ 소란하게
③은 명사 month에 -ly가 붙은 형용사이고, 나머지는 모두 부사이다.

02
① 빠르게 ② 느리게 ③ 운 좋게 ④ 갑자기 ⑤ 다정한
⑤는 명사 friend에 -ly가 붙은 형용사이고, 나머지는 모두 부사이다.

03
보기 욕조에 많은 물이 있다.
water는 불가산 명사이므로 '많은'의 의미로 불가산 명사와 사용할 수 있는 수량 형용사는 ④ much이다.

04
보기 Tom은 그의 반에 많은 친구들이 있다.
friends가 가산 명사이므로 '많은'의 의미로 가산 명사와 사용할 수 있는 수량 형용사는 ⑤ lots of이다.

05
아침 식사에 필요한 모든 것을 샀나요?
-thing으로 끝나는 대명사는 형용사가 뒤에서 꾸민다.

06
1음절 단어는 -er, -est를 붙여서 비교급, 최상급을 만들므로 slow-slower-slowest가 되어야 한다.

07
(a) 그녀는 보통 오후에 바쁘다.
(b) 남자들은 때때로 턱수염과 콧수염을 기른다.
(c) Jones 씨는 토요일에 자주 그의 사무실에 간다.
빈도부사는 be동사나 조동사의 뒤에, 일반동사 앞에 위치한다.
Words beard 턱수염 mustache 콧수염

08
① 너는 많은 물을 끓일 필요가 있다.
② 그들은 밤에 거의 커피를 마시지 않는다.
③ 최소한 나는 무엇인가 중요한 것을 했다.
④ 보통석은 일등석보다 훨씬 싸다.
⑤ Brian은 그 학교에서 최고의 학생들 중 한 명이다.
③ -thing으로 끝나는 대명사는 뒤에서 형용사가 수식한다. something important가 알맞다.
Words economy class 보통석 first class 일등석

09
원급 비교의 부정은 「not as[so]+형용사/부사의 원급+as」의 형태이다.

10
최상급은 「the+최상급」으로 나타내며, tall은 1음절 단어이므로 -est를 붙여 최상급을 만든다.

11

• 그 개는 너의 말만큼 빠르게 달릴 수 있다.
• 그 배는 그 빠른 속도로 유명하다.

fast는 형용사와 부사의 형태가 같다.

12

① 나는 보통 7시면 집에 온다.
② 나는 항상 자전거를 가지고 싶었다.
③ 그 노인은 그의 라디오를 거의 사용하지 않았다.
④ 나의 아버지는 저녁에 자주 피곤함을 느낀다.
⑤ 나는 가끔 아침에 TV를 본다.

빈도부사는 be동사나 조동사의 뒤에, 일반동사 앞에 위치하므로 ⑤는 I sometimes watch가 되어야 한다.

13

서울은 도쿄만큼 크지 않다.
= 도쿄는 서울보다 더 크다.

14

3음절 이상 단어의 비교급은 more를 단어 앞에 붙여서 만든다. much는 비교급을 강조하기 위해 사용되었다.

15

Mabi는 Sona보다 비싸다.

3음절 이상의 단어의 비교급은 단어 앞에 more를 붙인다.

16

Betz는 세 개의 차 중에서 가장 무겁다.

heavy의 최상급은 y를 i로 바꾸고 -est를 붙인다.

02회 내신 적중 실전 문제

본문 114쪽

01 ①	02 ①	03 ②	04 ⑤	05 ④	06 ④
07 ④	08 ③	09 ①	10 ②	11 ③	12 ①

13 Mr. Brown can throw the ball a lot farther than Tom does.
14 Emily can jump higher than two feet.
15 Tom, Jane, Bill
16 I never eat breakfast.

01

그녀는 노래를 잘 부르고 있다.

① well은 '잘, 제대로'라는 의미의 부사로 빈칸에 들어가기에 알맞다. 나머지는 모두 형용사이다.
① 잘, 제대로 ② 부드러운 ③ 좋은 ④ 천천히 ⑤ 조용한

02

Jane의 머리카락은 내 것만큼 길다.

원급 비교는 「as+형용사/부사의 원급+as」의 형태이므로 ① long이 들어가는 것이 알맞다.

03

너는 전보다 나아 보인다.

비교급을 이용한 비교 표현은 「비교급+than」의 형태이고, good의 비교급 최상급은 good−better−best이다.

04

서울은 전 세계에서 가장 흥미로운 도시들 중 하나이다.

「one of the+최상급+복수 명사」 형태로 '가장 ~한 …중의 하나'의 의미이고, -ing으로 끝나는 3음절 이상의 단어는 앞에 most를 붙여 최상급을 만든다.

05

「자음+-y」 형태의 단어는 y를 i로 바꾸고 -er / -est를 붙인다. → busy−busier−busiest

06

① 나는 달콤한 무언가를 먹고 싶다.
② 우리는 낭비할 시간이 별로 없었다.
③ 너는 David처럼 재미있는 누군가를 아니?
④ 그 수업에 관한 정보가 거의 없다.
⑤ 그녀는 컴퓨터 게임을 하는데 너무 많은 돈을 썼다.

information은 불가산 명사이므로 few와 함께 쓸 수 없다. '거의 없다'는 뜻의 little과 쓰는 것이 알맞다.

07

① 그녀는 보통 쾌활하다.
② 나는 거기에 다시는 가지 않을 것이다.
③ 그는 때때로 내게 편지를 보낸다.
④ 그들은 요즘 텔레비전을 거의 안 본다.
⑤ 나의 가족은 항상 여름에 여행을 간다.

빈도부사는 be동사나 조동사 뒤, 일반동사 앞에 위치하므로 seldom은 일반동사 watch 앞에 와야한다. 따라서 seldom watch가 알맞다.

08

(a) 그녀는 보이는 것만큼 약하지 않다.

(b) 그 약은 환자를 더 나쁘게 만들었다.
(c) John은 우리 학교에서 가장 똑똑한 학생들 중 한 명이다.

bad의 비교급은 worse이므로 more bad가 아니라 worse가 되어야 한다.

09

A: Tom은 그 상을 다시 탔어. 그는 절대 지지 않아.
B: 그렇죠. Tom은 항상 상을 타죠.
① 항상 ② 자주 ③ 때때로
④ 거의 ~않다 ⑤ 결코 ~ 않다

Tom은 절대 지지 않는다고 했으므로 '항상' 상을 탄다는 의미이므로 빈칸에는 ① always가 들어가는 것이 알맞다.

10

보기 John은 15살이고, 나는 14살이다.
① John은 나만큼 나이가 들었다.
② John은 나보다 나이가 많다.
③ John은 나만큼 나이가 많지 않다.
④ John은 내 친구들 중에서 가장 나이가 많다.
⑤ John은 그 회의에서 가장 나이가 많은 멤버들 중 한 명이다.

1음절 단어의 비교급은 -er를 붙여서 만든다.

11

3음절 이상의 단어는 more를 붙여서 비교급을 만든다.

12

빈도부사(usually)는 일반동사 앞에 오고, -one으로 끝나는 대명사는 형용사가 뒤에서 수식한다.

13

비교급을 강조할 때는 much, even, still, a lot, far 등을 통해 '훨씬'의 의미를 나타낼 수 있다.

14

1음절 단어는 -er를 붙여서 비교급을 만든다.

[15-16]

Brown 선생님: 안녕, 얘들아. 너희는 얼마나 자주 아침을 먹니?
Tom: 저는 항상 아침을 먹어요.
Jane: 저는 자주 아침을 먹어요.
Bill: 저는 가끔 아침을 먹어요.
Mary: (a) <u>저는 절대 아침을 먹지 않아요.</u>
Brown 선생님: 정말이니? 너는 왜 항상 아침을 거르는 거니?
Mary: 제가 너무 늦게 일어나기 때문이에요.

15

Tom은 빈도부사 always, Jane는 often, Bill은 sometimes를 사용했으므로, 아침식사를 자주 하는 순서는 Tom, Jane, Bill이다.

16

이어지는 선생님의 대화가 왜 항상 아침을 거르는지 물어보고 있으므로 Mary는 아침을 먹지 않는다는 내용이 흐름상 알맞다. 빈도부사 never는 일반동사 앞에 온다.

Lesson 08 | to부정사

Point 063 명사적 용법 (주어)

본문 118쪽

STEP 1
1 To ask 2 to 3 It 4 to learn 5 brings

STEP 2
1 to walk the dog
2 to watch soccer games
3 to be a famous writer
4 To spend more time with my family
5 To help people around you

STEP 3 ④

• 인생에서 목표를 정하는 것은 중요하다.

STEP 1
1 도움을 요청하는 것은 용기를 필요로 한다.
2 너희 부모님께 거짓말을 하는 것은 잘못된 일이다.
3 모래를 가지고 노는 것은 재미있다.
4 외국어를 배우는 것은 쉽지 않다.
5 만화책을 읽는 것은 내게 기쁨을 가져다준다.

STEP 3
A: 이봐, Jane. 너는 왜 Mark를 싫어하니?
B: 그와 이야기를 하는 것이 나를 기분 나쁘게 만들기 때문이야.
빈칸 문장의 동사는 makes이고 그 앞은 주어 부분에 해당하므로, 명사 역할을 할 수 있는 to부정사가 빈칸에 들어가는 것이 알맞다.

Point 064 명사적 용법 (목적어)

본문 119쪽

STEP 1
1 David는 내 비밀을 지켜 주기로 약속했다.
2 김 선생님은 자기 사업을 시작하기로 결심했다.
3 그들은 그 식당에서 만나는 데 찬성했다.
4 엄마는 이번 주말에 캠핑 여행을 가기를 기대하신다.
5 당신은 어떤 종류의 자원봉사를 할 계획인가요?

STEP 2
1 wish to donate 2 need to buy
3 choose to wear 4 want to eat
5 promise to help

STEP 3 ③

• 나는 독일에서 공부하기를 바란다.

STEP 3
동사 decide는 to부정사를 목적어로 취하여 '~하기로 결심하다'라는 뜻을 나타낸다.

Point 065 명사적 용법 (보어)

본문 120쪽

STEP 1
1 보어 2 주어 3 목적어 4 보어 5 목적어

STEP 2
1 to wash 2 to play 3 to lose
4 to save 5 to travel

STEP 3 ⑤

• 내 꿈은 유명한 축구 선수가 되는 것이다.

STEP 1
1 우리 아빠의 취미는 사진을 찍는 것이다.
2 그 국가를 걸어서 횡단하는 것이 그녀의 꿈이다.
3 우리는 경기에서 이길 것으로 기대한다.
4 그의 목표는 훌륭한 가수가 되는 것이다.
5 그들은 집에 일찍 돌아가기를 원했다.

STEP 2
1 가장 좋은 방법은 당신의 손을 비누로 씻는 것입니다.
2 그의 취미는 농구를 하는 것이다.
3 내 방학 계획은 체중을 줄이는 것이다.
4 그 캠페인의 목적은 물을 절약하는 것이다.
5 Paul의 소망은 전 세계를 여행하는 것이다.

STEP 3
A: 나는 유럽으로 여행을 가고 싶어.
B: 어느 나라를 방문하고 싶은데?
A: 나는 프랑스를 방문하고 싶어.
B: 사실은 나 이번 여름에 파리에 갈 예정이야.
A: 정말? 좋겠다. 너는 거기서 무엇을 할 건데?
B: 내 계획은 센 강 근처에서 자전거를 타는 거야.

A: 정말 낭만적이다!

⑤ be동사의 보어가 필요하므로 명사 역할을 하여 보어 자리에 올 수 있는 to부정사로 고쳐야 한다. (to riding → to ride)

Point 066 형용사적 용법 (명사 수식)

본문 121쪽

STEP 1

1 something to tell
2 10 dishes to try
3 anything fun to do
4 to share
5 to lend

STEP 2

1 Here are seven ways to protect the environment.
2 She has two birds and three cats to feed.
3 I have a report to finish by this afternoon.
4 give me something sweet to eat.
5 He has something great to show her.

STEP 3 ⑤

• 그에게는 해결해야 할 문제가 많이 있다.

TIP 나는 차가운 마실 것을 원한다.

STEP 1

1 우리는 네게 해 줄 말이 있어.
2 보세요! 여기 그리스에서 먹어 봐야 할 상위 열 가지의 요리가 있어요.
3 이곳 주변에서 해볼 만한 재밌는 것이 있니?
4 나는 너와 함께 나눠 먹을 사탕을 좀 갖고 왔어.
5 너는 내게 빌려줄 돈이 있니?

STEP 3

① 그녀는 쓸 돈을 많이 갖고 있다.
② 살 만한 흥미로운 물건이 많다.
③ 제게 특별히 하실 말씀이 있나요?
④ 우리는 점심으로 먹을 만한 것이 필요해.
⑤ 그들은 상황을 개선할 필요가 있다.

⑤의 to부정사는 명사적 용법으로 쓰인 반면, 나머지 문장에서는 모두 to부정사가 형용사적 용법으로 쓰였다.

Point 067 부사적 용법 (목적)

본문 122쪽

STEP 1

1 ⓑ 2 ⓓ 3 ⓐ 4 ⓔ 5 ⓒ

STEP 2

1 to be on time
2 to wake up
3 to say something
4 to visit his uncle

STEP 3 ③

• 우리는 아이스크림을 좀 사려고 줄을 섰다.

STEP 1

1 우리는 신선한 오렌지를 좀 사려고 농산물 직판장에 갔다.
2 나는 건강을 유지하려고 매일 운동한다.
3 그는 역사 퀴즈 공부를 하려고 늦게까지 깨어 있었다.
4 우리는 버스를 타려고 버스 정류장으로 서둘러 갔다.
5 Karen은 한국 음식을 맛보려고 한국에 왔다.

STEP 2

1 나는 회의 시간을 지키고 싶어서 택시를 탔다.
= 나는 회의 시간을 지키려고 택시를 탔다.
2 엄마는 일찍 일어나고 싶어서 알람시계를 맞추셨다.
= 엄마는 일찍 일어나려고 알람시계를 맞추셨다.
3 나는 Sally에게 무언가를 말하고 싶어서 그녀를 기다리고 있다.
= 나는 Sally에게 무언가를 말하려고 그녀를 기다리고 있다.
4 그는 자신의 삼촌을 방문하고 싶어서 부산에 갔다.
= 그는 자신의 삼촌을 방문하려고 부산에 갔다.

STEP 3

보기 나는 과학 보고서를 완성하기 위해 일찍 일어났다.
① 우리는 그를 우리 팀에서 빼기로 결정했다.
② 나는 문을 잠그는 것을 확실히 기억할 것이다.
③ 내 여동생은 프랑스어를 배우려고 파리에 갔다.
④ 그 도서관은 읽을 만한 책을 많이 보유하고 있다.
⑤ 나는 내년 봄에 유럽으로 여행 갈 계획을 갖고 있다.

③의 to부정사는 목적을 나타내는 부사적 용법으로 쓰였으나, ①, ②의 to부정사는 명사적 용법으로, ④, ⑤의 to부정사는 형용사적 용법으로 쓰였다.

Point 068 부사적 용법 (감정의 원인, 결과)

본문 123쪽

STEP 1

1 사람들은 해변의 거대한 상어를 보고 매우 놀랐다.
2 Tom은 동물을 좋아해서, 자라서 수의사가 되었다.
3 Linda는 그 슬픈 소식을 듣고 대단히 안타까워했다.
4 그는 잠에서 깨어 자신의 집에 누군가가 있음을 알았다.
5 투숙객들은 호텔 방을 보고 매우 기뻐했다.

STEP 2

1 grew up to be 2 sad to say
3 woke up to find 4 happy to help
5 lived to be

STEP 3 ③

• 그 말을 들으니 안타깝군요.
• 우리 엄마는 내 방을 보고 놀라셨다.
• 그녀는 자라서 훌륭한 바이올린 연주자가 되었다.

STEP 3

① 나는 너를 돕게 되어 기뻐.
② 그 여인은 109세까지 살았다.
③ 그에게는 함께 놀 친구가 한 명도 없다.
④ 우리는 그곳에서 우리 선생님을 보게 되어 놀랐다.
⑤ 아빠는 TV로 축구 경기를 보기 위해 일찍 일어나셨다.

③의 to부정사는 형용사적 용법으로 쓰였으나, 나머지 문장에서는 모두 to부정사가 부사적 용법으로 쓰였다. (①, ④ 감정의 원인 / ② 결과 / ⑤ 목적)

01회 내신 적중 실전 문제

본문 124쪽

01 ④ 02 ③ 03 ③ 04 ④ 05 ② 06 ②
07 ① 08 ④ 09 ③ 10 ④ 11 ① 12 ①
13 ⓐ to play
ⓑ to eat
ⓒ something cold to drink
14 Mom is going to the supermarket to buy some vegetables.
15 He planned to finish his work by noon.
16 purpose, to save the earth

01

우리 가족은 플로리다로 이사를 가기로 결정했다.

동사 decide는 to부정사를 목적어로 취하여 '~하기로 결심하다'라는 뜻을 나타낸다.

02

그녀는 David에게서 선물을 받고 정말 놀랐다.

surprised('놀란')는 감정 형용사인데, 빈칸부터 이러한 감정의 원인이 되는 내용이 나오므로, 빈칸에 to부정사가 들어가야 알맞다.

Words present 선물

03

십 대와 스트레스

스트레스는 십 대의 삶에서 자연스러운 부분이다. 그러나 때로 그들은 그저 휴식을 취할 필요가 있다. 여기 스트레스를 줄일 네 가지 방법이 있다.
– 음악을 들어라. – 친구에게 전화를 해라.
– 차를 마셔라. – 운동을 해라.

형용사적 용법의 to부정사를 사용하여 '~할'이라는 뜻을 나타낼 수 있다. 이때 to부정사는 명사(구)를 뒤에서 수식한다.

Words teen 십 대 stress 스트레스 natural 자연스러운 relax 휴식을 취하다 cut down on ~을 줄이다

04

보기 좋은 친구가 되는 것은 어려운 일이다.
① 그는 수영장에서 수영하는 것을 좋아한다.
② 그녀의 취미는 바이올린을 연주하는 것이다.
③ 나는 언젠가는 호주를 방문하고 싶다.
④ 겨울에는 감기에 걸리기 쉽다.
⑤ 나의 일은 중학교에서 영어를 가르치는 것이다.

보기 와 ④의 to부정사는 문장에서 주어로 쓰였다. 반면 ①, ③의 경우 목적어로, ②, ⑤의 경우 보어로 쓰였다.

Words pool 수영장 Australia 호주 someday 언젠가 middle school 중학교

05

나는 머리카락을 자르길 원했다. 그래서 나는 미용실에 갔다.
② 나는 머리카락을 자르려고 미용실에 갔다.

두 문장은 각각 목적과 그것을 이루기 위한 행동에 관한 것이다. 따라서 목적을 나타내는 to부정사를 이용해 한 문장으로 바꿔 쓸 수 있다.

Words get a haircut 머리카락을 자르다 hair salon 미용실

06

‘~해서 (결국) …하다’라는 뜻의 우리말을 결과를 나타내는 to부정사를 이용해 영작할 수 있다.

07

① 당신의 아이들에게 그것은 가장 좋은 애완동물이다.
② 여름에는 생선을 익히는 것이 안전하다.
③ 눈사람을 만드는 것은 재미있을 것이다.
④ 얼음 위에서 스케이트를 타는 것은 어렵지 않니?
⑤ 강물로 뛰어드는 것은 위험하다.

①의 it은 지시대명사이고, 나머지는 모두 it이 가주어로 쓰였다.

Words pet 애완동물 safe 안전한 build 만들다, 짓다
difficult 어려운 dangerous 위험한
dive 뛰어들다, 다이빙하다

08

나는 무대 위에 서기로 _________.
① 택했다 ② 찬성했다 ③ 결정했다
④ 들었다 ⑤ 기대했다

listen to는 ‘~를 듣다’라는 뜻으로 뒤에 명사(구)가 와야 한다. choose, agree, decide, expect는 모두 뒤에 to부정사가 올 수 있다.

Words stage 무대

09

보기 오늘은 나의 졸업식 날이다. 곧 나는 중학생이 될 것이다. 나는 선생님과 친구들에게 작별 인사를 하게 되어 매우 슬프다.
① 그에게는 물어 볼 것이 한 가지 더 있다.
② 나는 떠나기 전에 너를 다시 볼 수 있기를 바란다.
③ Sarah는 우승자가 되어 매우 신이 났다.
④ Eric의 계획은 매일 아침에 운동하는 것이다.
⑤ 여기서 거울을 찾는 것은 시간 낭비이다.

보기 와 ③의 to부정사는 부사적 용법으로 쓰였다. ①은 형용사적 용법, ②, ④, ⑤는 명사적 용법으로 쓰였다.

Words graduation 졸업식 winner 우승자 waste 낭비
look for ~를 찾다 mirror 거울

10

A: 나는 책을 읽고 싶어.
B: 그렇다면 도서관에 가는 게 어때? 그곳은 읽을 책이 많아서 방문하기 좋은 곳이야.
A: 알았어. 책을 빌리려면 학생증을 가져가야 할 필요가 있어, 그렇지?
B: 맞아.

④는 ‘빌리려면’이라는 뜻으로 목적을 나타내는 부분이므로, For를 To로 고쳐 목적을 나타내는 to부정사로 만들어야 한다.

Words borrow 빌리다 student ID card 학생증

11

‘~해서 (결국) …가 되다’라는 뜻의 문장은 to부정사를 이용해 표현할 수 있다.

12

① 내게는 너에게 말해 줄 안 좋은 일이 있다.
② Jane은 자신의 고향을 떠나게 되어 슬펐다.
③ 미래를 위해 돈을 저축하는 것이 현명하다.
④ 그는 일어나서 자신이 낯선 곳에 있음을 알게 되었다.
⑤ 우리 아빠는 전화를 받으려고 일을 멈추셨다.

① -thing으로 끝나는 명사를 수식하는 형용사와 to부정사는 차례로 써야 한다. 따라서 something bad to tell이 어법상 옳다.

Words hometown 고향 wise 현명한 save 저축하다
future 미래 strange 낯선, 이상한 answer 응답하다
stop 멈추다

13

A: 우리 축구하러 밖으로 나가자.
B: 미안해. 나는 할 일이 많아.
A: 알았어. 그러면 내가 너를 위해 먹을 것을 사다 줄게.
B: 오, 고마워. 나에게 차가운 마실 것도 사다 줄 수 있니?

ⓐ는 목적을 나타내는 to부정사, ⓑ는 형용사적 용법의 to부정사로 고쳐야 한다. ⓒ는 drink를 to부정사로 고친 후 「something+형용사+to부정사」 순으로 고쳐야 한다.

14

보기
나는 일찍 일어났다. 나는 일출을 보고 싶었다.
→ 나는 일출을 보려고 일찍 일어났다.
엄마는 슈퍼마켓에 가실 것이다. 그녀는 채소를 좀 사기를 원하신다.
→ 엄마는 채소를 좀 사기 위해 슈퍼마켓에 가실 것이다.

두 문장은 각각 행동과 그러한 행동을 하는 목적에 관한 것이다. 따라서 목적을 나타내는 to부정사를 이용해 한 문장으로 바꿔 쓸 수 있다.

Words sunrise 일출

15

「plan+to부정사」는 '~하기로 계획하다'라는 뜻이다.

16

A: 그 캠페인의 목적은 뭐니?

B: 그 캠페인의 목적은 너무 늦기 전에 지구를 구하는 거야.

be동사의 보어 자리에 to부정사를 써서 '~하는 것(이다)'라는 뜻을 나타낸다.

02회 내신 적중 실전 문제

본문 126쪽

01 ②	02 ③	03 ③	04 ②	05 ⑤	06 ④
07 ①	08 ④	09 ⑤	10 ①	11 ③	12 ③

13 giving, to give

14 to do, to visit, to take, to bring

15 to help

16 Jenny bought flour and milk to bake cookies.

01

나는 그 끔찍한 사건에 관한 뉴스 보도를 듣고 충격을 받았다.

감정 형용사인 shocked('충격을 받은') 뒤에 감정의 원인에 관한 내용이 이어지므로, 빈칸에는 to부정사가 들어가야 한다.

Words terrible 끔찍한

02

A: 너의 취미는 무엇이니?

B: 내 취미는 우표를 수집하는 거야.

A: 재미있겠다.

be동사의 보어가 필요하므로, 명사 역할을 하여 보어 자리에 올 수 있는 to부정사가 빈칸에 들어가야 알맞다.

Words sound ~하게 들리다

03

A: 최고여배우상을 수상하신 것을 축하드려요!

B: 대단히 감사합니다. 저는 그렇게 큰 상을 받을 것이라고 예상하지 못해서, 발표를 듣고 매우 놀랐어요.

첫 번째 빈칸에는 동사 expect의 목적어로 쓰인 to부정사가, 두 번째 빈칸에는 감정의 원인을 나타내는 to부정사가 들어가야 한다.

Words congratulation 축하 actress 여배우 such 그러한 award 상 announcement 발표

04

의미상 '집 없는 아이들을 가엾게 여기는 것'이 주어에 해당하므로 이를 to부정사구로 표현하고 맨 앞에 가주어 It을 넣어야 한다.

Words feel sorry for ~을 가엾게 여기다 homeless 집 없는

05

① 그들은 피자를 주문하기로 동의했다.

② Cathy는 시간을 지키겠다고 약속했다.

③ 그는 자신의 옛 친구를 다시 만나기를 바란다.

④ 맥주와 와인 중 어느 것을 마시고 싶으세요?

⑤ 우리에게는 그 문제에 관해 생각할 시간이 좀 필요하다.

⑤의 to부정사는 형용사적 용법으로 쓰였으나, 나머지는 모두 명사적 용법으로 쓰였다.

Words order 주문하다 promise 약속하다 on time 시간을 어기지 않고 beer 맥주 matter 문제

06

보기 그녀는 물 한 병을 사려고 가게에 들렀다.

① 스케이트장에서 롤러스케이트를 타는 것은 신나는 일이다.

② 내 계획은 한 달에 하루를 쉬는 것이다.

③ 새롭게 볼 만한 것이 있는지 제게 알려 주세요.

④ 그녀는 좋은 성적을 받기 위해 정말로 열심히 공부했다.

⑤ Susan은 Karen과 같은 반이 되기를 원한다.

보기와 ④의 to부정사는 부사적 용법으로 쓰인 반면, ①, ②, ⑤는 명사적 용법으로, ③은 형용사적 용법으로 쓰였다.

Words stop by ~에 (잠깐) 들르다 bottle 병 roller-skate 롤러스케이트를 타다 rink 스케이트장 exciting 신나는 take off 쉬다 grade 성적, 등급

07

보기 거리를 가로질러 뛰는 것은 위험하다.

① 좋은 습관을 기르는 것은 중요하다.

② 지체할 시간이 없으니 서둘러!

③ 나에게는 네게 보여 줄 멋진 게 있어.

④ Jessica는 편지를 부치러 우체국에 갔다.

⑤ 그는 마라톤을 완주해서 정말로 행복했다.

보기와 ①의 to부정사는 명사적 용법으로 쓰인 반면, ②, ③은 형용사적 용법으로, ④, ⑤는 부사적 용법으로 쓰였다.

Words form a habit 습관을 기르다 fantastic 멋진, 환상적인 post office 우체국 complete 끝마치다, 완료하다 marathon 마라톤

08

① 성냥을 가지고 노는 것은 안전하지 못하다.
② 그녀는 자신의 생활 방식을 바꾸기로 결심했다.
③ 그들은 그 좋은 소식을 듣고 흥분했다.
④ 우리들은 사업을 성장시킬 방법을 찾고 있어요.
⑤ 의사가 되려면 그는 정말로 열심히 공부할 필요가 있다.

① 진주어인 to부정사구가 뒤로 이동한 문장이므로, That을 가주어인 It으로 고쳐야 한다.
② 동사 decide는 to부정사를 목적어로 취하므로, to changing을 to change로 고쳐야 한다.
③ 감정 형용사 excited('흥분한') 뒤에 감정의 원인에 관한 내용이 이어지므로, hearing을 to hear로 고쳐야 한다.
⑤ 동사 need는 to부정사를 목적어로 취하므로, studying을 to study로 고쳐야 한다.

Words unsafe 안전하지 못한 match 성냥 change 바꾸다 lifestyle 생활 방식 grow 성장시키다

09

① 음주 운전하는 것은 위험하다.
② 그녀는 97세까지 살았다.
③ 나는 너희 부모님을 뵙게 되어 매우 기뻤어.
④ 나는 너에게 입을 만한 따뜻한 것을 찾아다 줄게.
⑤ 모든 인간들은 살아남기 위해 직업을 필요로 한다.

⑤ 「in order to+동사원형」의 형태로 '~하기 위해서'라는 뜻을 나타내므로, surviving을 survive로 고쳐야 한다.

Words drink and drive 음주 운전을 하다 wear 입다 survive 살아남다

10

① 너는 오늘 저녁 식사로 무엇을 먹기를 원하니?
② 그의 일은 불을 끄고 사람들을 구하는 것이다.
③ 그들에게는 끝마쳐야 할 프로젝트가 많다.
④ 나는 첫 책에 대해 극찬을 받아서 기분이 좋았다.
⑤ 그녀는 야구 경기를 보러 경기장에 갔다.

①의 빈칸에는 전치사 for가 들어가야 하는 반면, 나머지는 모두 빈칸에 to를 넣어 to부정사를 만들어야 한다.

Words put out fires 불을 끄다 save 구하다 high praise 극찬 stadium 경기장

11

Sam은 직장에 정각에 도착하기 위해 일찍 일어나고 싶어 했다. 그러나 그는 아침에 늦잠을 잤고 깨어나서 자신이 여전히 침대에 있음을 알게 되었다. 그에게는 준비할 수 있는 충분한 시간이 없었다. 그는 택시를 타고 직장으로 서둘러 갔다.

③ '깨어나서 (그 결과) 알게 되었다'라는 뜻이 되어야 하므로, 결과를 나타내는 to부정사를 사용한 문장이 되어야 한다. (finding → to find)

Words arrive 도착하다 however 그러나 enough 충분한 prepare 준비하다

12

• 해변에서 말을 타는 것이 나의 소망이다.
• 내 계획은 그 식당에서 네 명을 위한 테이블을 예약하는 것이다.
• 나는 세계적으로 유명한 테니스 선수가 되기를 바란다.
• 사파리 여행을 가는 것은 재미있을 것이다.
• 이 수학 문제를 푸는 것은 어렵다.

세 번째 문장에서 동사 hope는 to부정사를 목적어로 취하므로, being을 to be로 고쳐야 한다. 맨 마지막 문장은 진주어인 to부정사가 뒤에 있고 맨 앞에 가주어인 It이 위치한 문장이므로, to solving을 to solve로 고쳐야 한다.

Words horse 말 book 예약하다 safari 사파리 여행(아프리카 동부 · 남부에서 야생 동물들을 구경하거나 사냥하는 여행) solve 풀다, 해결하다

13

나는 Jasmine에게 줄 생일 선물을 샀다.

to부정사는 명사(구)를 뒤에서 수식하는 형용사 역할을 할 수 있다. 따라서 giving을 to give로 고쳐야 한다.

14

A: 너는 명동에서 무엇을 하고 싶니?
B: 나는 N서울타워를 방문하고 싶어.
A: 네가 사진을 찍고 싶다면, 그곳은 야경으로 가장 좋은 곳이야.

B: 정말 그렇더라. 내 카메라를 갖고 오는 것을 잊지 않을게.

동사 would like, hope, want, forget은 to부정사를 목적어로 취하므로, 보기 의 동사를 각각 to부정사로 고쳐서 빈칸에 써 넣어야 한다.

Words bring 가져오다 night view 야경

15

A: 당신의 친절한 도움에 감사드려요.

B: 천만에요. 당신을 도와드려서 기뻤어요.

도와줘서 감사하다는 A의 말에 B가 도와드려서 기뻤다고 말해야 자연스럽다. 이때 to부정사를 이용해 감정의 원인을 표현할 수 있다.

16

목적('~하기 위해')을 나타내는 to부정사를 이용하여 문장을 표현한다.

Words flour 밀가루 bake 굽다

Lesson 09 | 동명사

Point 069 동명사의 역할 (주어)

본문 130쪽

STEP 1

1 Drinking 2 Traveling 3 Learning
4 Playing 5 Climbing

STEP 2

1 Watching 2 Keeping
3 Getting up 4 Raising
5 Speaking

STEP 3 ③

• 걷는 것은 좋은 운동이다.

TIP 진정한 친구를 만드는 것은 어렵다.
공부를 열심히 하는 것이 필요하다.

STEP 1

1 물을 많이 마시는 것은 너의 건강에 좋다.
2 혼자 여행하는 것은 위험하다.
3 외국어를 배우는 것은 어렵다.
4 피아노를 연주하는 것은 나의 취미이다.
5 등산을 하는 것은 시간과 에너지가 든다.

STEP 3

주어 자리에 오려면 「동사+-ing」 형태의 동명사가 가능하고, 이때 동명사구는 단수 취급하므로 단수 동사가 이어져야 한다.

Point 070 동명사의 역할 (목적어)

본문 131쪽

STEP 1

1 fishing 2 opening 3 moving
4 going 5 changing

STEP 2

1 electing 2 being 3 causing
4 watching 5 making

STEP 3 ③

• 나는 인터넷 서핑하는 것을 즐긴다.
• 나는 사진 찍는 것에 흥미가 있다.
TIP 나는 음악을 듣는 중이다.
짖는 개는 잘 물지 않는다.

STEP 1
1 나의 아버지는 호수에서 낚시하는 것을 즐기신다.
2 창문을 열어도 괜찮을까요?
3 나는 다른 도시로 이사 가는 것을 생각 중이다.
4 사람들은 비 오는 날에는 등산을 가는 것을 피한다.
5 연극의 역할을 바꾸는 것을 고려해보자.

STEP 3
① 내 자전거는 수리가 필요하다.
② 그들은 숲속으로 캠핑을 갔다.
③ 모두가 파티를 즐기고 있었다.
④ 그것은 돈을 벌기 위한 완벽한 기회였다.
⑤ 따뜻한 차는 감기로부터 회복하는데 도움이 된다.
③은 현재진행 시제에 쓰인 현재분사이고, 나머지는 동사나 전치사의 목적어로 쓰인 동명사이다.

Point 071 동명사의 역할 (보어)

본문 132쪽

STEP 1
1 selling 2 playing 3 widening
4 telling 5 doing

STEP 2
1 winning the next World Cup
2 becoming a computer expert
3 listening to others
4 eating too much
5 playing the cello

STEP 3 ④

• 내가 가장 좋아하는 활동은 스케이트보드를 타는 것이다.
• Rachel의 목표는 시험에서 좋은 성적을 얻는 것이다.

STEP 1
1 그의 직업은 자동차를 파는 것이다.
2 유나의 목표는 세계무대에서 공연하는 것이다.
3 그들의 계획은 도로를 넓히는 것이다.
4 그녀의 문제는 거짓말을 하는 것이다.
5 중요한 것은 네가 최선을 다하는 것이다.

STEP 3
그녀의 장점들 중 하나는 약속을 지키는 것이다.
is 뒤에는 보어가 와야 하므로 keep은 동명사 keeping이 되어야 한다.

Point 072 동명사와 to부정사 I

본문 133쪽

STEP 1
1 waiting 2 to sell 3 snowing
4 to keep 5 to visit

STEP 2
1 Never give up trying new things.
2 I didn't expect to meet you here.
3 Sarah plans to study abroad.
4 My mother avoids driving during rush hour.
5 I am not good at playing ball games.

STEP 3 ③

• 나는 나의 방을 청소하는 것을 마쳤다.
• 나는 라면을 먹는 것에 질렸다.

STEP 1
1 나는 기다려도 괜찮아.
2 그 소유주는 그 식당을 팔기로 결정했다.
3 이틀 동안 계속해서 눈이 왔다.
4 너는 규칙을 지키기로 약속했지, 그렇지 않니?
5 나는 국립박물관을 방문하는 것을 기대했었다.

STEP 3
나폴레옹은 위대한 통솔력을 가진 것으로 유명했다.
전치사의 목적어로는 동명사는 쓸 수 있지만 to부정사는 쓸 수 없다.

Point 073 동명사와 to부정사 II

본문 134쪽

STEP 1
1 barking 2 being 3 to read
4 to prepare 5 going

STEP 2
1 traveling by train
2 raining all of a sudden
3 to learn swimming

4 to take a walk in the park
5 being stuck in a traffic jam

STEP 3 ④

• 나는 나의 친구들과 어울리는 것을 좋아한다.
• 나는 전 세계를 여행하는 것을 사랑한다.

STEP 1
1 그 개는 계속 짖어댔다.
2 너는 외동인 것이 싫으니?
3 내 남동생은 공상 소설 읽는 것을 매우 좋아한다.
4 그들은 공연 준비를 하기 시작했다.
5 너는 콘서트에 가는 것을 좋아하니?

STEP 2
1 나는 기차타고 여행하는 것을 좋아한다.
2 갑자기 비가 오기 시작했다.
3 너는 언제 수영을 배우기 시작했니?
4 나의 조부모님께서는 공원에서 산책하는 것을 매우 좋아하신다.
5 대부분의 사람들은 교통 체증에 갇혀 꼼짝 못하는 것을 싫어한다.

STEP 3
나는 햄버거를 먹는 것을 좋아했다/싫어했다/시작했다/계속했다.
④의 finish는 동명사만을 목적어로 취하므로 빈칸에 알맞지 않다. 나머지 동사들은 동명사와 to부정사를 모두 목적어로 취할 수 있다.

Point 074 동명사와 to부정사 Ⅲ

본문 135쪽

STEP 1
1 나는 내 안경을 책상 위에 둔 것을 기억한다.
2 집에 오는 길에 우유를 사는 것을 잊지 마라.
3 Tom은 수업에 빠진 것을 후회했다.
4 매년 새로운 친구를 사귀려고 노력해라.
5 나의 아버지께서는 그의 건강을 위해 담배를 끊으셨다.

STEP 2
1 starting 2 calling 3 putting on
4 to go and see 5 discussing

STEP 3 ④

STEP 3
'~하기 위해 멈추다'는 「stop+to부정사」이다.

01회 내신 적중 실전 문제

본문 136쪽

01 ③ 02 ② 03 ③ 04 ⑤ 05 ④ 06 ②
07 ⑤ 08 ④ 09 ⑤ 10 ③ 11 ③ 12 ④
13 I forgot to water the plants.
14 Exercising regularly makes you healthy.
15 She enjoys dancing
16 He likes playing soccer

01
① 유미는 요리를 잘한다.
② 내 목표는 영어를 마스터하는 것이다.
③ 민호는 무거운 상자를 옮기고 있다.
④ 컴퓨터 게임하는 것은 흥미진진하다.
⑤ 나는 자유 시간에 만화책 읽는 것을 좋아한다.
③은 현재진행 시제에 쓰인 현재분사이고, 나머지는 모두 동명사이다.
Words master 익히다, 마스터하다 carry 나르다, 옮기다 heavy 무거운 comic book 만화책

02
「regret+동명사」의 형태는 '~한 것을 후회하다'는 의미이다.

03
「stop+동명사」의 형태로 '~하는 것을 멈추다'의 의미이다.

04
① 수업시간에 그만 지리.
② 너는 노래 부르는 것을 즐기니?
③ 나는 부모님을 설득하는 것을 포기했다.
④ 그들은 다리를 짓는 것을 마쳤다.
⑤ 그녀는 그 회사를 위해 열심히 일하기로 약속했다.
promise는 to부정사만을 목적어로 취하므로 ⑤에는 working이 아닌 to work가 와야 한다.
Words persuade 설득하다

05
① 보는 것이 믿는 것이다.
② 올림픽을 개최하는 것이 그들의 계획이다.

③ 마감기한을 지키는 것은 중요하다.
④ 수학문제를 푸는 것은 쉽지 않았다.
⑤ 폭력적인 프로그램을 보는 것은 교육적이지 않다.

동명사가 주어 역할을 할 때 단수 취급하므로 ④에는 were 가 아니라 was가 와야 한다.

Words meet the deadline 마감기한을 지키다
solve 풀다 violent 폭력적인 educational 교육적인

06
• 나의 아버지는 나와 더 많은 시간을 보내기로 약속하셨다.
• 나는 밤에 많이 먹는 것을 피한다.

promise는 목적어로 to부정사를 취하고, avoid는 목적어로 동명사를 취한다.

Words spend (돈 · 시간 등을) 쓰다, 보내다

07
나는 피아노 콘서트에 가는 것에 흥미가 없다.

interested in에서 in이 전치사이므로 뒤에 명사나 동명사가 와야 한다. 따라서 ⑤의 going이 알맞다.

08
수미의 취미는 동전을 수집하는 것이다.

목적어를 갖는 것과 같이 동사의 성질을 가지면서 명사의 역할을 하는 것은 동명사와 to부정사이다. 이 문장에서는 동명사가 보어로 쓰였다.

Words collect 수집하다 coin 동전

09
너는 케이크 먹는 것을 즐겼니?/마쳤니?/멈췄니?/시작했니?

⑤의 want는 목적어로 to부정사를 취한다.

10
나는 내 사촌들을 만나는 것을/희망한다/좋아한다/계획한다/싫어한다.

③의 consider는 목적어로 동명사를 취한다.

11
① 그 남자는 은행을 턴 것을 부인했다.
② 나는 내 아내와 결혼한 것을 결코 후회하지 않는다. 나는 행복하다.
③ 너는 절대 만족하지 않는구나. 불평하는 것을 멈춰라.
④ 우산 가져가는 것을 잊지 마. 비가 오고 있어.
⑤ 너는 나를 2시에 만나기로 한 것을 기억하니? 나는 거기에 제 시간에 도착할거야.

③에는 너는 절대 만족하지 않는다는 내용 뒤에 이어지는 말이므로 '불평 좀 그만 해.'의 의미인 Stop complaining. 이 와야 자연스럽다.

Words deny 부인하다 rob 털다, 도둑질하다
satisfied 만족해하는 complain 불평하다

12
외국에서 사는 것은 힘들다.

to부정사와 같이 문장에서 주어 역할을 할 수 있는 것은 동명사이다.

Words foreign 외국의

13
나는 식물에 물을 주어야 했다. 나는 그것을 완전히 잊었다.
→ 나는 식물에 물을 줘야 할 것을 잊어버렸다.

'~할 것을 잊다'는 「forget+to부정사」의 형태로 나타낸다.

14
규칙적으로 운동을 하는 것은 너를 건강하게 만든다.

동명사가 주어로 올 때, 단수 취급하므로 동사는 단수형태로 온다.

Words regularly 규칙적으로

15
유나는 여가 시간에 무엇을 하는가?
→ 그녀는 여가 시간에 춤추는 것을 즐긴다.

enjoy는 동명사를 목적어로 취하므로 뒤에 동명사 형태가 이어져야 한다.

16
주호는 여가 시간에 무엇을 하는가?
→ 그는 여가 시간에 축구를 하는 것을 좋아한다.

like는 동명사나 to부정사를 목적어로 취하므로 뒤에 동명사 또는 to부정사 형태가 이어져야 한다. 조건에서 4단어로 쓰라고 했으므로 동명사를 이용한다.

02회 내신 적중 실전 문제

본문 138쪽

01 ③	02 ③	03 ⑤	04 ①	05 ③	06 ④
07 ③	08 ④	09 ②	10 ③	11 ⑤	12 ④

13 Watching baseball games is fun.
14 She left me without saying good-bye.
15 She is interested in reading and writing.
16 Her future dream is becoming[being] an author[a writer]

01

• 너는 설거지를 끝냈니?
• 나는 영어 토론 동아리에 가입하기로 결정했다.

finish는 목적어로 동명사를 취하고, decide는 목적어로 to부정사를 취한다.

Words decide 결정하다 debate 토론

02

보기 나는 시 쓰는 것을 좋아한다.
① 나는 패스트푸드 먹는 것을 그만두었다.
② 아침을 거르는 것은 나쁜 습관이다.
③ 버스는 언덕을 내려오고 있었다.
④ 그녀의 직업은 아픈 동물들을 돌보는 것이다.
⑤ 나의 선생님은 탁월한 유머 감각을 가지신 것으로 알려져 있다.

보기 는 동명사이고, ③은 현재진행 시제에 쓰인 현재분사이다. 나머지는 모두 동명사로 쓰였다.

Words poem 시 skip 거르다 habit 습관 hill 언덕
take care of ~을 돌보다 sense of humor 유머 감각

03

Chris는 공포 영화 보는 것을 즐겼다/포기했다/그만두었다/시작했다.

expect는 목적어로 to부정사를 취한다.

04

「regret+to부정사」는 '~하게 돼서 유감이다'는 뜻이다. '~한 것을 후회하다'는 「regret+동명사」이다.

Words greet 인사하다 gas stove 가스레인지
overcome 극복하다 handicap 장애

05

동명사 또는 to부정사는 문장에서 보어로 쓰일 수 있으므로 ③이 알맞다.

06

나는 자유 시간에 대개 그림을 그린다.
= 그림을 그리는 것은 나의 취미이다.

동명사는 문장에서 주어로 쓰일 수 있고, 이때 단수 취급하므로 단수 동사가 온다.

Words paint (그림을) 그리다 painter 화가

07

피아노 연주하는 것을 멈춰라. 벌써 9시이다.

시간이 늦었으므로 피아노 연주를 중단하라는 의미가 되어야 한다. stop은 목적어로 동명사를 취하므로 '~하는 것을 멈추다'의 뜻이 되려면 「stop+동명사」 형태가 되어야 한다.

08

밤에 자전거를 타는 것은 위험하다.

동명사는 문장에서 주어로 쓰일 수 있고, 이때 단수 취급한다. ride와 같이 -e로 끝나는 단어는 -e를 빼고 -ing를 붙여 동명사로 만든다.

09

A: 문을 닫는 것을 꺼리시나요?
B: 전혀요.

mind는 목적어로 동명사를 취한다.

10

A: 왜 그렇게 오래 걸렸니?
B: 미안해. 오는 길에 간식을 사기 위해 멈췄어.

내용상 '간식을 사는 것을 멈추다'가 아닌 '간식을 사기 위해 멈추다'가 적절하다. 따라서 목적을 나타내는 to부정사가 이어져야 한다.

Words snack 간식

11

① 점심 먹으러 나가는 게 어때?
② 나의 아버지는 나와 함께 등산가는 것을 즐기신다.
③ 나는 오늘 산책하고 싶지 않다.
④ Susan은 일요일마다 등산가는 것을 중단했다.
⑤ Tom은 이번 여름에 캐나다에 갈 계획이다.

⑤의 plans는 to부정사를 목적어로 취하는 동사이므로 to부정사가 들어가야 한다. 나머지는 모두 동명사의 형태가 알맞다.

Words feel like -ing ~하고 싶다, ~할 마음이 나다

12

그 신사는 길을 안내해준 것에 나에게 고마워했다.

전치사 for 뒤에는 동명사가 와야 한다. 따라서 show는 showing으로 고쳐야 한다.

13

야구 경기를 보는 것은 재미있다.

동명사(구)는 문장에서 주어로 쓰일 수 있고, 이때 단수 취급하므로 단수 동사가 온다.

14

without과 같은 전치사 뒤에는 동사가 아닌 동명사를 쓴다.

15

수진의 흥미에 관한 문장을 쓰시오.

→ 수진은 책 읽기와 글쓰기에 흥미가 있다.

in과 같은 전치사 뒤에는 동명사를 쓴다.

16

수진의 장래 희망에 관한 문장을 쓰시오.

→ 그녀의 장래 희망은 작가가 되는 것이다.

동명사는 문장에서 보어 역할을 한다.

Lesson 10 | 대명사

Point 075 부정대명사 one

본문 142쪽

STEP 1

1 ones 2 one 3 one 4 it 5 one

STEP 2

1 One 2 one 3 it 4 it 5 one

STEP 3 ③

- 네가 펜이 필요하면, 내가 하나 빌려줄게.
- 나는 바지를 사고 싶어요. 나는 검은 바지가 필요해요.
- 사람은 노인들을 존경해야 한다.

TIP 만일 네가 내 가방을 가져갔다면, 그것을 나에게 돌려줘.

STEP 1

1 그녀의 빨간 신발이 좋다. 나도 빨간 것을 사고 싶다.
2 나의 여동생은 스마트폰을 사고 싶어 한다. 그녀는 핑크색을 원한다.
3 내 컴퓨터가 고장 났다. 나는 하나 새로운 것을 살 필요가 있다.
4 만일 네가 나의 치마가 좋다면, 너는 이것을 입어도 된다.
5 많은 사과들이 있다. 너는 하나 고를 수 있다.

STEP 3

- 이 컵 네것이니? 내가 이것을 사용해도 될까?
- 나는 검은 모자가 마음에 들지 않아. 나에게 하얀 색을 보여줘.

정해진 컵은 it으로, 정해지지 않은 모자는 one으로 대신한다.

Point 076 부정대명사 some, any

본문 143쪽

STEP 1

1 any 2 some 3 any 4 some 5 any

STEP 2

1 Could I have some coffee?
2 I didn't get any present from my boy-friend.
3 Do you have any sisters?
4 Would you like some cakes?

STEP 3 ①

• 너는 돈이 많지만, 나는 하나도 없다.

TIP • 그녀는 몇 개의 인형이 있다.
• 그는 도와 줄 친구가 하나도 없다.

STEP 1

1 나는 나의 버거에 어느 치즈도 원하지 않는다.
2 나는 음식이 너무 많아. 너 좀 원하니?
3 엄마는 아빠로부터 어떤 선물도 원하지 않는다.
4 콜라 좀 마실래?
5 나는 공책이 필요해. 네가 몇 권 있다면, 나에게 한 권 빌려줘.

STEP 3

A: 너는 샐러드 좀 더 먹을래?
B: 네, 좋아요.

긍정의 답이 예상되는 권유의 의문문에서는 some을 쓴다.

Point 077 비인칭 대명사 it

본문 144쪽

STEP 1

1 ⓓ 2 ⓒ 3 ⓔ 4 ⓑ 5 ⓐ

STEP 2

1 Is it raining outside?
2 It is fall in Korea.
3 It is not easy to solve the math problem.
4 It is dark in the theater.
5 It is difficult to get his autograph.

STEP 3 ⑤

• 몇 시야? • 오늘은 8월 1일이다.
• 월요일이다. • 이제 여름이다.
• 복도 안은 어둡다 • 여기에서 박물관까지 얼마나 먼가요?

TIP 규칙을 지키는 것은 중요하다.

STEP 1

1 오늘은 무슨 요일이니? – ⓓ 월요일이야.
2 너의 집에서 학교까지는 얼마나 머니? – ⓒ 3킬로미터야.
3 오늘이 며칠이니? – ⓔ 8월 1일이야.
4 오늘 날씨가 어떠니? – ⓑ 흐려.
5 지금 몇 시니? – ⓐ 7시 30분이야.

STEP 3

① 월요일이다.
② 지금은 습하다.
③ 오늘은 내 생일이다.
④ 10킬로미터 거리이다.
⑤ 아이들을 돌보는 것은 어렵다.

⑤의 it은 가주어이고, 나머지는 비인칭 대명사 it이다

Point 078 재귀대명사의 형태

본문 145쪽

STEP 1

1 himself 2 themselves 3 ourselves
4 themselves 5 herself

STEP 2

1 yourselves 2 myself 3 herself
4 himself 5 self

STEP 3 ③

STEP 1

1 Mike는 지난 밤 파티에서 즐거운 시간을 보냈다.
2 엄마와 아빠는 그들 스스로를 돕는다.
3 Jake와 나 바로 우리가 거기에 갔다.
4 몇몇 사람들은 그들 자신을 사랑하지 않는다.
5 Jenny 바로 그녀가 나의 집을 방문했다.

STEP 2

1 너와 너의 친구들은 놀이공원에서 즐거운 시간을 보냈니?
2 나는 실수로 나를 베었다.
3 Susie 바로 그녀가 그 문제를 풀었다.
4 Tom은 혼자 힘으로 그 벽을 칠했다.
5 문이 저절로 열렸다.

STEP 3

A: 바구니 안에 약간의 채소들이 있네.
B: 내 스스로 그것들을 길렀어.

A에는 '약간의'라는 뜻의 some이, B에는 주어의 행위를 강조하는 myself가 들어가는 것이 알맞다.

Point 079 재귀대명사 용법 (재귀, 강조)

본문 146쪽

STEP 1

1 Jenny는 그녀 스스로 지난주에 다쳤다.
2 바로 너 자신이 그 일을 해야 한다.
3 우리는 거울 속의 우리 자신을 보았다.
4 바로 그 책상이 꽤 길었다.
5 여왕 바로 그녀였다.

STEP 2
1 itself 2 herself 3 herself
4 himself 5 themselves

STEP 3 ⑤

• Ben은 자신을 사무실에 소개했다.
• Rosie는 자신을 자랑스러워했다.
• 바로 엄마가 케이크를 만들었다.
• 우리 가족은 바로 대통령을 만났다.

STEP 3
① 나의 개 바로 그 개는 매우 충직하다.
② 나는 바로 그 아이돌 스타를 초대했다.
③ Mike 그 스스로가 그 조각상을 만들었다.
④ 방에 있는 그 소녀는 바로 Jenny이다.
⑤ 동물들은 야생에서 그들 스스로를 돌본다.

⑤의 themselves는 look after의 목적어로 쓰여 주어 자신을 나타내는 재귀 용법이고, 나머지는 재귀대명사를 생략도 문장이 성립하는 강조 용법이다.

Point 080 재귀대명사의 관용적 표현

본문 147쪽

STEP 1
1 himself 2 herself 3 themselves
4 himself 5 myself

STEP 2
1 yourself 2 himself 3 by
4 yourself 5 himself

STEP 3 ③

STEP 1
1 Tom은 스스로 저녁을 요리했다.
2 Janet은 혼자서 그곳에 갔다.
3 그들은 서울에서 즐겁게 지냈다.
4 Jake는 어두는 지난 밤 다쳤다.
5 나는 종종 혼잣말을 한다.

STEP 3
A: 너는 스스로 점심을 요리했니? 음식이 맛있어 보여.
B: 응, 그랬어. 마음껏 먹어.
① 혼자서. ② 제정신이 아니야.
④ 다쳤어. ⑤ 혼잣말해.

음식이 맛있어 보인다고 했으므로 '마음껏 먹어'의 의미인 Help yourself.가 알맞다.

01회 내신 적중 실전 문제

본문 148쪽

01 ② 02 ① 03 ④ 04 ② 05 ② 06 ②
07 ⑤ 08 ⑤ 09 ④ 10 ② 11 ④ 12 ①
13 (1) one (2) some
14 (1) it (2) yourself
15 Would you like some bread?
16 Mike introduced himself to us.

01
• 너의 스웨터가 좋아 보인다. 그것은 비싸 보인다.
• 나는 가방이 필요하다. 나는 하나를 살 것이다.

위의 문장은 앞에 나온 스웨터를 대신하므로 it, 뒤에 문장에는 정해지지 않은 가방이 나오므로 one이 알맞다.

Words sweater 스웨터

02
나는 나를 도와줄 몇몇 좋은 친구들이 있다.

some은 '몇몇의'라는 뜻으로 긍정의 평서문에 쓰인다.

03
① 지금은 여름이다.
② 오늘은 금요일이니?
③ 지금 몇시니?
④ 스케이트를 배우는 것은 쉽다.
⑤ 어제는 무슨 요일이었니?

④는 가주어 it으로 쓰였고, 나머지는 모두 비인칭 대명사 it으로 쓰였다.

04
A: 나는 내 스마트폰을 잃어버렸어. 너는 그것이 어디 있는지 아니? 나는 그것을 찾을 수가 없어.
B: 걱정 하지마. 내가 너에게 새로 하나 사줄게.

A의 빈칸에는 잃어버린 나의 스마트폰을 대신하는 it, B의 빈칸에는 정해지지 않은 one이 알맞다.

05

재귀대명사가 목적어로 쓰여 주어 자신을 나타내므로 빈칸에는 ② herself가 알맞다.

06

보기 James 바로 그가 그 계획을 완성했다.
① 그 소년은 혼잣말을 했다.
② 바로 우리가 그 일을 할 수 있다.
③ 나는 날카로운 칼에 내 자신을 베었다.
④ Janet은 미술 시간에 그녀 자신을 그렸다.
⑤ Matthew는 그 실수에 대해 스스로를 비난했다.

보기 는 주어를 강조하는 강조 용법이며 쓰임이 같은 것은 ②이다. 나머지는 동사나 전치사의 목적어로 쓰인 재귀 용법이다.

Words project 계획 sharp 날카로운 blame 비난하다

07

보기 엄마와 아빠 바로 그들이 나에게 이 아름다운 드레스를 사주셨다.
① 나는 나 스스로를 최고라고 생각한다.
② 이 음식을 마음껏 드세요.
③ 아빠는 혼잣말하는 것을 좋아하신다.
④ 그녀는 지난밤에 즐거운 시간을 보냈니?
⑤ Jenny 바로 그녀가 그 아이돌 스타를 보았다.

보기 는 주어를 강조하는 강조 용법으로 쓰여 생략해도 문장이 성립한다. 쓰임이 같은 것은 ⑤이다. 나머지는 모두 동사나 전치사의 목적어로 쓰인 재귀 용법으로 사용되었다.

Words idol star 아이돌 스타

08

A: 내가 너의 집에 머물러도 되니?
B: 물론이야. 편안하게 지내렴.
① 스스로. ② 다치다. ③ 마음껏 먹어. ④ 혼잣말해.

집에 머물러도 되는지 물어 봤으므로 '편안하게 지내다'의 뜻인 Make yourself at home.이 빈칸에 알맞다.

09

A: 홍차 좀 마시겠니?
B: 네, 주세요. 저는 그것을 좋아해요.

권유와 긍정의 답을 기대하는 의문문에서는 주로 ④ some을 쓴다.

10

① 나는 혼자서 주말을 보냈다.
② 그들은 음식들을 마음껏 먹었다.
③ 나는 가끔 혼잣말을 한다.
④ James는 그 사고에서 다쳤다.
⑤ 너는 그 콘서트에서 즐거운 시간을 보냈니?

'마음껏 먹다'는 help oneself이므로 ②는 help themselves가 되어야 한다.

Words from time to time 가끔, 이따금

11

① 너는 동전 있니? 나는 하나 필요해.
② 나는 초록색 자전거가 있다. Mike는 빨간색이 있다.
③ 나는 책이 세 권 있어. 너는 하나를 원하니?
④ Andy는 새 스마트폰을 샀다. 그러나 그는 그것을 잃어버렸다.
⑤ 내 안경은 구식이다. 나는 새로운 것을 원한다.

Andy가 잃어버린 것은 새로 산 스마트폰이므로, 이미 정해진 명사를 대신하는 it이 와야 한다. 따라서 But he lost one.은 But he lost it.이 되어야 한다.

Words coin 동전 old-fashioned 구식의

12

여름에는 비가 많이 온다.

비인칭 대명사 it은 날씨를 나타낼 수 있고, 이때 '그것'이라고 해석하지 않는다.

13

A: 내 티셔츠가 더러워. 너는 깨끗한 거 있니?
B: 응. 내 방에 몇 개 있어.

(1)에는 정해지지 않은 것을 대신하는 one이 오고, (2)에는 '몇몇'을 나타내며, 긍정문에 쓰이는 some이 알맞다.

14

A: 나는 시험에 다시 떨어졌어. 나는 그것을 통과할 수 없을 거야.
B: 너 자신을 믿어. 너는 다음에 더 잘할 거야.

(1)에는 정해진 명사를 대신하는 it이 와야 하고, (2)에는 재귀대명사가 목적어로 쓰이는 재귀 용법의 yourself가 적절하다.

15

권유의 의문문에서는 some을 쓴다.

16

Mike가 자신을 소개하는 것이므로 목적어로 재귀대명사 himself가 쓰인다.

02회 내신 적중 실전 문제

본문 150쪽

01 ① 02 ① 03 ⑤ 04 ⑤ 05 ③ 06 ④
07 ④ 08 ③ 09 ⑤ 10 ⑤ 11 ④ 12 ②
13 It is very hot and humid.
14 It will rain a lot.
15 make yourself at home
16 (1) any (2) some (3) some

01
• 만일 네가 모자를 원한다면, 내가 너에게 하나 줄게.
• 연필이 있니? 내가 하나 필요해.
정해지지 않은 명사를 대신하는 것으로 ① one이 알맞다.

02
• 여기에서 멀지 않다.
• 오늘은 나의 생일이다.
'그것'이라고 해석하지 않으며, 거리와 날을 나타내는 비인칭 대명사는 it이다.
Words far 먼

03
• 아이들은 미끄럼틀을 타며 즐거운 시간을 보냈다.
• 아이들은 자신들에 대해 알지 못한다.
children은 3인칭 복수이므로 재귀대명사로는 themselves가 알맞고, enjoy oneself는 '즐겁게 지내다'의 의미이다.
Words slide 미끄럼틀

04
• 그녀는 바로 Randy에게 그 편지를 보여줬다.
• 그는 그 산을 혼자서 올라야 한다.
Randy를 강조하는 강조 용법의 himself, '혼자서'의 의미인 by himself가 알맞다.

05
A: 너는 우리의 새로운 계획에 대한 어떤 좋은 의견이 있니?
B: 응, 나는 몇 개 있어.
의문문인 A에는 any, 긍정문인 B에는 some이 알맞다.

06
① 그녀는 자살했다.
② 바로 내가 거기에 가기를 원한다.
③ Jack은 혼자서 극장에 갔다.
④ Bob과 너 바로 너희들이 그 방을 청소해야 한다.
⑤ Maggie와 Nancy 바로 그들이 그 기계를 발명했다.
Bob and you는 2인칭 복수이므로 재귀대명사는 yourselves로 써야 한다.
Words invent 발명하다 machine 기계

07
① 나는 사탕이 하나도 없다.
② 아이들 중 몇 명은 경기를 즐겼다.
③ 바구니 안에 약간의 과일들이 있다.
④ 그 식당은 맛있는 음식이 하나도 없다.
⑤ 네가 만약 돈이 많다면, 나에게 좀 빌려줘.
부정문에는 주로 any가 쓰이므로, ④에는 some이 아니라 any가 들어가야 한다.

08
① 그 남자는 그 자신에 대해서 이야기했다.
② 나는 난로에 스스로를 데었다.
③ 바로 내가 수학 숙제를 했다.
④ 나는 카메라로 내 자신을 보았다.
⑤ 엄마는 아침에 혼잣말을 하셨다.
③의 myself는 주어 I를 강조하는 강조 용법으로 쓰였고, 나머지는 모두 동사나 전치사의 목적어로 쓰인 재귀 용법이다.
Words stove 난로

09
① 늦봄이다.
② 오늘은 무슨 요일이니?
③ 오늘은 월요일이 아니다.
④ 어제는 매우 더웠다.
⑤ 제 시간에 도착하는 것은 중요하다.
⑤는 to부정사가 진주어인 가주어 it이고, 나머지는 모두 비인칭 대명사 it으로 계절, 요일, 날씨를 나타낸다.

10
① 그녀는 제정신이 아니다.
② Jake는 지난 게임에서 다쳤다.
③ Bob은 그의 방에서 혼잣말을 했다.
④ 나는 파티에서 즐거운 시간을 보냈다.
⑤ 케이크를 마음껏 먹어라.
help oneself는 '마음껏 먹다'의 뜻이다.

11
① 그 고양이들이 너무 귀엽다! 나는 고양이를 원한다.

② 사람은 미래에 대한 꿈이 있다.
③ 나는 공이 많이 있다. 빨간 공들도 있다
④ 너의 펜은 좋아 보인다. 나에게 너의 펜을 빌려줘.
⑤ Jenny는 블라우스를 사고 싶어 했다. 그녀는 하얀 블라우스를 원했다.

④는 정해진 명사 your pen을 받는 대명사 it으로 바꿔쓸 수 있다.

Words blouse 블라우스

12
① 나는 종이가 좀 필요하다.
② 그들은 어떤 음식도 사지 않았다.
③ 나는 그에게 몇 권의 만화책을 줄 것이다.
④ 냉장고 안에 몇 개의 배가 있다.
⑤ 나의 남편은 나를 위해 꽃을 좀 샀다.

긍정의 평서문에는 some을 쓰고 부정문에는 any를 쓰므로, ②의 some food는 any food가 되어야 한다.

[13-14]
여러분, 안녕하세요. 일기예보입니다!
오늘은 매우 덥고 습기가 많습니다. 우리는 더위에 쉽게 지칠 것입니다. 내일은 비가 많이 올 것입니다. 비는 공기를 식힐 것입니다.

Words weather report 일기예보 humid 습기가 많은
get tired 지치다 cool 식히다

13
A: 오늘 날씨는 어떤가요?
B: 매우 덥고 습합니다.

14
A: 내일 날씨는 어떨까요?
B: 비가 많이 올 것입니다.

15
make oneself at home은 '편안히 지내다'의 의미이다.

16
A: 나는 영화가 보고 싶어. 근처에 극장이 있니?
B: 응, 시내에 몇 개 있어.
A: 너도 같이 갈래?
B: 좋아. 내가 너에게 팝콘을 좀 사줄게.

의문문에는 주로 any를 쓰고, 긍정의 평서문에는 some을 쓴다.

Lesson 11 | 접속사

Point 081 등위접속사 and
본문 154쪽

STEP 1
1 ⓒ 2 ⓓ 3 ⓑ 4 ⓔ 5 ⓐ

STEP 2
1 It is good for your body and mind.
2 Both she and I are responsible for the accident.
3 My name is Tim and I'm fourteen years old.
4 There are some apples and bananas

STEP 3 ⑤

• 그 소년은 집에 들어오더니 주위를 둘러보았다.

STEP 1
1 Sam과 Sally는 쌍둥이이다.
2 비가 오고 있었고 바람도 불었다.
3 John은 러시아어로 말하고 쓸 수 있다.
4 그녀는 종종 청바지와 하얀 셔츠를 입는다.
5 그들은 행복했고 신이 났다.

STEP 3
A: 너는 어떻게 Sam을 아니?
B: Sam과 나는 같은 학교에 다녔어. 그는 내 아주 가까운 친구야.

문법적으로 대등한 역할을 하는 단어를 연결하고 있으며 '~과'라는 의미를 가지므로 등위접속사 and가 알맞다.

Point 082 등위접속사 but
본문 155쪽

STEP 1
1 우리는 피곤했지만 행복했다.
2 그 영화는 좋았지만, 배경음악은 나빴다.
3 검은색 셔츠는 작지만, 빨간색 셔츠는 크다.
4 David는 아팠지만, 학교에 갔다.
5 나는 미안하지만, 지금 가 봐야 해.

STEP 2
1 I am very excited but nervous about my new school.

2 Tim likes Sarah but she doesn't like him.
3 I want to buy a nice car but I don't have enough money.
4 My grandmother wants to go to Paris but my grandfather doesn't like her idea.
5 I woke up very late but I was not late for school.

STEP 3 ⑤

• 그는 다쳤지만, 울지 않았다.

STEP 2
1 나는 새로운 학교에 대해 매우 신이 나지만 걱정도 된다.
2 Tim은 Sarah를 좋아하지만 그녀는 그를 좋아하지 않는다.
3 나는 좋은 차를 사고 싶지만 충분한 돈을 갖고 있지 않다.
4 나의 할머니는 파리에 가고 싶어 하시지만, 할아버지는 그녀의 생각을 좋아하지 않으신다.
5 나는 매우 늦게 일어났지만 학교에 지각하지 않았다.

STEP 3
① 나는 치즈버거와 감자튀김을 먹고 싶다.
② 그들은 낚시하러 가지 않고 수영하러 가고 있다.
③ 바람이 강하게 불었지만, 우리는 밖으로 나갔다.
④ 그녀의 취미는 배드민턴을 하고 노래를 부르는 것이다.
⑤ 그 의사는 매우 친절했지만, 간호사는 그렇지 않았다.
⑤는 접속사를 중심으로 앞뒤의 말이 서로 반대되는 내용이므로 접속사 but이 알맞다.

Point 083 등위접속사 or

본문 156쪽

STEP 1
1 or 2 or 3 or 4 or 5 am

STEP 2
1 or 2 but 3 and 4 or 5 and

STEP 3 ⑤

• 너는 일찍 일어나는 사람이니, 아니면 올빼미 체질이니?
• 너의 남자 형제가 너보다 어리니 아니면 나이가 많니?

TIP 너와 그녀 둘 중 한 사람이 틀렸다.

STEP 2
1 그 소식은 사실이니 아니면 거짓이니?
2 너는 택시 혹은 버스를 탈 수 있다.
3 너와 나 둘 중 하나는 일찍 집에 가야 한다.
4 너는 집에 머무르고 싶니 아니면 밖에 나가고 싶니?
5 그녀 혹은 나 둘 중 한 사람이 오후에 쇼핑을 갈 것이다.

STEP 3
A: 무엇을 드시겠어요?
B: 치즈버거와 콜라로 할게요.
A: 여기서 드시겠습니까? 아니면 가져가시겠어요?
B: 가져가겠습니다.
첫 번째 빈칸은 치즈버거와 콜라를 함께 주문하는 것이므로 빈칸에 and를 쓴다. 두 번째 빈칸에서는 여기서 먹고 갈 것인지, 가져갈 것인지 묻는 것이므로 둘 중 하나를 선택하는 접속사 or를 쓴다.

Point 084 부사절 접속사 when

본문 157쪽

STEP 1
1 When 2 When 3 visits 4 when 5 When

STEP 2
1 when I met the actress on the street
2 When I woke up in the morning
3 When the girl and I were in the same class
4 When he came back

STEP 3 ②

• 아빠가 집에 오실 때, 엄마는 식탁을 차릴 것이다.

TIP 너는 언제 일을 끝냈니? / 나는 그가 언제 돌아올지 모르겠다.

STEP 1
1 네가 올 때, 네 교과서를 가져와.
2 내가 집에 도착했을 때 엄마는 요리를 하고 계셨다.
3 그녀가 나를 방문할 때 나는 그녀를 환영해 줄 것이다.
4 David가 15살이었을 때, 그녀는 그를 처음 만났다.
5 내가 어린아이였을 때, 나는 인형을 가지고 놀곤 했다.

STEP 3
① 내가 피곤할 때 나는 일찍 잠자리에 든다.
② 너는 언제 파리에 갈 계획이니?
③ 네가 바쁘지 않을 때 나를 도와줄 수 있니?
④ 질문이 있을 때, 나에게 알려주세요.
⑤ 감기에 걸릴 때, 나는 닭고기 수프를 먹는다.

②는 의문사 when(언제)이고, 나머지는 '~할 때'라는 의미를 가진 부사절을 이끄는 접속사이다.

Point 085 부사절 접속사 before, after

본문 158쪽

STEP 1
1 After 2 before 3 after 4 before 5 before

STEP 2
1 When 2 before 3 After 4 when 5 before

STEP 3 ②

• 영화가 시작되기 전에, 나는 팝콘을 쏟았다.
• 단 것을 먹은 후에는 이를 닦으세요.

TIP 금메달을 딴 후, 그는 매우 유명해졌다.

STEP 1
1 손을 씻은 후에, 너는 식사를 할 수 있다.
2 수업이 시작되기 전에 네 책을 준비해라
3 나는 아침 식사를 한 후 설거지를 했다.
4 그 열차가 떠나기 전에 우리는 단지 5분의 시간이 있다.
5 당신이 방에 들어가기 전에 노크를 하세요.

STEP 3
A: 너는 왜 그렇게 늦었니?
B: 나는 매우 늦게 일어났어. 어젯밤에 커피를 마신 후에, 잠을 잘 수가 없었어.

'커피를 마신 후에, 잠을 잘 수가 없었다'는 내용이 되어야 문맥상 자연스러우므로, 빈칸에는 After가 알맞다.

Point 086 부사절 접속사 because

본문 159쪽

STEP 1
1 ⓑ 2 ⓓ 3 ⓔ 4 ⓐ 5 ⓒ

STEP 2
1 before 2 Because 3 When
4 but 5 and

STEP 3 ②

• David가 매우 친절하기 때문에 Sally는 그를 좋아했다.
• 그가 아팠기 때문에, 그는 의사의 진찰을 받아야 했다.

STEP 1
1 버스를 놓쳤기 때문에 나는 제시간에 도착할 수 없었다.
2 Eric은 아팠기 때문에 수업에 결석했다.
3 추워서 나는 히터를 켰다.
4 시험에 떨어졌기 때문에 Sue는 화가 났다.
5 Sarah는 그 문제가 너무 어려웠기 때문에 답을 할 수 없었다.

STEP 2
1 내 여동생은 잠자기 전에 양치를 한다.
2 밖에 비고 오고 있으니 그냥 집에 있자.
3 내가 열 살 이었을 때, 나는 드럼 연주를 시작했다.
4 나는 그 수수께끼를 풀 수가 없었지만, 내 남동생은 풀 수 있었다.
5 그녀는 피곤하고, 졸리고, 그리고 외롭게 느껴졌다.

STEP 3
① 나는 지갑을 잃어버려서 울었다.
② 나는 감기에 걸려서 밖에 나가지 않았다.
③ 소음 때문에 나는 종소리를 들을 수 없었다.
④ 그는 피곤했기 때문에 집에서 쉬어야 했다.
⑤ 나는 복통이 있어서 약을 먹었다.

because of 다음에는 명사(구)가 오고, because 다음에는 「주어+동사」로 구성된 절이 와야 한다.

Point 087 부사절 접속사 If

본문 160쪽

STEP 1
1 Unless 2 If 3 catches 4 If 5 Unless

STEP 2
1 If my dad doesn't go to work
2 If you take out the trash every day
3 If you hurry up, you will get there by three o'clock.
4 If it's not true, there will be a lot of problems

STEP 3 ②

STEP 1
1 Smith 씨가 정직하지 않다면 사장은 그를 고용하지 않을 것이다.
2 네가 시간이 좀 있다면 나를 도와줘.
3 그녀가 기차를 탄다면 그녀는 제시간에 도착할 거야.
4 네가 열심히 공부한다면 좋은 성적을 얻을 거야.
5 네가 나를 돕지 않으면 나는 그 보고서를 끝낼 수 없어.

STEP 3

A: 아빠, 동물원에 가고 싶어요.

B: 이번 주 토요일에 갈래?

A: 좋아요!

B: 비가 오지 않으면 우리는 토요일에 갈 거야.

빈칸에는 '만약 ~하지 않는다면'이라는 뜻이 와야 하므로 unless가 알맞다.

Point 088 명사절 접속사 that

본문 161쪽

STEP 1

1 Tim이 기말 시험에 통과한 것은 사실이다.
2 그가 그 시합에서 이겼다는 것을 들었니?
3 나의 고민은 내가 사물함 열쇠를 잃어버렸다는 것이다.
4 우리 선생님이 말씀을 너무 많이 하시는 것은 사실이다.
5 그녀의 마지막 말은 집만 한 곳이 없다는 것이었다.

STEP 2

1 It is certain that Charlie got first prize.
2 My only hope is that he will come back by Christmas.
3 We believe that children learn through play.
4 It is true that the Earth is round.

STEP 3 ③

- 그가 영어를 잘한다는 것은 거짓말이 아니다.
- 그는 자신이 그때 피아노를 연주하고 있었다고 말했다.
- 사실 그는 훌륭한 댄서이다.

STEP 3

① 나는 이 선생님이 잘 할 수 있을 거라고 믿는다.
② 나는 그가 영리하다는 것을 몰랐다.
③ 그녀는 부드러운 털을 가진 저 분홍색 코트를 좋아했다.
④ 그가 내 담임 선생님이라는 것은 사실이다.
⑤ 나의 걱정은 우리가 어떤 해결책도 가지고 있지 않다는 것이다.

나머지는 명사절 접속사 that이며 ③은 that이 지시 형용사로 쓰였다.

01회 내신 적중 실전 문제

본문 162쪽

01 ⑤	02 ③	03 ④	04 ④	05 ①	06 ①
07 ③	08 ④	09 ②	10 ④	11 ④	12 ③

13 It, that
14 If you don't miss the train
15 I believe that Denis will overcome the difficulties.
16 Before I went to bed, I brushed my teeth. 또는 I brushed my teeth before I went to bed.

01

보기 내가 열 살이었을 때, 나는 초등학생이었다.

① 네 생일이 언제인지 내게 말해줘.
② 내일 우리 언제 만날까요?
③ 너는 언제 캐나다에 갈거니?
④ Sam은 나에게 내가 언제 태어났는지 물었다.
⑤ 네가 자라면 너는 무엇이 되고 싶니?

나머지는 모두 '언제'라는 뜻의 의문사로 쓰였고 ⑤만 '~할 때'의 뜻의 부사절 접속사로 쓰였다.

Words be born 태어나다

02

엄마가 돌아오시기 전에 나는 거실을 청소할 것이다.

시간을 나타내는 부사절에서는 현재시제로 미래를 나타낸다.

03

안개가 너무 심해서, 비행기가 이륙할 수 없었다.

since가 이유를 나타내는 접속사로 쓰였으므로 because로 바꿔 쓸 수 있다.

Words foggy 안개가 낀 take off 이륙하다

04

- 내 바람은 할머니가 곧 건강을 회복하시는 것이다.
- 네가 다섯 시간 동안 운전했기 때문에 너는 틀림없이 피곤할 것이다.

첫 번째 문장은 '~하는 것'이라는 뜻의 명사절 접속사 that이 보어로 쓰인 것이며, 두 번째 문장은 피곤한 이유를 설명해 주는 부사절 접속사 because가 알맞다.

Words get well 몸이 회복하다

05

그녀의 어린 시절 동안, 그녀는 일요일마다 교회에서 바이올린을 연주하곤 했다.

= 그녀는 어렸을 때, 일요일마다 교회에서 바이올린을 연주하곤 했다.

during은 전치사로 '~하는 동안'의 의미를 가지며 뒤에 명사(구) 형태가 온다. during이 포함된 구를 부사절 접속사 when(~할 때)이나 while(~하는 동안)을 사용한 절로 바꿀 수 있다.

Words childhood 어린 시절

06

• 만약 날씨가 좋으면, 나는 걸어서 학교에 갈 것이다.
• 네가 만약 내 말을 귀담아 듣지 않으면 너는 후회할 것이다.

문맥상 '만약~라면'이라는 뜻의 접속사가 알맞다.

07

• 아빠는 스파게티를 먹고 싶지만, 엄마는 그의 생각을 마음에 들어 하지 않는다.
• 미안하지만 나는 지금 가야 해.

빈칸 앞뒤의 말이 반대되는 내용이므로 등위접속사 but이 알맞다.

08

• 내가 너에게 우유와 쿠키를 좀 가져다줄게.
• 우리는 레스토랑에 가서 점심을 먹었다.

빈칸 앞뒤로 서로 비슷한 내용을 연결하고 있으므로 등위 접속사 and가 알맞다.

09

A: 너는 오렌지 혹은 사과 중에 어느 것을 더 좋아하니?
B: 나는 사과를 더 좋아해.

오렌지와 사과 둘 중에 하나를 고르는 것이므로 or가 알맞다.

10

A: 너는 그 가수를 왜 좋아하니?
B: 그녀는 노래도 잘하고 춤도 잘 춰.

「both A and B」는 'A와 B 둘 다'라는 뜻이다.

11

① 네가 매일 수영을 하면 너는 살이 빠질 것이다.
② 네가 조심하지 않으면 너는 유리를 깰 것이다.
③ 네가 지금 자전거를 고치지 않으면 그 자전거는 잘 가지 못할 것이다.
④ 열심히 연습하면 너는 훌륭한 피아니스트가 될 것이다.
⑤ 네가 그 생각을 받아들이지 않는다면 너는 성공하지 못할 것이다.

④ 조건을 나타내는 부사절에서 현재시제가 미래를 대신하므로 will practice가 아니라 practice로 고쳐야 한다.

Words careful 조심하는 lose weight 체중을 줄이다
accept 받아들이다

12

보기 의사는 그 어린 소년이 눈에 문제가 있다고 말했다.
① 나는 저 개가 싫다.
② 그것은 내 우산이다.
③ 나는 그가 재미있다고 생각한다.
④ Brown 씨는 저 집에 산다.
⑤ 저 소금 병을 내게 건네주세요.

보기 와 ③은 that이 명사절 접속사(목적어 역할)로 쓰였다. ①, ④, ⑤는 지시 형용사로 '저, 그'의 뜻이고, ②는 '그것, 저것'의 의미의 지시 대명사이다.

Words funny 재미있는

13

그는 영어를 매우 잘한다. 그것은 사실이 아니다.
→ 그가 영어를 매우 잘한다는 것은 사실이 아니다.

명사절 접속사 that을 사용하여 「It(가주어) ~ that(진주어)」 구문을 만든다.

14

'만일 ~ 하지 않는다면'의 의미이므로 'if ~ not'을 사용한다.

15

Denis는 어려움을 극복할거야. 나는 그것을 믿어.
→ 나는 Denis가 어려움을 극복할 거라고 믿어.

명사절 접속사 that을 써서 believe의 목적어 역할을 하는 that절을 만든다.

Words overcome 극복하다 difficulty 어려움

16

나는 이를 닦았다. 그러고 나서 나는 잠자리에 들었다.
→ 나는 잠자리에 들기 전에 이를 닦았다.

시간의 전후를 나타내는 부사절 접속사 before를 써야 하므로 먼저 일어난 일을 주절에, 나중에 일어난 일을 종속절에 쓴다.

02회 내신 적중 실전 문제

본문 164쪽

01 ④	02 ②	03 ⑤	04 ①	05 ⑤	06 ④
07 ②	08 ④	09 ①	10 ⑤	11 ④	12 ②

13 Nobody knows that the wizard is a liar.
14 don't finish, will not go
15 will stop, stops
16 Because I had a toothache, I went to the dentist. 또는 I went to the dentist because I had a toothache.

01

거실에는 탁자, 꽃병 그리고 소파가 있었다.

「A, B, and C」와 같이 비슷한 항목을 나열할 때, 맨 끝 항목 앞에 and를 쓴다.

02

누군가가 내게 전화를 하면 내가 집에 없다고 말해 주세요.

조건을 나타내는 if절에서는 미래를 나타낼 때 현재시제를 쓴다. 주어로 쓰인 anyone은 단수 취급하므로 calls가 알맞다.

03

나는 어젯밤에 매우 졸려서, 일찍 잠을 잤다.

문맥상 이유를 나타내는 접속사 because가 알맞다.

04

Rachel은 캐나다인이거나 미국인이다.

「either A or B」는 'A와 B 둘 중 하나'라는 뜻이다.

05

① 내가 어렸을 때, 나는 선생님이 되고 싶었다.
② 네 일을 마치면 너는 무엇을 할 거니?
③ 나는 외로움을 느낄 때, 신나는 음악을 듣는다.
④ 네가 한가할 때, 나에게 전화해줘.
⑤ 너는 언제 집에 갈거니?

⑤의 when은 '언제'라는 뜻의 의문사이고 나머지는 모두 '~할 때'의 뜻으로 부사절 접속사로 쓰였다.

Words cheerful 발랄한, 신나는

06

• 나는 시력이 나쁘다. 안경을 쓸 필요가 있는 것은 분명하다.
• 나는 그 점원이 정직한 사람이라고 믿는다.

첫 번째 빈칸은 「It(가주어) ~ that(진주어)」 구문의 진주어 역할을 하는 that이, 두 번째 빈칸은 문장에서 목적어 역할을 하는 명사절 접속사 that이 들어가야 한다.

Words eyesight 시력

07

• 너는 보통 방과 후에 무엇을 하니?
• Dorothy가 커피를 마신 후에, 그녀는 잠을 전혀 잘 수가 없었다.

'~후에' 라는 뜻으로 첫 번째 빈칸에서는 뒤에 명사가 왔으므로 전치사로, 두 번째 빈칸에서는 뒤에 절이 왔으므로 접속사로 쓰였다.

08

• 외출하기 전에 불을 꺼주세요.
• 나는 잠을 자기 전에 목욕을 한다.

문맥상 '~전에'라는 뜻의 접속사 before가 알맞다.

09

A: 엄마, 제가 두꺼운 코트를 입어야 할까요?
B: 물론이지. 네가 그것을 입지 않으면 너는 감기에 걸릴 거야.

「If ~ not」은 '만일 ~ 하지 않는다면' 이라는 뜻이다. 부사절 안에 이미 not이 있으므로 unless는 쓸 수 없다.

Words heavy 무거운, 두꺼운 catch a cold 감기에 걸리다

10

① 그 셔츠는 좋아 보이지만, 나는 그것이 마음이 안 든다.
② 나는 빵 한 조각과 커피 한 잔을 먹었다.
③ 내가 가장 좋아하는 과목은 영어와 수학이다.
④ 불고기와 김치 핫도그는 그 도시에서 매우 인기가 있다.
⑤ 내 취미는 우표를 수집하고 수학 문제를 푸는 것이다.

and는 등위접속사로 앞뒤에 오는 말이 문법적으로 대등하게 연결되어야 한다. 따라서 and 앞에 동명사(collecting)가 왔으므로 뒤에도 동명사(solving)가 와야 한다.

Words a slice of 한 조각의 collect 모으다, 수집하다 solve 풀다

11

① 아버지가 내게 전화했을 때, 나는 TV를 보고 있었다.
② 나는 우리의 현장 학습 때문에 매우 기쁘고 신이 난다.
③ 그녀와 나는 둘 다 같은 유치원에 다녔다.
④ 나는 과학을 좋아하지 않지만 내 남동생은 과학을 좋아한다.
⑤ 그 숲에는 많은 종류의 나무와 꽃들이 있다.

④ 서로 반대되는 말을 연결하고 있으므로 등위접속사 but

이 알맞다.

Words field trip 현장 학습 kindergarten 유치원 forest 숲

12

그녀가 최선을 다하지 않는다면 그녀는 제시간에 그녀의 프로젝트를 끝내지 못할 것이다.

조건을 나타내는 부사절에서 현재시제가 미래를 대신하며 주어가 3인칭 단수이므로 첫 번째 빈칸에는 does가 알맞다. 두 번째 빈칸에서는 unless가 '만일 ~ 하지 않는다면'의 뜻이므로 주절은 '~하지 못할 것이다'라는 부정의 의미를 가져야 한다.

13

that은 명사절 접속사로 that 이하의 절을 know의 목적절로 만든다.

Words wizard 마법사 liar 거짓말쟁이

14

내가 만약 역사 보고서를 끝내지 못한다면, 나는 공원에 가지 않을 것이다.

15

우리 담임 선생님은 항상 우리에게 말씀하신다. "버스가 완전히 멈추기 전에 버스에서 내리려고 하지 마라."

시간을 나타내는 부사절에서 미래의 뜻이라도 현재시제를 쓰므로 will stop대신 stops를 쓴다.

Words completely 완전히

16

나는 치통이 있었다. 그래서 나는 치과에 갔다.

→ 나는 치통이 있어서 치과에 갔다.

이유를 나타내는 부사절 접속사 because를 써야 하므로 이유나 원인이 되는 부분을 종속절에 쓴다.

Words toothache 치통

Lesson 12 | 의문문 I (의문사 의문문)

Point 089 who 의문문

본문 168쪽

STEP 1

1 is the woman 2 did you meet 3 Whose
4 Whom 5 did

STEP 2

1 Who 2 Whose 3 Who(m)
4 Whose 5 Who

STEP 3 ①

- A: 이 반에서 누가 기타를 연주할 수 있니?
  B: Jake가 할 수 있어요.
- 너는 가장 먼저 누구를 만나고 싶니?
- 이것은 누구의 책이니?

STEP 1

1 그 여자는 누구니?
2 너는 어제 누구를 만났니?
3 이것은 누구의 사진첩이니?
4 너는 누구를 위해 이 음식을 요리했니?
5 너는 누구의 차를 빌렸니?

STEP 2

1 A: 그 어린 남자아이는 누구니?
B: 그는 내 아들인 Andy야.
2 A: 이것은 누구의 스마트폰이니?
B: 그것은 우리 엄마 거야.
3 A: Alice는 누구를 기다리고 있니?
B: 그녀는 자신의 아빠를 기다리고 있어.
4 A: 우리 오늘 밤에 누구의 집에서 만날까?
B: 우리 집은 어때?
5 A: 누가 꽃병을 깨뜨렸니?
B: Ben이 깼어.

STEP 3

A: 너는 누구와 같이 가고 싶니?
B: 나는 Jack과 같이 가고 싶어.
A: Jack이 누구니?
B: 그는 내 남동생이야.

두 빈칸에는 '누구'라는 뜻의 Who가 들어가야 한다. 두 번

째 문장에서 의문사가 보어 역할을 하므로 Whom은 올 수 없다.

Point 090 what 의문문

본문 169쪽

STEP 1

1 you like → do you like 2 he is → is he
3 Who → What 4 you can → can you
5 make → makes

STEP 2

1 What do you have in your hand?
2 What did Mary do last weekend?
3 What song should I sing at my uncle's wedding?
4 What are you thinking about now?
5 What kind of present did you buy for her?

STEP 3 ②

• A: 네가 가장 좋아하는 과일은 무엇이니? B: 멜론이야.
• 너는 무슨 과목을 가장 좋아하니?

STEP 1

1 너는 무슨 색깔을 좋아하니?
2 그는 무엇에 관심이 있니?
3 너의 취미는 무엇이니?
4 너는 무슨 운동을 할 수 있니?
5 무엇이 너를 그렇게 생각하도록 만드니? (너는 왜 그렇게 생각하니?)

STEP 3

A: 너는 점심으로 무엇을 먹었니?
B: 나는 콜라와 햄버거를 먹었어.
① 너는 점심으로 무엇을 원했니?
③ 너는 무슨 음식을 만들었니?
④ 너는 누구와 점심을 먹었니?
⑤ 너는 언제 점심을 먹었니?

B의 응답으로 보아 A의 질문은 무엇을 먹었는지를 묻는 내용이어야 하므로, 빈칸에 들어갈 말로 ②가 가장 적절하다.

Point 091 which 의문문

본문 170쪽

STEP 1

1 Which 2 Which 3 What
4 Which 5 Who

STEP 2

1 Whose 2 What 3 Which
4 Which 5 Who

STEP 3 ②

• A: 회색 차와 검정색 차 중에서 어느 것이 너의 차니?
B: 회색 차가 내 차야.
• 당신의 사무실은 몇 층에 있나요?
• 두 팀 중에서 어느 팀이 경기에서 이겼나요?

STEP 1

1 너는 어느 것을 원하니?
2 당신은 스몰과 미디엄 중 어떤 사이즈를 입으세요?
3 무슨 요리를 추천해 주시겠어요?
4 너에게는 수영과 스케이팅 중 어느 것이 더 낫니?
5 너는 누구와 여행하고 싶니?

STEP 2

1 오늘은 누구의 생일이니?
2 너는 캠프에서 무엇을 경험했니?
3 이것들 중에 어느 것이 Lisa의 가방이니?
4 너는 댄스와 힙합 중 어떤 음악을 더 좋아하니?
5 네가 가장 좋아하는 운동선수는 누구니?

STEP 3

• 줄무늬 셔츠와 무늬 없는 셔츠 중 어떤 셔츠를 고르시겠어요?
• 이 세 개 중에 어떤 차가 가장 인기 있나요?

정해진 대상 가운데서 선택을 물어볼 때 사용되는 의문사는 which이다.

Point 092 when 의문문

본문 171쪽

STEP 1

1 you left → did you leave
2 Ms. Parker will → will Ms. Parker
3 do → does
4 time → day
5 gets → get

STEP 2

1 When was the happiest moment
2 What time does Jack jog
3 When did the jazz festival begin
4 What time was the party over

STEP 3 ④

• A: 네 생일은 언제니? B: 8월 1일이야.
• 너는 언제[몇 시에] 일어나니?

STEP 1
1 너는 언제 시드니로 출발했니?
2 Parker 씨는 언제 시간이 날까요?
3 Daniel은 언제 도서관에 가니?
4 오늘이 무슨 요일입니까?
5 너희 아버지는 언제 퇴근하시니?

STEP 2
1 A: 네 인생에서 가장 행복했던 순간은 언제였니?
B: 하와이로 여행 갔을 때야.
2 A: Jack은 매일 아침 몇 시에 조깅을 하니?
B: 그는 오전 6시 30분에 조깅을 해.
3 A: 올해에 재즈 축제는 언제 시작했니?
B: 그것은 5월 27일에 시작했어.
4 A: 어제 파티가 몇 시에 끝났니?
B: 자정 무렵에 끝났어.

STEP 3
A: 너희 가족은 몇 시에 아침을 먹니?
B: 8시에 먹어.
B가 시간으로 응답한 것으로 보아, A는 What time을 사용하여 시간을 물어보았음을 알 수 있다.

Point 093 where 의문문

본문 172쪽

STEP 1
1 Where 2 Where 3 When
4 Where 5 Which

STEP 2
1 Where is
2 Where did his sister find
3 Where did Amy buy
4 Where can Mike borrow
5 Where does Kevin grow

STEP 3 ⑤

• A: 그녀가 이 보물을 어디서 찾았니? B: 동굴에서 찾았어.

STEP 1
1 너는 어디 출신이니?
2 그의 새 차는 어디에 있니?
3 너는 언제 파리를 방문할 거니?
4 나는 로마에 살아. 너는 어디서 사니?
5 너는 키위와 파인애플 중 어떤 과일을 더 좋아하니?

STEP 2
1 Janet의 학교는 그녀의 집 근처에 있다.
→ Janet의 학교는 어디에 있니?
2 그의 여동생은 그 개를 공원에서 찾았다.
→ 그의 여동생은 그 개를 어디서 찾았니?
3 Amy는 귀걸이를 저 가게에서 샀다.
→ Amy는 귀걸이를 어디서 샀니?
4 Mike는 그 책을 도서관에서 빌릴 수 있다.
→ Mike는 그 책을 어디서 빌릴 수 있니?
5 Kevin은 채소를 뒷마당에서 기른다.
→ Kevin은 채소를 어디서 기르니?

STEP 3
① A: 너는 주스와 녹차 중 어느 것을 원하니?
B: 나는 무언가 다른 것을 원해.
② A: 너는 언제 집에 왔니?
B: 나는 방금 전에 왔어.
③ A: 내가 프랑스에서 무엇을 볼 수 있니?
B: 너는 에펠탑을 볼 수 있어.
④ A: 차 옆에 있는 남자는 누구니?
B: 그는 내 친구인 Jake야.
⑤ A: 우리 어디서 만날래?
B: 1시에 만나는 게 어때?
⑤ 의문사 Where를 사용한 질문에 대한 응답은 장소와 관련된 내용이어야 한다. 그런데 B의 말은 시간과 관련된 내용이므로 어색하다.

Point 094 why 의문문

본문 173쪽

STEP 1
1 ⓔ 2 ⓑ 3 ⓓ 4 ⓒ 5 ⓐ

STEP 2
1 Why do you say
2 Why are they looking for
3 Why did your mother scold
4 Why did John go

5 Why can't she come

STEP 3 ⑤

• A: 그는 왜 택시를 탔니?
B: 왜냐하면 그의 차가 고장 났기 때문이야.

STEP 1

1 너는 왜 그렇게 화가 났니? – ⓔ 왜냐하면 우리 오빠가 내 컴퓨터를 고장 냈기 때문이야.
2 그녀는 왜 늦게 돌아왔니? – ⓑ 왜냐하면 그녀는 늦게까지 일을 했기 때문이야.
3 그는 왜 새 스마트폰을 샀니? – ⓓ 왜냐하면 그는 자신의 예전 스마트폰을 잃어 버렸기 때문이야.
4 너는 왜 그 노래를 좋아하니? – ⓒ 왜냐하면 그 노래의 선율이 감미롭기 때문이야.
5 너는 왜 그와 결혼하고 싶니? – ⓐ 왜냐하면 그는 아주 친절한 사람이기 때문이야.

STEP 3

A: 너는 왜 그 배우를 좋아하니?
B: 왜냐하면 그는 매우 재능이 있거든.

배우를 좋아하는 이유를 묻고 답하는 내용이 되어야 하므로, 빈칸에 각각 Why와 Because가 들어가는 것이 알맞다.

Point 095 how 의문문

본문 174쪽

STEP 1

1 How 2 How 3 What 4 How 5 Which

STEP 2

1 How would you like
2 How can I help
3 How did she know
4 How is your business going
5 How does the story end

STEP 3 ⑤

• A: 주말 어떻게 보냈니?
B: 아주 좋았어! 친구랑 콘서트에 갔거든.

STEP 1

1 로켓은 어떻게 날개 없이 날 수 있나요?
2 역까지 어떻게 가나요?
3 생일 선물로 그는 무엇을 원하니?
4 아이슬란드 여행은 어땠니?
5 너는 초록색과 자주색 중 어떤 색을 선택하고 싶니?

STEP 3

① 오늘 날씨가 어때?
② 그는 어떻게 그렇게 빨리 유명해졌니?
③ 지난밤 콘서트는 어땠어?
④ 너는 어떻게 생계를 꾸리니?
⑤ 내가 너를 위해 무엇을 할 수 있을까?

⑤의 빈칸에는 의미상 의문사 What이 들어가야 적절하다. 나머지는 모두 빈칸에 의문사 How가 들어가는 것이 적절하다.

Point 096 how + 형용사/부사 의문문

본문 175쪽

STEP 1

1 tall → old
2 many → much
3 old → far
4 long → often
5 far → long

STEP 2

1 How much money do you have now?
2 How tall is the snowman?
3 How often does Sam go swimming?
4 How far is it to the market?
5 How many dolls does Jane have?

STEP 3 ①

• 너는 얼마나 많은 머리핀을 갖고 있니?
• 너는 얼마나 많은 설탕이 필요하니?

STEP 1

1 A: 너희 어머니는 연세가 어떻게 되시니?
B: 우리 어머니는 마흔 살이셔.
2 A: 이 셔츠는 얼마죠?
B: 30달러입니다.
3 A: 그곳은 여기에서 얼마나 머니?
B: 5킬로미터 떨어져 있어.
4 A: 너는 얼마나 자주 너희 삼촌 댁을 방문하니?
B: 한 달에 한 번 방문해.
5 A: 공항까지 가는 데 시간이 얼마나 걸리니?
B: 약 1시간 걸려.

STEP 3

A: 그녀가 얼마나 자주 무대에서 기타를 연주하니?

B: 일주일에 두 번 연주해.

B의 응답이 빈도에 관한 것이므로, A는 How often을 사용하여 빈도를 물어보았음을 알 수 있다.

01회 내신 적중 실전 문제

본문 176쪽

01 ②	02 ③	03 ⑤	04 ④	05 ③	06 ③
07 ①	08 ④	09 ③	10 ③	11 ⑤	12 ⑤

13 Where do you live

14 How do you go

15 How long does it take

16 What time will, arrive

01

① 누가 내 이름을 불렀니?

② 이것은 누구의 스마트폰이니?

③ 누가 너에게 영어를 가르쳐 주니?

④ 너는 누구를 초대하고 싶니?

⑤ 나무 아래에 있는 저 소녀는 누구니?

②의 빈칸에는 '누구의 것'이라는 뜻의 의문사 Whose가 들어가야 한다. 나머지는 모두 빈칸에 의문사 Who가 들어가야 한다.

Words invite 초대하다

02

• 너는 무슨 종류의 음악을 좋아하니?

• 무엇이 너를 웃게 만드니?

의미상 두 빈칸에는 '무슨 ~', '무엇'이라는 뜻을 가진 의문사 What이 들어가야 한다.

Words laugh 웃다

03

Q: 너는 칠리소스와 머스터드소스 중에서 어느 것이 더 좋니?

A: 나는 칠리소스가 더 좋아.

① 네가 가장 좋아하는 소스는 무엇이니?

② 너는 칠리소스를 맛보고 싶니?

③ 너는 칠리소스를 곁들일 거니?

④ 너는 무슨 소스를 사고 싶니?

칠리소스가 더 좋다는 내용의 응답으로 보아, 정해진 범위 안에서 선택을 물어보는 내용의 질문을 받았음을 알 수 있다.

Words chili 칠리, 고추 sauce 소스 try 해 보다
add 첨가하다, 덧붙이다 prefer 더 좋아하다
mustard 머스터드, 겨자

04

Q: Nancy는 자신의 언니에게 무엇을 주었니?

A: 그녀는 언니에게 자신의 반지를 줬어.

① Nancy는 반지를 어디서 샀니?

② Nancy는 자신의 언니를 언제 보았니?

③ Nancy는 자신의 언니를 왜 만났니?

⑤ Nancy는 언니의 집에 어떻게 갔니?

B의 응답을 통해 Nancy가 '누구에게(Who)', '무엇을(What)' 주었는지를 알 수 있다. 따라서 가장 적절한 질문은 ④이다.

05

너는 몇 시에 잠자리에 드니?

시간을 물을 때 사용되는 what time은 when으로 바꿔 쓸 수 있다.

06

Q: 자전거 가게는 어디에 있니?

A: 그곳은 길 건너편에 있어.

① 그것은 내 거야.

② 8시야.

④ 나는 거기서 자전거를 샀어.

⑤ 나는 Tom과 그곳에 갔어.

장소를 묻는 질문에 대한 응답은 역시 장소에 관한 내용이어야 한다.

Words across 건너편에

07

A: 너는 왜 그렇게 서두르니?

B: 첫 열차가 곧 출발하거든.

A: 첫 열차가 몇 시에 출발하는데?

B: 30분 뒤에 출발해.

A: 너는 역에 어떻게 갈 거니?

B: 걸어서 갈 거야.

A의 첫 번째 말에 대하여 B가 자신이 서두르는 '이유'에 관해 대답했으므로, A의 첫 번째 말에서 의문사 When을 Why로 고쳐야 한다.

Words in a hurry 서둘러 minute (시간 단위의) 분
station 역 on foot 걸어서

08

① 그곳은 여기에서 얼마나 머니?
② 너희 아버지는 연세가 어떻게 되시니?
③ 저 산은 얼마나 높니?
④ 그들은 호텔에 어떻게 갔니?
⑤ 너는 얼마나 많은 책을 갖고 있니?

④의 How는 '어떻게'라는 뜻의 방법을 묻는 의문사이지만, 나머지 문장의 How는 모두 '얼마나'라는 뜻의 정도를 묻는 의문사이다.

09

① A: 당신은 무슨 일을 하십니까?
B: 저는 치과의사입니다.
② A: 너는 어디로 여행 갔니?
B: 나는 이탈리아로 여행 갔어.
③ A: 너는 왜 그 노래가 좋니?
B: 나는 노래를 잘해.
④ A: 문 옆의 여자아이는 누구니?
B: 그녀는 내 사촌이야.
⑤ A: 너는 그 호수에 언제 갔니?
B: 지난 주 일요일에 갔어.

③ 노래를 좋아하는 이유를 묻는 질문에 대해 자신이 노래를 잘한다고 응답하는 것은 의미상 어색하다.

Words dentist 치과의사 gate 문, 정문 cousin 사촌
lake 호수

10

① A: 바다까지의 거리가 어느 정도니?
B: 10킬로미터야.
② A: 너희 할아버지는 연세가 어떻게 되시니?
B: 그는 일흔 살이 넘으셨어.
③ A: 그는 얼마나 오래 런던에 머물렀니?
B: 그의 키는 172cm야.
④ A: 그녀는 얼마나 많은 목걸이를 갖고 있니?
B: 그녀는 10개를 갖고 있어.
⑤ A: 너는 얼마나 자주 부모님을 방문하니?
B: 일주일에 한 번 방문해.

③ A의 말에 사용된 How long은 '얼마나 오래'라는 뜻으로 기간을 묻는 표현이므로, 키에 관해 응답하는 것은 의미상 어색하다.

Words grandfather 할아버지 stay 머무르다
necklace 목걸이

11

① 아기가 왜 울고 있나요?
② 병원에 어떻게 가나요?
③ Julie는 언제 서울로 떠났니?
④ 그 중식당은 어디에 있나요?
⑤ 너는 우유와 탄산음료 중 어떤 것을 더 좋아하니?

⑤ 의문사 what은 선택을 물어볼 때 사용할 수 있으나, 정해진 대상 중에서 선택을 물어볼 때는 what 대신 which를 사용해야 한다.

Words cry 울다 hospital 병원 Chinese 중국의
soda 탄산음료

12

'누구'라는 뜻을 가진 의문사는 who(m)다. 그런데 '누구와 함께'를 영어로 표현하려면, '~와 함께'라는 뜻의 전치사 with를 사용해야 한다.

13

Dave: 나는 인사동에 살아. 너는 어디에 사니, Alice?
Alice: 나는 신촌에 살아.

'사는 곳'을 주제로 대화하고 있으므로, 빈칸에는 Alice가 사는 곳을 묻는 Where 의문문이 들어가야 한다.

14

Dave: 너는 학교에 어떻게 가니?
Alice: 지하철로 가. 너는?
Dave: 버스로 가.

'통학 수단'을 주제로 대화하고 있으므로, 빈칸에는 Alice가 학교에 어떻게 가는지를 묻는 How 의문문이 들어가야 한다.

15

Alice: 학교까지 가는 데 얼마나 오래 걸리니?
Dave: 20분 걸려.

Dave가 '소요 시간'에 관해 응답했으므로, 소요 시간을 묻는 의문문이 들어가야 한다. 이때 how long(얼마나 오래)을 사용한다.

16

구체적인 시간을 물어볼 때 what time을 사용한다. 의문사를 사용한 의문문의 형태는 「의문사+조동사+주어+동사원형~?」이다.

02회 내신 적중 실전 문제

본문 178쪽

01 ⑤	02 ③	03 ⑤	04 ①	05 ①	06 ③
07 ①	08 ④	09 ④	10 ②	11 ①	12 ①
13 Where do, live			14 When did, move		
15 What is			16 long, often		

01

A: 이것은 누구의 지우개니?

B: 그것은 Judy 거야.

B의 응답으로 보아 소유를 묻는 의문사 Whose가 빈칸에 들어가야 한다.

Words eraser 지우개

02

A: 너는 커튼 색으로 무엇을 골랐니?

B: 나는 초록색을 골랐어.

명사와 함께 쓰여 '무슨 ~'이라는 뜻을 나타내는 의문사는 What이다.

Words choose 고르다 curtain 커튼

03

A: 주문하시겠어요?

B: 네. 페퍼로니 피자 하나 주세요.

A: 라지와 미디엄 중 어떤 크기를 원하세요?

B: 미디엄으로 주세요.

① 그것은 얼마인가요?

② 맛이 어떠세요?

③ 얼마나 드릴까요? (수를 묻는 표현)

④ 무슨 종류의 피자를 주문하셨나요?

B의 마지막 말은 피자의 크기에 관한 내용이므로, 빈칸에 들어갈 말로 B가 주문할 피자의 크기를 묻는 ⑤가 알맞다.

Words be ready to ~할 준비가 되다 order 주문하다

04

① Andy는 어디서 사니?

② 그 영화는 언제 끝났니?

③ 우리 언제 다시 만날래?

④ 이 꽃은 언제 피니?

⑤ 너는 언제 우리 집에 올 거니?

① 시간이나 때를 묻는 When을 장소를 묻는 Where로 고쳐야 한다.

Words end 끝나다 bloom (꽃이) 피다

05

Q: 우체국은 어디에 있나요?

A: 두 블록을 곧장 가세요. 그곳은 당신의 오른편에 있어요.

② 우체국에 왜 가셨나요?

③ 우체국에서 무엇을 하셨나요?

④ 우체국에 언제 가셨나요?

⑤ 우체국에 가는 데 시간이 얼마나 걸리나요?

주어진 응답은 길을 안내하는 내용이다. 따라서 빈칸에는 특정 장소의 위치나 그곳까지 가는 방법에 관한 질문이 와야 한다.

Words post office 우체국

06

Q: 너는 왜 그 영화를 좋아하니?

A: 왜냐하면 그것은 재미있거든.

① 너는 무슨 영화를 좋아하니?

② 너는 그 영화가 마음에 드니?

④ 그 코미디 영화에 대해 어떻게 생각하니?

⑤ 너는 이 중에서 어느 것이 가장 좋니?

주어진 응답은 이유에 관한 내용이다. 따라서 질문 역시 이유를 묻는 내용이어야 하므로, 빈칸에 들어갈 말로 ③이 알맞다.

Words comedy 코미디 among ~중에서, ~사이에

07

A: 이탈리아로의 여행은 어땠니?

B: 아주 좋았어.

A: 너는 이탈리아에 어떻게 갔니?

B: 배를 타고 갔어.

'어떤', '어떻게'라는 의미를 나타내면서 상태와 이동 수단을 물을 때 사용되는 의문사는 How이다.

Words trip 여행 ship 배

08

① 이 나무는 얼마나 크니?

② 너는 얼마나 많은 연필을 가지고 있니?

③ 너는 얼마나 자주 음악을 듣니?

④ 너는 얼마나 많은 언어를 구사할 수 있니?

⑤ 네 사무실에 가는 데 시간이 얼마나 걸리니?

④의 languages는 복수 명사(셀 수 있는 명사)이므로 How much 대신 How many가 와야 한다.

Words pencil 연필 language 언어 office 사무실

09

① 어디서/어떻게/왜 일본어를 배우니?
② 얼마나 많은 양의 우유를 원하니?
③ 지난 주 토요일에 무엇을 했니?
④ 너는 왜 내게 그것에 관해 말해 주지 않았니?
⑤ 언제/어디서/어떻게/왜 컴퓨터를 샀니?

① 주어(you)와 목적어(Japanese)를 갖춘 문장이므로, 의문사 What을 Where/How/Why로 고쳐야 한다.
② milk는 셀 수 없는 명사이므로 many를 much로 고쳐야 한다.
③ 의문사 Who는 동사 do의 목적어로 적절하지 않으므로 What으로 고쳐야 한다.
⑤ 주어(you)와 목적어(the computer)를 갖춘 문장이므로, 의문사 Which를 When/Where/How/Why로 고쳐야 한다.

Words learn 배우다 Japanese 일본어

10

① A: 네 친구들은 어디에 있니?
B: 그들은 운동장에 있어.
② A: 너는 어젯밤에 누구를 만났니?
B: 나는 내 아들이 보고 싶어.
③ A: 1교시 수업은 언제 시작하니?
B: 오전 9시 10분에 시작해.
④ A: 네게는 표가 몇 장 있니?
B: 나는 두 장을 갖고 있어.
⑤ A: 너는 왜 숙제를 안 했니?
B: 아파서 못 했어요.

② '만났던 사람'을 묻는 질문에 '만나고 싶은 사람'에 관하여 응답했으므로 의미상 어색한 대화이다.

Words playground 운동장

11

• 오늘 날씨는 어떠니?
• 너는 공항에서 호텔까지 어떻게 갈 거니?

'어떤', '어떻게'라는 의미를 나타내면서 날씨와 이동 수단을 물을 때 사용되는 의문사는 How이다.

12

보기 너는 당근과 버섯 중 어떤 채소가 필요하니?
① 너는 어떤 것을 원하니?
② 너는 지금 무엇을 하고 있니?
③ 너희 고양이는 어떻게 생겼니?
④ 선글라스를 낀 남자는 누구니?
⑤ 너는 파티에 누구와 함께 갔니?

보기는 정해진 범위 내에서 선택을 묻고 있으므로 빈칸에 의문사 Which가 들어가야 한다. ①은 원하는 것이 어떤 것인지 묻고 있으므로 역시 Which가 들어가야 한다.

Words carrot 당근 mushroom 버섯
look like ～처럼 보이다 sunglasses 선글라스

[13~15]

안녕. 내 이름은 Mike Anderson이야. 나는 한남동에 살아. 나는 한남중학교 학생이야. 나는 4년 전에 한국으로 이사 왔어. 내 취미는 플루트를 연주하는 거야. 만나서 반가워.

13

Q: 너는 어디서 사니?
Mike: 나는 한남동에서 살아.

장소를 물어볼 때 의문사 where를 사용한다.

14

Q: 너는 언제 한국으로 이사 왔니?
Mike: 나는 4년 전에 한국으로 이사 왔어.

시간을 물어볼 때 의문사 when을 사용한다. 동사의 시제는 과거임에 주의해야 한다.

15

Q: 너의 취미는 무엇이니?
Mike: 내 취미는 플루트를 연주하는 거야.

'무엇'이라는 뜻의 의문사 what을 사용한다.

16

A: 너는 얼마나 자주 낚시를 가니?
B: 나는 한 달에 한 번 낚시를 가.

B의 응답은 빈도에 관한 내용이므로, A의 질문에서 long을 often으로 고쳐야 한다.

Lesson 13 | 의문문 II

Point 097 부가 의문문 I (긍정문 뒤)

본문 182쪽

STEP 1
1 won't you 2 didn't she 3 didn't he
4 won't she 5 weren't you

STEP 2
1 aren't they 2 can't they
3 don't you 4 wasn't it 5 didn't he

STEP 3 ④

- Thomas는 너의 가장 친한 친구지, 그렇지 않니?
- 그것은 네 공책이지, 그렇지 않니?
- 그녀는 수영을 할 수 있어, 그렇지 않니?
- 네 친구들은 축구를 아주 잘해, 그렇지 않니?
- 너희 엄마는 간호사셨어, 그렇지 않니?

STEP 1
1 너는 내일 수학 시험이 있을 거야, 그렇지 않니?
2 Jenny는 그녀의 새 신발을 잃어버렸어, 그렇지 않니?
3 James는 과학 시험에서 A를 받았어, 그렇지 않니?
4 Sally는 방과 후에 수영하러 갈 거야, 그렇지 않니?
5 Susan과 너는 어제 너무 피곤했어, 그렇지 않니?

STEP 2
1 Jane과 Jill은 자매야, 그렇지 않니?
2 그 소년과 소녀들은 춤을 매우 잘 출 수 있어, 그렇지 않니?
3 너는 중국 음식을 좋아하지, 그렇지 않니?
4 그 작가의 새 소설은 매우 재미있었어, 그렇지 않니?
5 Brown 씨는 자신의 새로운 프로젝트를 끝마쳤어, 그렇지 않니?

STEP 3
A: Briony는 영국에서 왔지, 그렇지 않니?
B: 아니, 그렇지 않아. 그녀는 호주에서 왔어.

첫 번째 빈칸은 앞 문장이 긍정문이고, 일반동사의 과거형이 쓰였으므로, didn't she가 알맞다. 부가 의문문의 대답은 대답하는 내용이 긍정이면 Yes, 부정이면 No를 사용하는데 여기서는 문맥상 부정이므로 두 번째 빈칸에는 No, she didn't가 알맞다.

Point 090 부가 의문문 II (부정문 뒤)

본문 183쪽

STEP 1
1 is he 2 does she 3 will you
4 do you 5 shall we

STEP 2
1 will you 2 did he 3 will he 4 shall we

STEP 3 ③

- 진주는 점심으로 스파게티를 먹지 않았지, 그렇지?
- 그 노래는 큰 히트를 치지 못했어, 그렇지?
- 그는 스페인어를 읽지 못하지, 그렇지?
- Emily와 너는 그다지 가깝지 않았어, 그렇지?
- 그녀는 자전거를 타지 않지, 그렇지?

TIP (1) 창문을 열어라, 알겠지?
(2) 10분 휴식을 취하자, 그렇게 할래?

STEP 1
1 그는 독일어를 말할 수 없어, 그렇지?
2 그녀는 공항에 가는 방법을 모르지, 그렇지?
3 네가 외출하기 전에 방을 청소해라, 알겠지?
4 너는 스시를 좋아하지 않지, 그렇지?
5 박물관에 가자, 그렇게 할래?

STEP 3
① Sally는 훌륭한 피아니스트야, 그렇지 않니?
② 그들은 너에게 사실을 말하지 않았어, 그렇지?
③ 아직 쓰레기를 내다 버리지 마라, 알겠지?
④ 오늘 오후에 영화 보러 가자, 그렇게 할래?
⑤ 너는 쉬는 시간에 간식을 먹을 수 없어, 그렇지?

③ 명령문의 부가 의문문은 항상 「~, will you?」를 쓴다.

Point 099 부정 의문문

본문 184쪽

STEP 1
1 Don't 2 Wasn't 3 Isn't
4 Shouldn't 5 Doesn't

STEP 2
1 No, it wasn't. 2 Yes, I am.
3 No, I don't. 4 Yes, he does.

STEP 3 ②

• 저 어린 소년이 귀엽지 않니?
• 그녀는 너의 학교에서 영어를 가르치지 않니?
• David는 오늘 오후에 나를 도울 수 있지 않니?

TIP A: 여기가 춥지 않니?
B: 그래, 추워. / 아니, 안 추워.

STEP 1

1 제가 당신을 어디서 뵙지 않았나요?
2 너의 선생님은 네 학급 친구들에게 친절하시지 않았니?
3 저길 봐. 그는 네 아빠 아니시니?
4 지금 학교에 있어야 하는 거 아니니?
5 당신의 남편은 퇴근 후에 집안일을 하지 않나요?

STEP 2

1 A: 네가 집에 오는 길에 눈이 오고 있지 않았니?
B: 아니요, 그렇지 않아요. 사실은 비가 오고 있었어요. 흠뻑 젖었지요.
2 A: 목마르지 않니?
B: 네, 그래요. 저는 아주 차가운 마실 것을 원해요.
3 A: 너는 공포영화를 좋아하지 않니?
B: 아니요, 그렇지 않아요. 나는 절대 공포영화를 보지 않아요.
4 A: 네 아버지는 요리를 잘 하시지 않니?
B: 네 맞아요. 그는 우리 가족 중 가장 요리를 잘해요.

STEP 3

A: 너는 네 휴대폰을 잃어버리지 않았니?
B: 네, 그래요. 하지만 나는 분실물 센터에서 그것을 찾았어요.

부정 의문문에 대한 대답은 대답의 내용이 긍정이면 Yes, 부정이면 No로 답한다. 문맥상 휴대폰을 잃어버려서 다시 찾았으므로, 긍정의 대답을 해야 하며, 과거시제로 물었으므로, 시제에 맞춰 답한다.

Point 100 선택 의문문

본문 185쪽

STEP 1

1 ⓓ 2 ⓒ 3 ⓔ 4 ⓑ 5 ⓐ

STEP 2

1 Do, or
2 Does, or
3 Which do you
4 Which, or

STEP 3 ③

• A: 토요일과 일요일 중 어느 날이 좋으신가요?
B: 저는 토요일이 좋아요.

STEP 1

1 커피를 드시겠어요, 레몬차를 드시겠어요?
ⓓ 레몬차 주세요. 커피는 저에게 맞지 않아요.
2 그 영화는 재미있었니? 아니면 지루했니?
ⓒ 그것은 정말 지루했어요. 계속 졸았어요.
3 이 안경은 네 것이니? 아니면 그의 것이니?
ⓔ 그것들은 내 것이 아니야. 아마도 그의 것인가 봐.
4 Jane은 테니스 하는 것을 좋아하니?
ⓑ 아니, 그렇지 않아. 그렇지만 그녀는 탁구를 좋아해.
5 어느 계절을 더 좋아하니, 겨울 아니면 여름?
ⓐ 겨울이 더 좋아. 나는 더운 계절을 싫어하거든.

STEP 3

A: 그녀는 학교에 있니 아니면 극장에 있니?
B: 극장에 있어.

선택 의문문에 대한 답을 할 때는 Yes 혹은 No로 대답하지 않고 선택 항목 중에 하나를 택하여 답한다.

01회 내신 적중 실전 문제

본문 186쪽

01 ① 02 ② 03 ① 04 ② 05 ③ 06 ②
07 ⑤ 08 ② 09 ② 10 ① 11 ④ 12 ①
13 Did Mary come from America or China?
14 to go shopping or to go out
15 Isn't, going to go to India
16 don't they, they do

01

Sam은 오늘 밤 오지 않을 거야, 그렇지?

앞 문장이 부정문이며, be동사가 쓰였으므로, 부가 의문문은 is he로 쓴다.

02

그녀가 너에게 이메일로 파일을 보냈지, 그렇지 않니?

앞 문장이 긍정문이며, 일반동사의 과거형이 쓰였으므로 부가 의문문은 didn't she로 쓴다.

03

Rachel은 내 부모님을 방문할 거야, 그렇지 않니?

앞 문장이 미래를 나타내는 조동사(will)가 쓰인 긍정문이기 때문에, 부가 의문문은 미래이면서 부정형을 써야 하므로 won't she로 쓴다.

04

• 너는 어느 것이 더 좋니, 영어니, 아니면 수학이니?
• 너는 제주도에 비행기를 타고 갈 거니, 아니면 배를 타고 갈 거니?

두 문장 모두 선택 의문문이므로 둘 중 하나를 선택할 때 쓰는 접속사 or를 쓴다.

05

① 너는 수영을 할 수 있지, 그렇지 않니?
② 너는 배가 고파지지 않니?
③ 그들은 제시간에 오지 않았어, 그렇지?
④ Amy는 그 식당에 가지 않을 거야, 그렇지?
⑤ 샌드위치를 드시겠습니까, 햄버거를 드시겠습니까?

③ 앞 문장이 부정문이므로 부가 의문문은 긍정으로 만든다. (didn't they → did they)

06

A: 너는 피곤하지 않니?
B: 네, 피곤해요. 저는 지금 휴식이 필요해요.

부정 의문문에 대한 대답은 대답하는 내용이 긍정이면 Yes, 부정이면 No라고 답한다. 즉, 여기서는 피곤하다고 말을 하고 있으므로 "Yes, I am."으로 답해야 한다.

07

A: 그는 일찍 일어나지 않지, 그렇지?
B: 아니요. 일찍 일어나요. 그는 아침형 인간이에요.

부가 의문문이 긍정이든, 부정이든에 상관없이 대답하는 내용이 긍정이면 Yes, 부정이면 No로 답한다. 문맥상 대답이 일찍 일어난다는 긍정의 내용이 되어야 하므로 "Yes, he does."로 답해야 한다.

08

A: 어떤 치마를 선택하시겠어요, 빨간색 아니면 파란색?
B: 저는 파란색을 선택할게요.
① 아니요. 저는 빨간색이 싫어요.
③ 네, 저는 파란색 치마가 좋아요.
④ 저는 파란색 치마를 가지지 않아요.
⑤ 물론이죠. 저는 빨간색 치마를 살게요.

선택 의문문의 답변은 Yes나 No로 하지 않고 제시된 선택 사항 중에 하나를 택해서 답한다.

09

일반동사가 쓰인 과거형의 부정 의문문은 「Didn't+주어+동사원형~?」의 형태를 취한다.

10

A: 당신은 프랑스어를 말할 수 있죠, 그렇지 않나요?
B: 네, 그래요. 나는 프랑스어를 매우 잘 말할 수 있어요.

A의 마지막 말에 can't you라고 부가 의문문이 붙었으므로 앞에 제시된 문장은 긍정문이 되어야 한다. 따라서 cannot를 can으로 고쳐야 한다.

11

① 너는 7시까지 돌아올 거지, 그렇지 않니?
② 너는 집에 머무르길 원하지 않지, 그렇지?
③ 종이에 네 답을 적어라, 알겠지?
④ 너는 슈퍼마켓에서 그것들을 샀지, 그렇지 않니?
⑤ 넌 클래식 음악에 관심이 있지, 그렇지 않니?

④ 앞 문장이 긍정문이므로, 부가 의문문은 부정의 형태를 취해야 한다. (did you → didn't you)

12

A: 볼펜과 연필 중 어느 것이 더 좋으니?
B: 나는 연필을 선호해.

볼펜과 연필 둘 중에 고르는 것이므로 선택 의문문을 만드는 의문사 Which가 알맞다.

13

Mary는 미국에서 왔니?
Mary는 중국에서 왔니?
→ Mary는 미국 아니면 중국에서 왔니?

제시된 두 문장을 선택 의문문으로 고쳐 보면 공통된 부분이 Did Mary come from이므로 뒤에 국가를 or로 묶어 주어 'Did Mary come from America or China?'로 표현한다.

14

선택 의문문을 만들기 위해 Does she like 다음에 to go shopping과 to go out이 접속사 or를 중심으로 대등하게 오도록 문장을 구성한다.

15

'~이 아니니?'라는 표현으로 보아 부정 의문문을 쓸 줄 아는지 확인하는 문제이다. 부정 의문문은 축약형으로 쓰이므로 Isn't가 주어 Jina 앞에 온다.

16

A: 한국인들은 거의 매 끼니에 김치를 제공하지, 그렇지 않니?
B: 응, 그래. 김치 좀 먹어봐. 그것은 맛이 있어.

앞 문장이 Koreans로 복수 주어가 왔으므로 부가 의문문에서 주어는 대명사 they로 받는다.

Words serve 제공하다 meal 끼니, 식사

02회 내신 적중 실전 문제

본문 188쪽

01 ② 02 ① 03 ② 04 ② 05 ① 06 ⑤
07 ⑤ 08 ② 09 ① 10 ④ 11 ④ 12 ③
13 don't you 14 Didn't 15 didn't it
16 Which do you prefer, mountain climbing or cycling?

01

그 만화책은 정말 좋지 않았어, 그렇지?

앞 문장이 부정의 과거형이므로, 부가 의문문은 긍정의 과거형으로 표현한다.

02

거리에 절대로 쓰레기를 버리지 마라, 알겠지?

명령문의 부가 의문문은 긍정, 부정에 상관없이 「~, will you?」로 쓴다.

03

'~하자'라는 Let's의 부가 의문문은 「~, shall we?」로 쓴다.

04

① A: 그 수업 재미있지 않았니?
  B: 네, 재밌었어요.
② A: 너는 숙제를 끝마치지 않았니?
  B: 네, 끝내지 않았어요.
③ A: 너는 혼자 집에 갈 수 있지 않니?
  B: 물론, 갈 수 있어요.
④ A: 그녀는 너의 가장 친한 친구지, 그렇지 않니?
  B: 아니요, 그렇지 않아요.
⑤ A: 그것을 다시 하지 마, 알겠지?
  B: 알겠어요.

② 긍정의 대답인 Yes로 답하고 있으므로 Yes, I did로 써야 한다.

Words by yourself 혼자서

05

① 그것은 정말 멋진 생각 아니니?
② 너는 클래식 음악을 좋아하지, 그렇지 않니?
③ 너는 밖에 나갈 거니, 아니면 집에 머무를 거니?
④ 이번 주말에 낚시하러 가자, 그렇게 할래?
⑤ Tim과 Sarah는 가장 친한 친구들이지, 그렇지 않니?

① be동사의 부정 의문문이 되어야 하므로 Doesn't는 Isn't가 되어야 한다.

06

① 너는 좀 더 조심할 수 없니?
② 그 강의가 조금 지루하지 않았나요?
③ 너는 심한 두통이 있지 않니?
④ 시청에 버스로 갈거니 아니면 택시로 갈거니?
⑤ 그들은 중고 물품 세일을 할 거야, 그렇지 않니?

⑤ 미래를 나타내는 표현으로 be going to를 썼으므로 부가 의문문도 be동사의 부정형을 써서 나타내야 한다. (won't they → aren't they)

Words lecture 강의 headache 두통
garage sale (집 차고에서 하는) 중고 물품 세일

07

① 그것을 내게 설명해 주지 않겠니?
② 너는 역사를 공부하고 있지 않니?
③ 그는 병원에서 일하니, 레스토랑에서 일하니?
④ 어떤 맛을 먹어 볼 거야, 바닐라 아니면 딸기?
⑤ 네 오빠는 대한 고등학교를 다니지, 그렇지 않니?

⑤ 앞 문장의 주어가 Your older brother로 3인칭 단수이므로 부가 의문문에서 don't가 아닌 doesn't를 써야 한다.

08

A: 그는 의사가 아니니?
B: 네, 그는 의사가 아닙니다. 그는 간호사에요.

부정 의문문에 대한 대답에서 대답의 내용이 긍정이면 Yes, 부정이면 No로 답하면 된다.

09

A: 너는 병원에 가지 않았니?
B: 아니요, 갔어요. 하지만 아직도 열이 있어요. 제 생각에 다시 의사 선생님의 진찰을 받으러 가야겠어요.

부정 의문문에 대해 대답하는 내용이 긍정이고 과거시제로 물었으므로 "Yes, I did."로 답해야 한다.

Words fever 열

10

A: 너는 여자 100미터 접영 결승에서 금메달을 획득했어. 행복하지 않니?

B: 네, 그러네요./물론요./그럼요./물론요, 저는 너무 행복해요. 저는 정말 기뻐요.

대화의 흐름상 빈칸에는 '행복하다'는 말이 나와야 하므로 'No. I'm really happy.'는 어색한 응답이다.

11

A: 너는 어느 계절을 더 좋아하니, 봄 아니면 가을?

B: 나는 봄이 더 좋아.

둘 중 하나를 고르는 선택 의문문이므로 빈칸에는 의문사 Which가 알맞다.

12

- Tom과 그의 남동생은 박물관에 갔지, 그렇지 않니?
- 너와 나는 크리스마스 마켓에 갈 거야 그렇지 않니?

첫 번째 빈칸은 앞 문장이 긍정문이고 일반동사의 과거형이 쓰였으며 주어는 3인칭 복수 형태이므로 부가 의문문에 didn't they를 쓴다. 두 번째 빈칸은 앞 문장이 will 조동사가 사용된 긍정문이고 주어가 1인칭 복수 형태이므로 부가 의문문에 won't we를 쓴다.

13

너는 Glen 씨를 잘 알지, 그렇지 않니?

앞 문장이 일반동사가 쓰인 긍정문의 형태며 시제는 현재 시제, 주어는 you이므로 don't you로 고친다.

14

'~을 못 받았니?'라는 표현으로 보아 부정 의문문을 써야 한다. 일반동사의 부정 의문문은 do를 사용하는데, 과거시제로 써야 하므로 Didn't가 와야 한다.

15

저녁 식사의 모든 요리가 맛이 있었죠, 그렇지 않았나요?

일반동사의 과거시제 부정형으로 부가 의문문을 만들어야 하므로 didn't it이 된다.

16

의문사 Which를 문두에 써서 선택 의문문을 만든다.

Lesson 14 | 감탄문과 명령문

Point 101 What 감탄문

본문 192쪽

STEP 1

1 그들은 정말 큰 수영장을 갖고 있구나!
2 우리가 얼마나 힘든 시간을 겪었던가!
3 그것은 얼마나 충격적인 소식이었던가!
4 그녀는 참 달콤한 포도를 사왔구나!
5 그는 정말 예의 바른 사람이구나!

STEP 2

1 What fresh air it is!
2 What a cute doll you have!
3 What a funny book it is!
4 What a scary movie it was!
5 What great running shoes these are!

STEP 3 ④

- 참 영리한 소년이구나!
- 정말 사랑스러운 고양이들이구나!

STEP 2

1 공기가 참 신선하구나!
2 너는 정말 귀여운 인형을 갖고 있구나!
3 그것은 참 재미있는 책이구나!
4 그것은 얼마나 무서운 영화였던가!
5 이것은 정말 멋진 운동화구나!

STEP 3

A: 보세요! 이 사진에서 제가 어때 보여요?

B: 예쁘게 보여요. 당신은 정말 아름다운 드레스를 입고 있군요!

A: 고마워요.

What a beautiful dress you're wearing!에서 네 번째 단어는 dress이다.

Point 102 How 감탄문

본문 193쪽

STEP 1

1 How 2 What 3 How 4 How 5 What

STEP 2

1 How high the mountain is!

2 How gently the old man smiles!
3 How loudly the dog barked!
4 How smart the students were!
5 How huge the tower is!

STEP 3 ④

• 이 꽃은 참 아름답구나!
• 발레리나가 춤을 정말 잘 추는구나!

STEP 1
1 자동차가 참 멋지구나!
2 얼마나 멋진 아버지인가!
3 오늘 밤은 정말 어둡구나!
4 우리는 영화관에 정말 가까이 사는구나!
5 너는 정말 용감한 군인이었구나!

STEP 2
1 산이 매우 높다. → 산이 참 높구나!
2 그 노인은 매우 다정하게 미소 짓는다. → 그 노인은 얼마나 다정하게 미소 짓는지!
3 그 개는 매우 큰 소리로 짖었다. → 그 개가 어찌나 큰 소리로 짖던지!
4 그 학생들은 매우 똑똑했다. → 그 학생들이 어찌나 똑똑하던지!
5 탑이 매우 거대하다. → 탑이 정말 거대하구나!

STEP 3
A: 음. 냄새가 참 좋군요!
B: 햄버거가 거의 다 되었어요. 하나 맛보고 싶으세요?
A: 네. 한 입 먹고 싶어요.
[한 입 먹고 나서]
B: 맛이 어때요?
A: 오, 아주 마음에 들어요. 정말 맛있군요!

첫 번째 빈칸 문장에는 명사구가 있으므로 What으로 시작하는 감탄문을 만든다. 세 번째 빈칸 문장에는 형용사, 주어, 동사가 있으므로 How로 시작하는 감탄문을 만든다. 두 번째 빈칸에는 How를 넣어 How do you like ~?(~는 어때요?)라는 표현을 만든다.

Point 103 긍정 명령문

본문 194쪽

STEP 1
1 open 2 wash 3 Do 4 I want 5 Be

STEP 2
1 Pour some water 2 Spend more time
3 Exercise every day 4 Drink something cold
5 Wash your face

STEP 3 ①

• 놀기 전에 숙제를 해라.
• 강에서 수영하고 있을 때 주의하세요.

STEP 1
1 창문을 열어 주세요.
2 저녁 먹기 전에 손을 씻으세요.
3 포기하기 전에 최선을 다하세요.
4 저는 집에 일찍 가서 휴식을 취하고 싶어요.
5 네 학급 친구들에게 친절하게 대해라.

STEP 3
당신은 고개를 들고 자신감을 가져야 한다.
= 고개를 들고 자신감을 가져라.

조동사 should('~해야 한다')를 사용해 상대방에게 어떤 행동을 하라고 권하고 있는 첫 번째 문장을 긍정 명령문으로 바꿀 수 있다.

Point 104 부정 명령문

본문 195쪽

STEP 1
1 Don't be 2 Don't[Never] touch
3 Don't[Never] leave 4 Never 5 Don't worry

STEP 2
1 Never drive fast 2 Never be late
3 Don't water 4 Don't throw away
5 Don't forget

STEP 3 ⑤

• 그를 너무 심하게 대하지는 마세요. 누구나 실수를 하잖아요.
• 다른 사람의 험담을 하지 마라.

STEP 1
1 너무 슬퍼하지 마. 기운을 내.
2 바닥에 있는 깨진 유리에 손대지 마세요.
3 버너가 켜져 있을 때는 부엌을 떠나지 마세요.
4 절대로 곰 사진을 찍으려고 차에서 나오지 마세요.

5 내일 시험에 대해 걱정하지 마. 간단한 퀴즈일 뿐이야.

STEP 3
• 캔과 플라스틱을 밖에 내놓지 마세요. 오늘은 재활용하는 날이 아니에요.
• 이 특별한 디저트를 맛보고 싶지 않나요?

첫 번째 문장은 부정 명령문 「Don't+동사원형~」으로 표현해야 한다. 두 번째 문장의 빈칸에 Don't를 넣으면 '~하지 않나요?'라는 뜻의 부정 의문문이 된다.

Point 105 명령문, and/or~

본문 196쪽

STEP 1
1 or 2 or 3 and 4 and 5 and

STEP 2
1 it will be hungry.
2 Open the window, or it will get too hot in here.
3 Take a taxi, and you will get there on time.
4 Watch out, or you may fall down.
5 Turn right, and you will see the post office.

STEP 3 ③

• 따뜻한 차를 좀 마셔요, 그러면 기분이 더 나아질 거예요.
• 코트를 입어, 그렇지 않으면 감기에 걸릴 거야.

STEP 1
1 조심하세요, 그렇지 않으면 위험에 처할 거예요.
2 그녀의 주소를 적어 놓으세요, 그렇지 않으면 그것을 까먹을 거예요.
3 지금 당장 떠나세요, 그러면 늦지 않을 거예요.
4 매일 운동하세요, 그러면 살이 빠질 거예요.
5 벼룩시장에서 물건을 사세요, 그러면 많은 돈을 절약할 거예요.

STEP 2
1 고양이에게 먹이를 주세요, 그렇지 않으면 고양이가 배가 고플 거예요.
2 창문을 여세요, 그렇지 않으면 이곳 안이 너무 더워질 거예요.
3 택시를 타세요, 그러면 그곳에 정각에 도착할 거예요.
4 조심하세요, 그렇지 않으면 넘어질 수도 있어요.
5 오른쪽으로 도세요, 그러면 우체국이 보일 거예요.

STEP 3
만일 네가 공부를 열심히 하지 않으면 시험에 합격하지 못할 거야.
= 공부를 열심히 해, 그렇지 않으면 시험에 합격하지 못할 거야.

「Unless you+동사…」는 「명령문, or~」로 바꿔 쓸 수 있다.

Point 106 권유의 명령문 Let's~

본문 197쪽

STEP 1
1 Let's → Let's not
2 going → go
3 Let's not → Let's
4 do → doing
5 do → don't

STEP 2
1 Shall we wait a little longer?
2 Why don't we have Italian food for lunch?
3 How about going fishing this weekend?
4 What about taking a walk along the river?
5 How about buying fish at the fish market?

STEP 3 ①

• 더 이상 시간을 낭비하지 말자.
• 지금 TV를 보는 게 어때?

STEP 1
1 나는 너무 졸리고 피곤해. 오늘은 테니스를 치지 말자.
2 남쪽 출구를 통해 나가는 게 어때?
3 차가운 것을 마시자. 너무 더워.
4 지루하지 않니? 뭔가 재미있는 걸 하는 게 어때?
5 안에 있는 게 어때? 곧 폭우가 내리기 시작할 거야.

STEP 2
1 조금만 더 기다려 보는 게 어때?
2 점심으로 이탈리아 음식을 먹는 게 어때?
3 이번 주말에 낚시하러 가는 게 어때?
4 강을 따라 산책을 하는 게 어때?
5 어시장에서 생선을 사는 게 어때?

STEP 3
A: Jane, 미안해. 나는 오늘 밤 저녁 식사에 갈 수가 없어. 해야 할 일이 많거든.
B: 알았어. 그럼 다음에 만나서 저녁 식사를 하자.

B가 다음에 식사하자고 제안하는 것이 대화의 흐름상 자연스러우므로, 빈칸에 Let's가 들어가는 것이 알맞다.

01회 내신 적중 실전 문제

본문 198쪽

01 ④	02 ③	03 ④	04 ⑤	05 ③	06 ②
07 ②	08 ⑤	09 ③	10 ⑤	11 ⑤	12 ①

13 3점, (1) What, How (3) How, What
14 What a talented
15 Why don't we ride a bike?
16 Please push the button on the table. [Push the button on the table, please.]

01

① 세상 참 좁구나!
② 참 아름다운 경치구나!
③ 정말 흥미진진한 이야기구나!
④ 이 스커트는 정말 독특하구나!
⑤ 이건 참 맛있는 간식이구나!

④는 How로 시작하는 감탄문인 반면, 나머지는 모두 What으로 시작하는 감탄문이다.

Words view 경치 exciting 흥미진진한 unique 독특한 tasty 맛있는 snack 간식

02

① 피자를 주문하자.
② 그녀에게 답을 말해 줘.
③ 쉽게 포기하지 마라.
④ 절대로 소문을 퍼뜨리지 마라.
⑤ 문을 열어 주세요.

③ 부정 명령문은 「Don't/Never+동사원형~」의 형태로 나타낸다. 따라서 gives를 give로 고쳐야 한다.

Words order 주문하다 answer 답 give up 포기하다 easily 쉽게 spread 퍼뜨리다 rumor 소문

03

A: 배고프지 않니?
B: 응. 정말 배고파.
A: 나도 그래. ____________________
B: 좋은 생각이야.
① 점심 먹으러 나가자.
② 우리 점심 먹으러 나갈까?
③ 점심 먹으러 나가는 게 어때?
④ 너는 점심 먹으러 나가는 게 어때?
⑤ 점심 먹으러 나가는 게 어때?

「Why don't you~?」는 '너 ~하는 게 어때?'라는 뜻으로, 점심 먹으러 '함께' 나가자고 제안해야 하는 상황에는 어울리지 않는 표현이다.

04

당신은 매우 좋은 요리사입니다.
→ 당신은 매우 좋은 요리사군요!

명사구 a good cook을 강조하는 감탄문이 되어야 하므로, 「What+a/an+형용사+명사(+주어+동사)!」의 형태로 문장을 표현해야 한다.

Words cook 요리사

05

지금 떠나, 그렇지 않으면 비행기를 놓칠 거야.
= 만일 네가 지금 떠나지 않으면 비행기를 놓칠 거야.

「명령문+or~」는 「If you don't+동사원형…」 혹은 「Unless you+동사…」로 바꿔 쓸 수 있다.

Words flight 비행기, 항공편

06

• 이번 주말에 소풍을 가는 게 어때요?
• 그 책은 정말 재미있구나!

빈칸에 How를 넣어서 각각 제안하는 문장과 놀라움의 감정을 나타내는 문장으로 만든다.

Words interesting 재미있는 go on a picnic 소풍을 가다

07

• 차가운 물을 마시지 마, 그렇지 않으면 계속 기침을 할 거야.
• 커피와 차 중에서 어느 것이 더 좋으세요?

첫 번째 문장은 「명령문+or~」 구문이, 두 번째 문장은 「Which do you like better, A or B?」 구문이 사용되었다.

Words keep+v-ing 계속해서 ~하다 cough 기침을 하다

08

① 교실 규칙을 따릅시다.
② 수업에 정시에 오세요.
③ 절대로 교실에서 뛰지 마세요.
④ 수업 시간에 큰 소리로 떠들지 마세요.
⑤ 선생님들과 친구들에게 친절하게 대하세요.

⑤ 긍정 명령문은 주어 You를 생략하고 동사원형으로 시작한다. ⑤는 동사가 빠져 있어서 불완전한 문장이므로, 형용사 kind 앞에 Be를 넣어 긍정 명령문으로 만든다.

Words rule 규칙 during ~ 동안에

09

A: 나는 간호사가 되고 싶지만, 우리 부모님은 내 생각을 좋아

하지 않으셔.
B: 글쎄, 네 꿈을 절대 포기하지 마. 나는 네가 훌륭한 간호사가 될 거라 믿어.
부정 명령문은 「Don't/Never+동사원형~」의 형태이다. 그러므로 빈칸에는 never give up이 들어가야 한다.
Words nurse 간호사 idea 생각 believe 믿다

10
A: 나는 축구 시합이 걱정돼.
B: 걱정하지 마. 열심히 연습해, 그러면 시합에서 이길 거야.
열심히 연습하면 시합에서 이길 것이라는 뜻이 되어야 하므로, 빈칸 문장을 「명령문+and~」 구문으로 표현하는 것이 알맞다.
Words be worried about ~에 대해 걱정하다 match 시합 practice 연습하다

11
① 그녀를 기다리는 게 어때?
② 간식을 좀 먹자.
③ 우리 탁구 칠래?
④ 소리를 줄이는 게 어떨까?
⑤ 쇼핑몰에 가는 게 어때?
①, ④ What[How] about 뒤에는 v-ing가 와야 한다.
(① waits → waiting / ④ turn → turning)
②, ③ Let's와 Shall we 뒤에는 동사원형이 와야 한다.
(② eating → eat / ③ playing → play)
Words wait for ~를 기다리다 table tennis 탁구 turn down (소리 · 온도 등을) 낮추다

12
만일 네가 택시를 타고 학교에 가면 1교시 수업에 늦지 않을 거야.
→ 택시를 타고 학교에 가, 그러면 1교시 수업에 늦지 않을 거야.
「If you+동사…」는 「명령문, and~」로 바꿔 쓸 수 있다.

13
(1)은 형용사 beautiful을 강조하는 감탄문이 되어야 하므로, What을 How로 고쳐야 한다. (3)은 「주어+동사」가 생략된 감탄문으로, 명사구 an honest man을 강조하는 감탄문이 되어야 하므로, How를 What으로 고쳐야 한다.
Words garden 정원 honest 정직한

14
A: 와, 이 그림은 훌륭하네요. Tom이 그것을 그렸나요?
B: 네, 그가 그렸어요.
A: 그는 정말 재능 있는 학생이군요!
빈칸 문장은 명사구 a talented student를 강조하는 감탄문이 되어야 하므로, What으로 시작하는 감탄문으로 표현하는 것이 알맞다.
Words talented 재능 있는

15
A: 자전거를 타는 게 어때?
B: 아주 좋은 생각이야. 난 집에 가서 자전거를 갖고 올게. 4시에 여기서 다시 만나자.
대화의 흐름상 「Why don't we+동사원형~?」 구문을 사용하여 자전거 타기를 제안하는 문장으로 표현해야 자연스럽다.

16
긍정 명령문은 주어 You를 생략하고 동사원형으로 시작한다. 이때 명령문의 앞이나 뒤에 please를 붙여 공손한 표현을 만들 수 있다.

02회 내신 적중 실전 문제

본문 200쪽

01 ① 02 ① 03 ② 04 ⑤ 05 ② 06 ①
07 ④ 08 ① 09 ② 10 ① 11 ② 12 ②
13 (1) driving → drive (3) Not → Don't[Never]
14 (1) What an intelligent girl she is!
(2) How nice the weather is!
15 Let's stop by my place and drink a cup of coffee.
16 don't eat fast food, eat fruits and vegetables

01
너 턱시도를 입으니 참 잘생겨 보이는구나!
① 형용사 handsome을 강조하는 감탄문이 되어야 하므로, What을 How로 고쳐야 한다.
Words tuxedo 턱시도

02
A: 저는 온몸이 아파요. 정말 피곤해요.
B: 집에 일찍 가서 좀 쉬어요.
A: 안타깝게도 그럴 수 없어요. 우선 일을 끝내야 하거든요.
상대방에게 어떤 행동을 하라고 말하는 내용이므로 긍정 명령문으로 나타낸다. 긍정 명령문은 주어 You를 생략하

고 동사원형으로 시작한다.

Words ache (몸이) 아프다, 쑤시다 all over 여기저기, 도처에 finish 끝내다

03

아침에 일찍 일어나세요, 그러면 당신은 그곳에 정각에 도착할 수 있어요.

일찍 일어나면 그곳에 정각에 도착할 수 있다는 내용이므로, 「명령문, and~」 구문으로 나타내야 한다.

Words arrive 도착하다

04

A: 김 선생님은 훌륭한 선생님이야. 선생님은 친절하고 재미있으셔. 선생님은 언제나 미소를 지으셔.

B: 그는 아주 멋진 선생님이구나!

What으로 시작하는 감탄문의 어순은 「What+(a/an)+형용사+명사(+주어+동사)!」이고, How로 시작하는 감탄문의 어순은 「How+형용사/부사(+주어+동사)!」이다.

05

당신은 식사 직전에 단것을 먹지 말아야 해요.

부정 명령문은 「Don't/Never+동사원형~」의 형태로 나타낸다.

Words sweet 단것, 사탕

06

• 박물관에서는 조용히 하세요.

• 길을 건널 때 조심하세요.

두 문장 모두 동사가 빠져 있어서 불완전하므로, 형용사 quiet, careful 앞에 각각 Be를 넣어 긍정 명령문으로 만들어야 한다.

Words museum 박물관 cross 건너다

07

(a) 그 노부인은 얼마나 현명한가!

(b) 네 여동생에게 잘해 주어라.

(c) 불을 끄지 마세요.

(d) 그건 정말 비싼 장갑이구나!

(e) 중국 음식을 좀 주문하는 게 어때?

(c) 부정 명령문은 「Don't/Never+동사원형~」의 형태로 나타내므로, turning을 turn으로 고쳐야 한다.

(d) What으로 시작하는 감탄문은 복수 명사가 올 때 「What+형용사+복수 명사(+주어+동사)!」의 형태로 나타내므로, 부정관사 an을 빼야 한다.

Words wise 현명한 turn off (전기 · 수도 등을) 끄다 expensive 비싼 glove 장갑 Chinese 중국의

08

만일 네가 아침을 먹지 않으면 곧 배가 고파질 거야.

= 아침을 먹어, 그렇지 않으면 곧 배가 고파질 거야.

「If you don't+동사원형…」은 「명령문, or~」로 바꿔 쓸 수 있다.

09

그 집은 매우 거대했다.

→ 그 집은 어찌나 거대하던지!

빈칸에 How를 넣어 형용사 huge를 강조하는 감탄문을 만든다.

Words huge 거대한

10

① 우리 지하철을 탈래요?

② 바이올린 연주하는 법을 배우자.

③ 잠시 쉬는 게 어때요?

④ 태권도 수업을 듣는 게 어때?

⑤ 오후 7시에 저녁 식사를 하러 만나는 게 어때?

① 제안할 때 사용하는 표현인 「Shall we ~」 뒤에는 동사원형이 와야 하므로, taking을 take로 고쳐야 한다.

Words how to+동사원형 ~하는 방법 rest 쉬다

11

• 낯선 식물을 만지지 마시오.

• 신발을 벗어 주세요.

• 정말 환상적인 콘서트구나!

• 그 노래는 정말 좋구나!

• 아이스크림을 좀 사자.

부정 명령문은 「Don't/Never+동사원형~」의 형태로 나타내므로, 첫 번째 문장의 touches를 touch로 고쳐야 한다. / What으로 시작하는 감탄문의 어순은 「What+a/an+형용사+명사(+주어+동사)!」이므로, 세 번째 문장에서 fantastic과 a의 위치를 서로 바꿔야 한다. / How로 시작하는 감탄문의 어순은 「How+형용사/부사(+주어+동사)!」이므로, 네 번째 문장에서 is와 the song의 위치를 서로 바꿔야 한다.

Words touch 만지다 strange 낯선 take off ~를 벗다 fantastic 환상적인

12

보기 우산을 가져가, 그렇지 않으면 비에 젖을 거야.

「명령문, or~」는 「If you don't+동사원형…」 혹은 「Unless you+동사…」로 바꿔 쓸 수 있다.

Words get wet 젖다, 축축해지다

13

(1) 차를 매일 운전하지 마세요.

(2) 컵이나 물병을 갖고 다니세요.

(3) 땅에 쓰레기를 버리지 마세요.

(1) 제안할 때 쓰는 표현인 「Let's not ~」 다음에는 동사원형을 써야 하므로, driving을 drive로 고쳐야 한다.

(3) 부정 명령문은 「Don't/Never+동사원형~」의 형태로 나타내므로, Not을 Don't나 Never로 고쳐야 한다.

Words carry 가지고 다니다 bottle 병 throw away ~를 버리다 ground 땅

14

(1) 그녀는 매우 똑똑한 소녀이다.

→ 그녀는 정말 똑똑한 소녀구나!

(2) 날씨가 매우 좋다.

→ 날씨가 참 좋구나!

What으로 시작하는 감탄문은 「What+a/an+형용사+명사(+주어+동사)!」의 형태로, How로 시작하는 감탄문은 「How+형용사(+주어+동사)!」의 형태로 쓴다.

Words intelligent 똑똑한

15

제안하는 표현인 「Let's+동사원형~」을 사용하여 주어진 말을 배열한다.

Words stop by ~에 잠시 들르다

16

부정 명령문은 「Don't+동사원형~」의 형태로 쓰며, 긍정 명령문은 문장 맨 앞이 동사원형으로 시작하도록 쓴다.

Words health 건강 often 자주

Lesson 15 | 전치사

Point 107 시간 전치사 in, on, at

본문 204쪽

STEP 1
1 at 2 in 3 on 4 at 5 in

STEP 2
1 in 2 on 3 in 4 on 5 on

STEP 3 ③

STEP 1

1 학교는 9시에 시작한다.

2 나는 2017년에 중학교에 입학했다.

3 미나는 일요일마다 교회에 간다.

4 우리 정오에 만나는 게 어떠니?

5 나의 가족은 여름에 해변에 간다.

STEP 2

1 그는 젊은 시절에 유명한 모델이었다.

2 나는 보통 일요일에는 늦게 일어난다.

3 많은 사람들이 가을에 살이 찐다.

4 한국 사람들은 추석에 송편을 먹는다.

5 수미는 2003년 7월 7일에 태어났다.

STEP 3

① 우리는 21세기에 살고 있다.

② 봄에는 많은 아름다운 꽃들이 피어난다.

③ 나는 어제 자정에 집에 돌아왔다.

④ 지수는 오후에 방과 후 수업이 있다.

⑤ 한국 대중음악은 1990년대에 매우 인기가 있었다.

나머지는 비교적 긴 시간을 나타내므로 전치사 in이 들어가야 하는 반면 ③은 특정한 시점을 나타내므로 at이 들어가야 한다.

Point 108 시간 전치사 from, since

본문 205쪽

STEP 1
1 from 2 from 3 since 4 since 5 since

STEP 2
1 Ben took the swimming lesson from April.

2 I haven't met her since that day.
3 The store is open from Monday to Saturday.
4 It has been raining since yesterday.

STEP 3 ⑤

• 그는 내일부터 이곳에서 일할 것이다.
• 그들은 2015년부터 서로 아는 사이이다.
TIP 나는 월요일부터 금요일까지 학교에 간다.

STEP 1
1 영화는 3시부터 시작할 것이다.
2 Tom은 낮 12시부터 1시까지 낮잠을 잤다.
3 나는 지난달부터 테니스를 치고 있다.
4 엄마는 오늘 아침부터 집을 청소하시느라 바쁘다.
5 그들은 1998년부터 이 마을에서 살고 있다.

STEP 3
① 나는 내일부터 다이어트를 할 것이다.
② 그 축제는 6월 1일부터 7일까지 계속된다.
③ 그 시험은 오늘부터 일주일 뒤에 시작될 것이다.
④ Susan은 8월부터 런던에 머물 것이다.
⑤ 너는 선생님으로부터 성적표를 받았니?
⑤는 '~로부터'의 뜻으로, 때나 순서 따위의 시작점을 나타내는 시간의 전치사와는 다르다. 나머지는 모두 '~부터'의 뜻으로 쓰였다.

Point 109 시간 전치사 by, until

본문 206쪽

STEP 1
1 by 2 until 3 until 4 until 5 by

STEP 2
1 studied till midnight yesterday
2 finish the project by tomorrow
3 return this book to the library by Friday
4 arrive at the final stop by 11 o'clock

STEP 3 ⑤

• 나는 정오까지 숙제를 끝낼 것이다.
• 나는 2시까지 그녀를 기다렸다.

STEP 1
1 신데렐라는 자정까지 집에 도착해야 했다.
2 민수는 그의 친구를 밤늦게까지 기다렸다.
3 제가 다음 주까지 여기에 머물러도 될까요?
4 쇼는 다음 주 토요일까지 계속될 것이다.
5 자전거 수리를 금요일까지 마쳐주실 수 있나요?

STEP 3
① Kate는 다음날 아침까지 나타나지 않았다.
② 네 할 일을 내일까지 미루지 마라.
③ 비는 이번 주말까지 계속될 것이다.
④ 너는 다음달까지 나를 볼 수 없을 것이다.
⑤ 나는 모레까지 네 돈을 갚을 수 있다.
⑤는 돈을 갚는 행위가 모레까지 완료되기만 하면 되는 것이므로 by가 들어가야 하고, 나머지는 행동이나 상태가 정해진 시점까지 계속되므로 until[till]이 들어가야 한다.

Point 110 시간 전치사 before, after

본문 207쪽

STEP 1
1 점심식사 전에, 나는 손을 씻었다.
2 우리는 저녁식사 후에 TV를 봤다.
3 수업 후에, 그들은 휴식을 취했다.
4 Susan은 항상 샤워를 한 후에 잠자리에 든다.
5 방을 나가기 전에 불을 끄는 것을 잊지 마라.

STEP 2
1 plays basketball after school
2 Before the test, review
3 filled out the form before joining the club
4 After hiking, we enjoyed swimming

STEP 3 ⑤

• 나는 자정 전에 잠자리에 든다.
• 미나는 아침식사 후에 옷을 입는다.

STEP 3
① 비가 온 후에, 날씨가 더 추워졌다.
② 식사 후에 이를 닦아라.
③ 어디선가 전에 우리가 만난 적이 없습니까?
④ 동트기 직전에 밤이 더 어둡다.
⑤ 나는 매일 잠자리에 들기 전에 일기를 쓴다.
before나 after 뒤에 동사가 바로 나오는 경우 동명사 형태로 써야 하므로 ⑤에는 go가 아니라 going이 알맞다.

Point 111 시간 전치사 for, during

본문 208쪽

STEP 1
1 for 2 for 3 during 4 during 5 for

STEP 2
1 for ten years
2 during this semester
3 for a minute
4 for hours
5 for several months

STEP 3 ①

- 우리는 홍콩에 5일간 머물렀다.
- 나는 휴일 동안 조부모님을 방문할 것이다.

STEP 1
1 나는 서울에 일주일 동안 머물 것이다.
2 민호는 세 시간 동안 농구를 했다.
3 축제 기간 동안 차가 막힐 것이다.
4 나는 수업 중에 잠이 들었다.
5 나의 아버지께서는 일주일간 출장을 가셨다.

STEP 3
- 평창 동계 올림픽 기간 동안에 많은 외국인들이 한국을 방문할 것이다.
- 영화 관람을 하는 동안 당신의 휴대전화를 꺼라.

'~동안'의 뜻을 가지고, 뒤에 특정 기간을 나타내는 명사(구)가 나오므로 ① during이 알맞다.

Point 112 장소 전치사 at, in, on

본문 209쪽

STEP 1
1 at 2 on 3 in 4 on 5 in

STEP 2
1 is laying on the ground
2 hung pictures on the wall
3 many tourist attractions in Korea
4 turn left at the next traffic light

STEP 3 ①

STEP 1
1 나는 은행에서 일한다.
2 강아지 두 마리가 잔디 위에 누워있다.
3 너는 교실 안에서 무엇을 할 거니?
4 너는 책을 탁자 위에 두었니?
5 이 건물에는 백 개 이상의 상점들이 있다.

STEP 3
① 이 섬에는 아무도 살지 않는다.
② 현관에 누군가 있다.
③ 비가 왔기 때문에 나는 집에 머물렀다.
④ 결혼식에 몇 명의 유명인사들이 있었다.
⑤ 나는 공항에서 가장 좋아하는 가수를 만났다.

'섬 위에'의 뜻이 되어야 하므로 ①에는 on the island가 맞다. 나머지는 모두 구체적인 장소나 비교적 좁은 장소를 나타내므로 at이 적절하다.

Point 113 above, below, over, under

본문 210쪽

STEP 1
1 팔을 머리 위로 들어 올려라.
2 내 영어 성적은 평균 이하이다.
3 배가 다리 아래로 지나가고 있다.
4 이 선 아래에 이름을 쓰세요.
5 계곡 위에 무지개가 있다.

STEP 2
1 is flying over the sea
2 12 degrees below zero
3 The ball under the chair
4 Children above 6 years old

STEP 3 ②

- 우리는 구름 위를 날고 있었다.
- 기온이 영하이다.
- Tom은 담장 너머로 공을 찼다.
- 고양이가 침대 아래에 있다.

STEP 3
- Ben은 담장을 뛰어 넘었다.
- 그 선수는 공을 그물 너머로 쳤다.

표면이 접촉해 있지 않은 상태에서 '~위로'라는 뜻이므로 ② over가 맞다.

Point 114 up, down, into, out of

본문 211쪽

STEP 1
1 민호는 상자를 들어 올리고 있다.

2 그는 길을 따라 운전해 내려가고 있었다.
3 나는 컵 속으로 물을 부었다.
4 주머니에서 손을 빼라.
5 바위 하나가 산에서 굴러 떨어졌다.

STEP 2
1 ran up the stairs
2 Walk down the street
3 flew into the room
4 drove the dog out of the house

STEP 3 ①

• 나는 산을 올라갔다.
• 그는 언덕을 내려왔다.
• 나비 한 마리가 교실 안으로 들어왔다.
• 많은 사람들이 건물 밖으로 뛰어나갔다.

STEP 3
• 눈물이 내 두 뺨을 타고 흘러내렸다.
• 가스가 파이프 밖으로 새고 있다.
'~아래로'는 down, '~밖으로'는 out of이다.

Point 115 across, along, through, around

본문 212쪽

STEP 1
1 around 2 along 3 across
4 through 5 through

STEP 2
1 along 2 across 3 through 4 around

STEP 3 ④

• 사람들이 횡단보도를 가로질러 걷고 있다.
• 우리는 길을 따라서 걸었다.
• 강은 도시를 관통하여 흐른다.
• 지구는 태양 주위를 돈다.

STEP 1
1 나는 전 세계를 여행하고 싶다.
2 길을 따라 나무들이 있다.
3 소방서는 길 건너편에 있다.
4 기차가 터널을 통과하고 있다.
5 산타 크로스는 굴뚝을 통해 들어왔다.

STEP 3
① 자전거 한 대가 공원을 통과하여 가고 있다.
② 개 한 마리가 강을 가로질러 수영하고 있다.
③ 관광객들은 하루 종일 도시 주위를 걸어 다녔다.
④ 신호등이 빨간색일 때는 길을 건너지 마라.
⑤ 많은 연인들이 저녁에 한강을 따라 걷는다.
길을 건너는 것이므로 ④에는 go along이 아닌 go across가 맞다.

Point 116 by, in front of, behind

본문 213쪽

STEP 1
1 미나는 지수 앞에 앉아 있다.
2 우리는 벽난로 옆에서 차를 마셨다.
3 그 아이는 자동차 뒤에 있다.
4 유민이 옆에 그 소녀는 나의 사촌이다.
5 여름 별장 옆에 개울이 하나 있다.

STEP 2
1 behind
2 in front of
3 by [beside, next to]
4 in front of
5 behind

STEP 3 ④

• 멧돼지 한 마리가 바위 옆에 있었다.
• 그 유명한 배우가 바로 내 앞에 있었다.
• 고양이 한 마리가 나무 뒤로 숨었다.

STEP 3
• 다른 사람들을 등 뒤에서 험담하지 마라.
• 해가 구름 뒤로 사라졌다.
둘 다 '~ 뒤에'라는 뜻을 가진 ④ behind가 알맞다.

Point 117 between, among

본문 214쪽

STEP 1
1 between 2 among 3 between
4 among 5 between

STEP 2
1 There is no similarity between you and me.
2 Among all flowers, roses are my favorites.[Roses are my favorites among all flowers.]

3 You can come to my house between two and three.

STEP 3 ④

• 선생님은 두 명의 학생들 사이에서 걷고 계신다.
• 수지는 반 아이들 사이에서 인기가 있다.

TIP 도서관은 공원과 쇼핑몰 사이에 있다.
나는 과목들 중에서 영어를 가장 좋아한다.

STEP 1

1 그와 나 사이에 긴 침묵이 있었다.
2 나는 군중 속에서 내 친구를 봤다.
3 영어 알파벳에서 C는 B와 D 사이에 온다.
4 싱가포르는 세계에서 가장 작은 20개 국가들 중 하나이다.
5 너는 그 쌍둥이들의 차이점을 구별할 수 있니?

STEP 3

• 그것은 엄마와 나 사이의 비밀이다.
• Ben은 나의 친구들 사이에서 가장 웃기다.

둘 사이에는 between을 쓰고, 셋 이상일 때는 among을 쓴다.

Point 118 to, for

본문 215쪽

STEP 1

1 Susan은 어제 뉴욕을 향해 서울을 떠났다.
2 나의 집에서 학교까지는 10분이 걸린다.
3 나는 우유를 사러 슈퍼마켓에 가고 있다.
4 나는 친구들을 위해 쿠키를 만들었다.
5 그 소포를 저에게 보내주세요.

STEP 2

1 it take from here to the station
2 is heading for Paris
3 to go to Jejudo during the vacation
4 writing back to him

STEP 3 ③

• 이 기차가 부산으로 가는 열차가 맞나요?
• 그 기차는 부산을 향해 떠났다.

STEP 3

• 그녀의 변호사는 그녀를 대변했다.
• 무엇을 도와 드릴까요?
• 강남행 열차가 지금 들어오고 있습니다.

speak for는 '~을 위해 말하다' 즉 '대변하다'의 뜻이고, 「for+사람」은 '~을 위해', 「for+목적지」는 '~를 향해'의 뜻을 가진다.

Point 119 그 밖의 전치사

본문 216쪽

STEP 1

1 with 2 about 3 without 4 by 5 of

STEP 2

1 without 2 by 3 about 4 of

STEP 3 ④

• 나는 딸기로 잼을 만들었다.
• 사람들은 물 없이 살 수 없다.
• 나는 기차를 타고 대구에 갔다.
• 그는 나의 좋은 친구이다.
• 이 책은 우정에 관한 것이다.

TIP 나는 걸어서 학교에 간다.

STEP 1

1 나는 언니[여동생]와 함께 쇼핑을 갔다.
2 우리 그 주제에 대해 이야기해보자.
3 너는 돈 없이는 그 제품을 살 수 없다.
4 우리는 버스를 타고 소풍을 갔다.
5 이것은 나의 가족사진이다.

STEP 3

① 나는 여기에 택시를 타고 왔다.
② 관광객들은 제주도를 향해 떠났다.
③ 일꾼들은 쉬지 않고 하루 종일 일했다.
④ 우리는 그 작은 마을을 걸어서 둘러봤다.
⑤ 나는 지구 온난화에 대한 보고서를 쓰고 있다.

'걸어서'는 by foot이 아니라 on foot이다.

01회 내신 적중 실전 문제

본문 217쪽

01 ③	02 ⑤	03 ④	04 ①	05 ②	06 ①
07 ②	08 ③	09 ③	10 ⑤	11 ③	12 ②

13 The cafe is right in front of my house.
14 Chris is the tallest among his friends.
15 She plays tennis on Monday and Wednesday.
16 She does her homework from five to six.

01

① 우리 네 시에 만날까?
② 이 꽃은 봄에 핀다.
③ 민호는 새해 첫날에 태어났다.
④ La Tomatina 축제는 8월에 개최된다.
⑤ 나는 토요일마다 양로원에서 자원봉사활동을 한다.

새해 첫날과 같이 특정한 날 앞에는 전치사 on을 쓴다. 따라서 ③은 on New Year's Day가 되어야 한다.

Words be held 개최되다 volunteer work 자원봉사활동
nursing home 양로원

02

① 나는 자정에 이상한 소음을 들었다.
② 우리 정오에 만나기로 되어 있지, 그렇지?
③ 너는 어제 이 시간에 무엇을 하고 있었니?
④ 나의 아버지는 종종 점심시간에 고객들을 만나신다.
⑤ 수진은 버스 정류장에서 옛 친구를 우연히 만났다.

나머지는 시간의 전치사 at인 반면 ⑤는 장소의 전치사 at이다.

Words strange 이상한 noise 소음
be supposed to ~ 하기로 되어있다 client 고객
come across 우연히 마주치다

03

• 나는 7시부터 8시까지 운동을 한다.
• 너는 지금부터 먹거나 마실 수 없다.

「from ~ to …」는 '~부터 …까지'의 의미이고, from '~부터'의 뜻이다.

04

• 내 생일은 2월에 있다.
• 이것은 이 공원에서 가장 키가 큰 나무이다.

월과 같이 비교적 긴 시간이나 공원과 같이 비교적 넓은 장소 앞에는 공통적으로 전치사 ① in을 쓴다.

05

• 이 기차는 광주행이다.
• 그들은 한 시간 동안 벤치에 앉아 있었다.

'~쪽으로, ~를 향해'의 뜻과 '~ 동안'의 뜻을 모두 가진 전치사는 ② for이다.

06

• 나의 아버지께서는 오전 8시부터 오후 7시까지 일하신다.
• 너는 어머니의 날에 어머니께 편지를 쓰는 게 어떠니?

「from ~ to …」는 '~부터 …까지'의 의미이고, 「to+사람」은 '~에게'의 의미이다.

07

Ben은 수영장에서 수영을 했다. 그러고 나서, 그는 아침을 먹었다. = 아침을 먹기 전에, Ben은 수영장에서 수영을 했다.

'~ 전에'의 뜻을 가진 전치사는 ② Before이다.

08

토요일에 민수는 그의 조부모님을 뵙기 위해 가족과 함께 기차를 타고 부산에 갈 것이다.

'~을 타고'의 뜻으로 교통수단을 나타내는 전치사는 by이다. 따라서 ③의 for는 by가 되어야 한다.

09

나의 부모님은 1998년 12월 29일에 결혼하셨다.

특정한 날이나 날짜 앞에는 전치사 ③ on을 쓴다.

10

Ashley는 여름 방학 동안 유럽을 여행했다.

'~ 동안(에)'의 뜻으로 특정한 기간을 나타내는 명사(구)와 함께 쓰이는 전치사는 ⑤ during이다.

11

① 나의 집 앞에는 사과나무 한 그루가 있다.
② 그 아이는 엄마 뒤에 서 있었다.
③ 나는 극장에서 잘생긴 남자 옆에 앉았다.
④ 너는 나무 아래에서 크리스마스 선물을 발견할 수 있다.
⑤ 백화점은 은행과 도서관 사이에 있다.

by가 위치를 나타낼 때는 '~ 옆에'의 뜻이다. 여기에서 '~ 옆에 앉았다'가 의미상 알맞다.

Words handsome 잘생긴 theater 극장 gift 선물
department store 백화점

12

① 개울이 다리 밑을 흐르고 있다.
② 그 차는 터널을 통과해서 빠르게 갔다.
③ 너 나와 함께 강변을 걸을래?
④ 선수들은 트랙 주위를 달리고 있다.
⑤ 종이 울리면, 학생들은 교실로 들어간다.

터널은 통과하여 지나가는 것이므로 below가 아닌 through가 맞다.

Words stream 개울, 시내 flow 흐르다 bridge 다리
player 선수 track 트랙, 경주로

13

'~ 앞에'라는 뜻으로 어떤 사물이나 사람 앞에서 위치한 것을 나타낼 때 쓰이는 전치사는 in front of이다.

14

'~사이에'라는 뜻으로 셋 이상의 사물 또는 사람과 함께 쓰이는 전치사는 among이다.

15

유나는 무슨 요일에 테니스를 치나요?
→ 그녀는 월요일과 수요일에 테니스를 친다.

요일 앞에는 전치사 on을 쓴다.

16

유나는 언제 숙제를 하나요?
→ 그녀는 5시부터 6시까지 숙제를 한다.

'~부터 …까지'의 뜻으로 시작된 시점과 끝나는 시점을 동시에 나타내는 말은 「from ~ to …」이다.

02회 내신 적중 실전 문제

본문 219쪽

01 ③	02 ①	03 ④	04 ②	05 ④	06 ④
07 ②	08 ③	09 ④	10 ①	11 ①	12 ③

13 Mike is running in front of Jane.
14 The meeting went on until midnight.
15 Serena lived in Japan for three years.
16 on, in

01

ⓐ 나는 12시 30분에 점심을 먹는다.
ⓑ 유진이는 겨울에 태어났다.
ⓒ 서울 올림픽 게임은 1988년에 개최되었다.
ⓓ 미국인들은 추수감사절에 칠면조를 먹는다.

ⓐ는 구체적인 시간 앞이므로 at이, ⓑ와 ⓒ는 비교적 긴 시간 앞이므로 in이, ⓓ는 특정한 날 앞이므로 on이 알맞다.

Words take place 개최되다, 일어나다 turkey 칠면조
Thanksgiving Day 추수감사절

02

① 나는 네 선글라스를 탁자 위에 두었다.
② 기차는 다음 역에 멈추지 않을 것이다.
③ 엘리베이터는 10층까지 올라갔다.
④ 우리는 산기슭으로 내려왔다.
⑤ 나의 아버지께서는 일요일 아침마다 세차를 하신다.

탁자와 같이 면으로 여겨지는 장소에는 '~ 위에'라는 뜻의 on이 알맞다. 따라서 ①의 in the table은 on the table이 되어야 한다.

Words foot of the mountain 산기슭

03

① 나는 구름 위를 날았다.
② 우리 위로 높이 날고 있는 연을 봐.
③ 미나는 말랐다. 그녀의 몸무게는 평균 이하이다.
④ 오늘의 최저 기온은 영하 12도였다.
⑤ 비상벨이 울리고 있다. 건물 밖으로 나가자.

'~보다 아래에'라는 뜻으로 어떤 기준점보다 아래에 있음을 나타내는 전치사는 below이다. 따라서 ④의 at zero는 below zero가 되어야 한다.

Words average 평균 temperature 기온, 온도
emergency 비상

04

• 한 무리의 팬들이 그 가수 주위로 모였다.
• 우리는 작은 배를 타고 강을 건넜다.
• Anna는 창밖을 바라보고 있다.

'~ 주위에'는 around, '~을 가로질러'는 across, '~ 밖으로'는 out of이다.

Words gather 모이다

05

• 건물 두 개의 사이에 분수가 하나 있다.
• 너의 가족 구성원들 사이에서 누가 가장 어리니?

두 개의 사물 또는 사람 앞에는 between을, 셋 이상의 사물 또는 사람 앞에는 among을 쓴다.

Words fountain 분수

06

나는 2016년에/내 방에서/9월에/도서관에서 많은 책을 읽었다.

in 뒤에는 비교적 긴 시간이나 비교적 넓은 장소를 나타내는 명사(구)가 나와야 한다. '밤에'는 at night이다.

07

A: 내가 보고서를 언제 제출해야 하지?
B: 너는 그것을 이번 주 금요일까지 제출해야 해.

'~까지'의 뜻으로 어떤 행동이나 상태가 어느 시점까지 완료됨을 나타낼 때 쓰는 전치사는 ② by이다.

Words hand in 제출하다 report 보고서

08

산불에 관한 소식에 들었니?

'~에 관한'의 의미로 주제를 나타내는 전치사는 ③ about이다.

Words forest fire 산불

09

내일 아침까지 비가 올 것이다.

'~까지'의 뜻으로 어떤 행동이나 상태가 어느 시점까지 계속됨을 나타낼 때 쓰는 전치사는 ④ until이다.

10

나는 4시부터 6시까지 바이올린 수업을 받는다. = 나는 두 시간 동안 바이올린 수업을 받는다.

'~동안'의 의미로 지속 기간을 나타내는 말과 함께 쓰이는 전치사는 ① for이다.

11

수진과 주호는 과학 프로젝트를 함께 끝냈다. = 수진은 주호와 함께 과학 프로젝트를 끝냈다.

'~와 함께'의 의미로 동반을 나타내는 전치사는 ① with이다.

12

① 7시까지 집에 돌아와라.
② 비행기는 오후 1시 30분에 이륙한다.
③ 민호는 수업 중에 잠이 들었다.
④ 그들은 파티에서 즐거운 시간을 보냈다.
⑤ 길모퉁이에 편의점이 하나 있다.

뒤에 특정한 기간을 나타내는 명사(구)가 나올 때는 '~ 동안'의 의미인 during을 쓴다. 따라서 ③의 for the class는 during the class가 되어야 한다.

Words take off 이륙하다 fall asleep 잠들다
enjoy oneself 즐거운 시간을 보내다
convenience store 편의점

13

보기 Jane은 Mike 뒤에서 뛰고 있다.
→ Mike는 Jane 앞에서 뛰고 있다.

'~ 뒤에'의 뜻인 behind의 반대 개념은 '~ 앞에'의 뜻인 in front of이다.

14

회의는 계속 되었고, 자정에 끝이 났다.
→ 회의는 자정까지 계속되었다.

어떤 행동이나 상태가 어느 시점까지 계속됨을 나타내는 전치사는 '~ 까지'의 뜻인 until이다.

Words go on 계속되다

15

장소와 시간의 전치사가 함께 나올 때는 장소를 먼저 쓰고 시간을 나중에 쓴다.

16

겨울방학은 1월에 시작된다.

달과 같이 비교적 긴 시간을 나타내는 전치사는 in이다.

마무리 10분 테스트

Lesson 01 인칭대명사와 be동사

01 you → your
02 us → ours
03 yours → your
04 my → me
05 is not hers
06 His nose is
07 were not[weren't]
08 Is your uncle
09 him
10 Its
11 The boy's
12 hers
13 them
14 We
15 her
16 hers
17 You
18 Is Ben a movie star?
19 Are there many slides in the park?
20 The cats were not[weren't] under the desk.
21 Was her mother good at cooking?
22 I am
23 she wasn't
24 they aren't
25 they weren't

Lesson 02 일반동사

01 have
02 finish
03 doesn't
04 chatted
05 don't like
06 Do, exercise
07 play basketball
08 doesn't eat
09 She watches the news.
10 Does the house have a big pool?
11 Tom doesn't finish a book each week.
12 We didn't buy candy at the store.
13 enjoyed → enjoy
14 Do → Does
15 lost → lose
16 searchs → searches
17 doesn't play soccer well
18 walk my dog in the evening
19 didn't know each other last year
20 goes fishing with his father every Sunday
21 Does your mother cook
22 usually gets up at 7 a.m.
23 didn't hit the wall
24 left ten minutes ago
25 read the letter this morning

Lesson 03 시제

01 drink
02 took
03 was counting
04 have
05 goes
06 sold
07 is reading
08 were erasing
09 rode
10 is sleeping
11 was crying
12 freezes
13 나는 지난 토요일에 박물관에 갔다.
14 Jane은 오늘 밤 그녀의 어머니를 도울 것이다.
15 그들은 무대에 있는 그 남자를 보고 있지 않다.
16 그는 그때 TV를 보고 있었니?
17 Kate pulled the lever.
18 Was my sister taking a shower?
19 Joe was not listening to the lecture.
20 John is not going to come back.
21 always reads the newspaper in the morning
22 rode a horse with my friend last week
23 is skating on the lake now
24 will bake some cookies tonight
25 Is Judy going to visit Japan next month?

Lesson 04 조동사

01 ⓐ 02 ⓑ 03 ⓒ 04 ⓔ 05 ⓓ
06 will be able to
07 may
08 must
09 don't have to
10 must not sell
11 may rent
12 doesn't have to
13 Shouldn't I order
14 너는 내일 연을 날릴 수 있을 것이다.
15 그녀는 아직 콘서트 준비가 안 되어 있을 수도 있다.
16 Robinson 씨는 그의 잘못에 대해 매우 미안해하고 있음에 틀림없다.
17 Mary와 John은 오늘밤 공연을 준비할 필요가 없다.

18 John may not sell his father's car.
19 They must be in Washington D.C. now.
20 Mr. Jones didn't have to bring an umbrella.
21 Should we leave the park?
22 Tom may come in with his shoes on.
23 I was not able to join the group.
24 George may be interested in the movie.
25 You must not follow the man.

Lesson 05 문장의 형태

01 quickly
02 strong
03 large
04 sweet
05 study
06 dance[dancing]
07 to close
08 to go
09 Can you get a toothbrush for me?
10 My little son asks a lot of questions of me.
11 Joy bought an expensive necklace for her.
12 Our neighbor often brings tasty snacks to us.
13 me
14 to them
15 for the kids
16 to me
17 swims well
18 looks cute
19 made me angry
20 smells delicious
21 He made his son a great leader.
22 She found the movie exciting.
23 My grandma had me clean the bathroom.
24 They played soccer on the playground.
25 The teacher ordered the students to sit down.

Lesson 06 명사와 관사

01 toys
02 few
03 The
04 Canada
05 much
06 glass, a
07 hair
08 to bed
09 the piano
10 There are photos on the wall.
11 Horses are running on the track.
12 I saw beautiful ladies at the party.
13 Chris has unique watches.
14 scissor → scissors
15 the dinner → dinner
16 deers → deer
17 A wisdom → Wisdom
18 Give me two glasses of water.
19 There are a few cookies on the table.
20 John is wearing a pair of jeans.
21 No news is good news.
22 few friends
23 There is little water
24 a cup of coffee
25 a pair of sneakers

Lesson 07 형용사와 부사

01 something expensive
02 much money
03 usually washes
04 hardly know
05 as kind as
06 faster than
07 the most important
08 more comfortable than
09 little
10 A few
11 sometimes
12 hard
13 as, as
14 너는 언제는 나의 진정한 친구이다.
15 그것은 네가 생각하는 것만큼 쉽지 않다.
16 너는 네가 원하는 만큼 가질 수 있다.
17 김 교수는 이 대학에서 가장 인기 있는 교수들 중 한 명이다.
18 John is the most famous soccer player on his team.
19 Emily is far more diligent than anyone in her class.
20 Mr. Jones is not as[so] honest as Mrs. Jones.
21 The musical is as funny as the movie.
22 You should always drink lots of water.
23 John will never follow his parents' advice.
24 Mrs. Jones is one of the best cooks in the village.
25 They are not so popular as the actors.

Lesson 08 to부정사

01 주어
02 주어
03 목적어
04 목적어

05 보어

06 to be

07 to get

08 to eat

09 to find

10 have a lot of toys to play

11 decided to help

12 got home to find

13 go to the beach to enjoy

14 something important to tell

15 to cross

16 to arrive

17 to make friends

18 went to the party to meet

19 were shocked to see

20 called me to ask

21 felt deeply sad to see

22 She hopes to grow taller next year.

23 I used my credit card to pay for the coffee.

24 It is dangerous to fly a kite on a rainy day.

25 He opened the window to find a frog outside.

Lesson 09 동명사

01 dancing

02 to go

03 writing [to write]

04 to go

05 Watching [Seeing]

06 learning

07 entering

08 telling

09 Taking a rest will make you feel good.

10 Eating regular meals keeps you healthy.

11 Playing the guitar is my favorite activity.

12 Getting up late in the morning is your problem.

13 Listening to classical music makes me feel peaceful.

14 are → is

15 stay → staying

16 are → is

17 seeing → to see

18 Try to avoid drinking soda.

19 Being kind means listening to others.

20 Their plan is finishing the project together.

21 The country is famous for having a long history.

22 fixing the computer

23 to send the letter

24 Being a basketball player

25 to say that I can't help you

Lesson 10 대명사

01 여기서부터 그 역까지는 멀지 않다.

02 그것은 매우 뜨거운 음료이다.

03 오늘은 며칠입니까?

04 벌써 10시 30분이다.

05 그것은 탁자 위에 있다.

06 Amy had some cookies last night.

07 Do you want some more water?

08 Are there any books on the shelf?

09 If you want any food, you will work for it.

10 yourself

11 herself

12 myself

13 herself

14 one

15 any

16 it

17 it

18 herself

19 (×)

20 yourself

21 (×)

22 enjoyed themselves

23 by myself

24 make yourself at home

25 Help yourself

Lesson 11 접속사

01 엄마는 아침을 먹기 전에 설거지를 하셨다.

02 John이 어린 소년이었을 때, 그는 매우 수줍어했다.

03 Amy는 아팠기 때문에 학교에 결석했다.

04 Tom이 말하기 대회에서 1등을 했다는 것을 들었니?

05 그녀는 네가 정직한 사람이라고 믿는다.

06 Because

07 if

08 or

09 and

10 but

11 before

12 When

13 If

14 and

15 but

16 or

17 are

18 It is true that good music helps you calm down.

19 It is certain that the weather will be fine tomorrow.

20 Unless you hurry up, you will be late for the party.

21 When I heard the news, I was very pleased.

22 but she came to school

23 When Mom got home

24 enter your old and new passwords.

25 Before the test started, he listened to music. 또는 He listened to music before the test started.

Lesson 12 의문문 I (의문사 의문문)

01 What
02 Why
03 When
04 How
05 Where
06 When
07 Why
08 Which
09 How much is that bag?
10 How old is this building?
11 How many dogs do you have?
12 How often does she go to church?
13 old → far
14 many → much
15 tall → long
16 much → many
17 Who made this cake?
18 What kind of bag do you want?
19 What time does the concert begin?
20 Why do you hate her?
21 Whose
22 Where are
23 How does
24 How many books
25 Which do

Lesson 13 의문문 II

01 aren't they
02 will you
03 shall we
04 do you
05 Your sister had dinner with her friends, didn't she?
06 Doesn't Mark go fishing on the weekend?
07 Didn't you play basketball after school yesterday?
08 Your parents don't allow you to go to concerts, do they?
09 doesn't he
10 didn't she
11 Aren't
12 will you
13 Which, or
14 isn't she
15 Don't you
16 aren't they
17 pork or beef
18 No, they aren't.
19 No, I don't.
20 No, I'm not.
21 Yes, we are.
22 Doesn't James like jazz music?
23 You go to school by bike, don't you?
24 The man isn't a scientist, is he?
25 Which color do you prefer, pink or blue?

Lesson 14 감탄문과 명령문

01 How
02 What
03 What
04 How
05 or
06 and
07 or
08 and
09 Let's not waste
10 Let's play badminton
11 Never call him
12 put down your pencils
13 Shall we go
14 Don't take away
15 get some snacks
16 Please answer
17 What a touching story it was!
18 How peaceful the village is!
19 How carefully he listened to my speech!
20 What an exciting roller coaster they have!
21 Please bring me some water. 또는 Bring me some water, please.
22 What diligent students they are!
23 How fast my heart is beating!
24 What nice glasses you are wearing!
25 How cheerfully she laughed at the joke!

Lesson 15 전치사

01 at
02 on
03 in front of
04 between
05 on
06 after
07 during
08 up
09 across
10 I have played the guitar since last month.
11 Jake exercised from 6 to 7.
12 The post office is between the mall and the bank.
13 Mina went to the concert with Yura.
14 since → from
15 during → for
16 in → at
17 to → of
18 two degrees above zero
19 built a house with bricks
20 went to the library by bus
21 all the questions without difficulty
22 on the playground for 30 minutes
23 the crowd ran into the building
24 around the lake
25 for London.

중학 영문법 MANUAL 119 ❶

쎄듀 주니어®

중학 영문법 MANUAL 119 시리즈

단계별 · 수준별 구성	주요 학습 내용
중학 영문법 MANUAL 119 ❶	– 교과서 핵심 문법 포인트 119개 학습 – 군더더기 없이 요점만 다룬 문법 설명 – Basic → Advanced → 내신으로 이어지는 3step 문법 연습 문제 – 출제 가능성이 높은 문제들로 구성한 내신 적중 실전 문제 – 학습한 내용을 다시 정리해 보는 Grammar Review 핵심 정리 – 서술형 위주의 마무리 10분 테스트
중학 영문법 MANUAL 119 ❷	
중학 영문법 MANUAL 119 ❸	